对外汉语研究

第二期

上海师范大学
《对外汉语研究》编委会 编

商务印书馆
2006年·北京

《对外汉语研究》编委会

名誉主编：张　斌

主　　编：齐沪扬

编委会成员（按音序排列）：
　　　陈昌来　　崔希亮　　范开泰　　范　晓　　李宇明
　　　陆俭明　　孟柱亿（韩国）　　潘文国　　齐沪扬
　　　邵敬敏　　沈家煊　　石定栩（中国香港）　　史有为
　　　吴为善　　信世昌（中国台湾）　　张谊生　　赵金铭

本期执行编委：范开泰　　吴为善

目 录

对外汉语教学研究

从句法结构到功能与篇章：对外汉语语法的循序教学 ………… 屈承熹(1)
"篇章断句"之汉语阅读策略教学 …………………………… 信世昌(18)
以辅助专业教学为目的的汉语作为第二语言的教学：实践与思考
……………………………………………………………… 郭　熙(26)
韩汉方向概念表达形式对比 ……………………… 崔　健　朴贞姬(36)
从交际语言教学到任务型语言教学 …………………………… 吴勇毅(57)
心理语言学中的第二语言学习及理论发展 ……… 邢　欣　吕红梅(63)
输入调整与对外汉语阅读教材编写 …………………………… 朱　勇(77)
外国留学生使用"在NL"的调查分析 ………………………… 林齐倩(85)

双语本体研究

助动词"要"的语义分化及其主观化和语法化 ………………… 古川裕(97)
"以至"与"以致"——兼论汉语近义虚词的中和倾向 ……… 张谊生(108)
从脑波实验来看大脑对语气的认知 …………………………… 孟子敏(125)
单音形容词重叠的形式和语法意义 …………………………… 李　泉(141)
"在L+V"与"V+在L"的意象图式分析 …………………… 赵　微(151)
趋向动词教学的前提工程：趋向动词"上"的语义特征考察 … 辛承姬(159)

汉语水平考试研究

HSK考生群体分布一致性研究 ………………………………… 田清源(169)

学术评论

《语言自迩集》的编刊与流传 ………………………………… 王澧华(182)
汉语中介语研究述评 …………………………………………… 张建强(196)
《对外汉语研究》征稿启事 …………………………………… 王澧华(203)

从句法结构到功能与篇章：
对外汉语语法的循序教学*

屈承熹

摘　要：本文根据近年汉语语言学研究之成果，提议如何对每一语法点作循序教学之安排，由浅入深、由易及难。进而以完成体标记"了"与"把"字句为例，显示"由浅入深、由易及难"，其实可以用较为具体的标准来鉴定：即由基本到引申，由通例到特例，由原则到例外，由结构到功能，由句法到篇章。

关键词：汉语语法；循序教学；结构 vs. 功能；句法 vs. 篇章

一　引言

近年来，对外汉语教学的语法问题，似乎渐受重视。以 JCLTA 所发表的文章而言，就有邓守信（1997）、刘月华（1998）、邢志群（1998，2000）等几篇。邓文和刘文都主张以渐进方式教学语法，邢志群则在该两篇文章中都强调功能与篇章的重要性。这四篇文章虽然看似分别阐述两个不同的议题，其实这两个议题是一体的两面，互有关联的。本文的主旨就是针对这两个议题，提出一点看法。

二　循序教学

所谓以渐进方式教学语法，就是不必将每个语法点一次教完，而是慢慢地从较为容易的部分着手，然后逐渐介绍较为困难的。本文简称之为"循序教学"。以"把字句"为例，邓文（1997:34—35）建议应分成五个阶段来教学：

(1) 用"外向"动词的把字句：

---

* 本文初稿曾于 2002 年 7 月在上海举行的"第二届对外汉语教学语法讨论会"作简单报告，后并于上海外国语大学及广州中山大学作详细讨论。承与会者诸同仁指正甚多，特此致谢。初稿之繁体字本曾在台湾《华语教学研究》（2004）第一期发表。此简体字本，业经增订修改，期间经各同仁多方指正，敬表谢忱。

他把药吃了。//他把房子卖完了。

(2) 用动词带有补语的把字句：

他不想把钱借出去。//他把邻居打伤了。//他昨天才把论文打完。

(3) 用动词带有"到、在、给"的把字句：

他把水果放在冰箱里了。//他把朋友接到家里来住。//他把论文寄给导师了。

(4) 用动词带有频率、数量补语的把字句：

他把对方狠狠地打了一顿。//他把年糕尝了一口就放下了。//他把信读了一遍就把它烧了。

(5) 其他较为不常出现的把字句：

他把犯人跑了。//她把手帕哭湿了。//这件事把他高兴得像个什么样似的。

这种排序，据该文作者表示，不必拘泥于结构的简繁，而是根据"各该结构之语法概念是否易于为学习者接受"(on the basis of how easily accessible certain structures are to learners as far as such grammatical concepts are concerned) 来决定的。

刘文(1998:59)也认为"在初级阶段应教汉语语法的基本语法点和某些语法点的基本用法，中级阶段仍须系统讲述汉语语法，但内容应加深、加广，并进行类似语法现象的比较。"

2001年8月在北京举行的第一届"国际对外汉语教学语法讨论会"上，也有很多位学者提出顺序的问题，如崔健、崔希亮、邓守信、刘月华、舆水优等诸先生。其中尤以邓、刘两位所提的较为详细。刘教授建议，除了前面所说在初级与中级阶段原则性的循环上升而外，高级阶段还应该有"句子连接的方式等篇章方面的内容；很多虚词不可能一次学完全部意义和用法，高级阶段可以加深讲解，并进行比较、总结；高级阶段还可以教某些比较复杂的语法点，比如多项定语与多项状语的顺序，各种趋向意义之间的关系分析等等；此外还可以集中分析学生的典型的病句，这样做有助于他们更牢固地掌握语法。"邓教授还提出决定难易的六个原则：

(6) a. 结构越复杂，困难度越高。

b. 语义越复杂，困难度越高。

c. 跨语言差距越大，困难度越高。

d. 成体系的困难度低，不成体系的困难度高。

e. 口语结构困难度低，文体结构困难度高。

f. 句义 (sentence meaning) 困难度低，语义 (conversational implicature) 困难度高。

总之,很多专家学者都认为,对外汉语语法教学的一个基本原则,就是必须由浅入深,由易及难。但是,究竟应该怎样来认定,则除了邓教授以外,目前似乎还没有别人提出一个很有系统的说法。因此,我们想用邓教授所提出的原则做基础,来进一步探讨这个问题。

三　语法点的难度检定

邓教授从他所提出的六个原则中,使用"结构复杂度"、"语义复杂度"和"跨语言差距"三个标准,将下面这几个语法点的难度,作了如此的标记:

(7) 语法点的难易度:("＋"＝难度高;"－"＝难度低;"?"＝略有疑问)

语法点	结构复杂度	语义复杂度	跨语言差距
了(完成)	＋	－	＋
过(经验)	＋	－	－
着(进行)	－	－	－?
把(处置)	＋	＋	＋
被(被动)	－	－	－
是…的(焦点)	＋	－	－?
跟(介词)	－	＋	＋
对(介词)	－	－	－
连…都(甚至)	＋	?	＋
双宾	＋?		
零代	＋	－	＋
主题化	＋	－	＋

上表所列的难易度,除了少数几个,如"被字句"似乎并不像表中所标示的那样容易,"连…都"似乎没有那么难以外,大致上与一般汉语教师的感受相当接近。但是,如果按照上表的标记而将语法点在教学上作如此排序,那么,最容易而最早教的应该是"对"、"被"、"着",其次应该是"过"、"是…的"、"双宾",再其次应该是"了"、"跟"、"零代"、"主题化",最后则是"把"、"连…都"。这样的次序,在实施上恐怕会有许多困难。因为,在语言的实际使用中,不一定会有类似的次序,出现一两次,也许可以不教其语法,但是如果出现多次,则无法不教。那么,应该如何教? 这就牵涉到该语法点的难易了。如果是很容易的,很简单明了的,则不妨一次就全部交代清楚,如介词"对"。如果不是那么容易,就无法一次交代清楚。那么,第一次出现时,应该教什么,怎样教,以后再教什么,就成了一个相当棘手的问题。这里我们想就这样的一个问题,举例讨论。

在举例之前,我们先强调一点:其实上面所列的语法点,哪个先教,哪个后教,都没有很大的差别。重要的倒是,当某个语法点第一次出现时,如果是较为复杂困难的,应该从何着手？下面我们先以完成体"了"来举例说明。

四　完成体"了"的教学——从句法到篇章

由于"了"在语法上的基本需要，它在一般的教材中都出现得很早。汉语教师要作的第一件事，就是必须把句末表示情状改变的"了"和动词词缀表示完成体的"了"明确地分开①。为了便于说明，这里仅讨论分开以后的完成体"了"②。

4.1　第一阶段：叙事性的过去——事件的发生

当完成体"了"出现时，第一个应该介绍的基本观念，并不是针对这个名称来解释什么是"完成"。因为"完成"这个概念，实在过于复杂，而且它的适用范围常常因语言而异，甚至于连很多语言学者也不一定能说得清楚。所以，汉语教师应该尽量避免使用"完成"这个术语，但却可以从"完成"这个概念里，抽出其中对汉语而言最基本、最实用的"叙事性过去时态"(narrative past) 这个观念来介绍。所谓"叙事性过去"就是指用来表示"一个事件在过去的发生"(the occurrence of an event in the past)。这虽然与英语中的过去时态 (past tense) 相对应，却略有不同：英语的过去时态同时适用于"事件的发生"与"情状的存在"两类句式，但是汉语的"了"仅代表"叙事性的过去"，故只能适用于"事件的发生"，而不适用于"情状的存在"。此一分别，可以由下列的语料明确地显示出来：

　　(1) 昨天晚上，我跟几个朋友去看了一场电影，很好看。
　　　　Last night I went to a movie with a few friends. It was very interesting.

例(1)中共有两个小句，第一个小句是叙事，第二个小句是说明。这两个小句，每句都有一个述语。英语中的两个述语都必须用过去时态的动词，即 went 和 was；而汉语的两个述语，其中一个用"了"(去看了)，一个不用"了"(很好看)，正因为"去看"是叙事，表示事件的发生，而"很好看"是说明，表示情状的存在。

我们说"叙事性的过去"是"了"的基本语义和基本用法，因为这种用法不需要任何特别的语境，只要是讲述一件单纯事件的发生，就可以用"了"来表示。③这是教学完成

---

①　有关这两个"了"之间的习得次序，请参看 Teng (1999)。
②　本节系根据屈承熹(2001a)的部分内容改写而成。其中基本概念则多出自 Chang (1986)。
③　在实际语料中，当然也常常会出现些看似单纯事件的发生而不用"了"的例子，但这些往往都是受语境的影响而将"了"省略的。请参看下面的讨论。

体"了"的第一个阶段。当学生对这个语义和用法获得了一定的掌握以后,教师就可以介绍较为复杂的用法,但也必须按部就班,循序而进。

4.2 第二阶段:相对的过去——事件的排序

第二阶段,学生应该学的是从基本语义及其基本用法所延伸出来的语义和用法,也就是从"绝对的过去"延伸到"相对的过去"。所谓"绝对的过去"其实就是以说话的当时作参考点而推断出来的过去,如例(8)中的"了";而"相对的过去"则是用语境中特别指明的另外一个时间点或事件作为参考点而推断出来的过去,即早于此一特定时间点或事件,所以叫做"相对的过去"。例如:

(2)(a) 下个月这个时候,我已经离开了上海,到美国去了。

(b) 甲:你什么时候去?

乙:我吃了饭就/再去。

例(2)中的两个"了"显然不是标示"过去事件的发生"。那么,为什么要用这两个"了"呢?(2a)中的"了"是用来标示"离开上海"这件事,相对于"下个月这个时候"是"过去",也就是它的发生早与"下个月这个时候"。而(2b)中的这个"了"是用来标示"吃饭"这件事的发生,将会早于"去"这件事,这也就是上面所说的"相对的过去"。说话者用这个"了"的目的,是要特别标示这样的一个先后次序:"离开上海"在前,"下个月这个时候"在后;"吃饭"在前,"去"在后。因此,这个"了"所标示的时间,并不是以说话的当时作为参考点,而是以另一个时间点(如"下个月这个时候")或者另一事件(如"去"这件事)作参考点而推断出来的"相对的过去"。

完成体"了"的这个用法,我们不妨称之为"事件排序功能"。

4.3 第三阶段:篇章组织——事件的组合

在学生对"时间排序"这个用法,有了相当的掌握以后,就可以介绍一个更为复杂的用法。这就是学习完成体"了"的第三个阶段。也就是用"了"来将所发生的一件以上的"子事件"集合在一起,当做一件"母事件"处理。这种用法,可以称之为篇章上的"事件组织功能"。请看下面的例(3):

(3)就这样,几年前我离开了$_1$ L.A.,来到东边棕榈泉地带的大沙漠中,在不同的三个小镇上住了$_2$三年。(《世界日报》2000年11月17日,D10)

上例中的两个"了",其中"了$_1$"除了标示"叙事式过去"以外,还有"事件排序功能",就是特别显示:"离开L.A."这件事的发生在"来到…大沙漠中"和"在…住三年"之前。"了$_2$"则除了标示"叙事式过去"以外,还有"事件组织功能",就是将"来到…大沙漠中"

和"在…住三年"这两件事件合而为一来叙述,也就是说,将上述发生的两件事,当做同一件事来处理。

当然,我们尽管可以在"来到"之后也加上一个"了":

(3a)就这样,几年前我离开了₁L.A.,来到了东边棕榈泉地带的大沙漠中,在不同的三个小镇上住了₂三年。(《世界日报》2000年11月17日,D10)

在这种情况之下,这三个"了"似乎都只标示"叙事式过去"而丧失了其他的功能。其原因在于:这样的三个小句,都一律平等;那么,谁也无法将其他事件认为是它的"子事件"而纳入自己的范围之内,而组成一个较大的"母事件"。另外一个可能,是将"了₁"移到"来到"之后:

(3b)就这样,几年前我离开Ø L.A.,来到了₁东边棕榈泉地带的大沙漠中,在不同的三个小镇上住了₂三年。(《世界日报》2000年11月17日,D10)

这样就将"离开LA"与"来到…大沙漠中"合并而成为同一个"母事件",这倒也未尝不可。当然,只用"了₂"也一样不妨碍该段的篇章组织,因为这个"了"字用来将三件"子事件"放在一起,当做同一个较大的"母事件"来处理:

(3c)就这样,几年前我离开Ø L.A.,来到Ø东边棕榈泉地带的大沙漠中,在不同的三个小镇上住了₂三年。(《世界日报》2000年11月17日,D10)

因之,完成体"了"的这个用法,我们不妨称之为"事件组织功能"。

这个功能,除了适用于有时间性的叙事体以外,其实也同样适用于没有时间性的说明体。下面(4)就是这样的一个例子。

(4)你用右手拿刀子,左手拿叉子,这样切,切完了,放下刀子,再用右手拿叉子,一块一块地吃。(引自 Ch'en, Link, Tai and Tang: *Chinese Primer*)

上例是教人怎样用刀叉吃西餐,所以不是过去发生的事件,而是没有时间性的。那么,在"切完"之后加上"了"的用途,当然不是来标示过去事件的发生,而可能是标示"相对的过去"。这与例(2)中的用法完全一致。也就是说,说话者特别用这个"了"来清楚地标示,"切完"的发生应该在其后不带"了"的"放下"发生之前。这是前面介绍的第二阶段的用法。不过,这个例子并不如此单纯,除此而外,也像例(3)中一样,还牵涉到篇章的组织。

如果仔细观察,上例(4)中的这个"了",依语法需求而言,其实并不是非用不可的。因为小句的前后次序已经代表了各个动作的次序,所以没有这个"了"也并不妨碍这些动作的排序。但是,如果不用这个"了",整个句子似乎长得让人有点喘不过气来。所以,这个"了"的第二个用途,是要把整句中一共七个小句分成两组,然后,一前一后地连接起来。

那么,这个"了"是不是一定要放在第四个小句中呢?能不能放在其他的小句中呢?用了一个"了"以后,还能不能再用一两个"了"呢?要回答这些问题,我们可以用下面这个方式来考查一下:

(5)你用右手拿(了$_1$)刀子,左手拿(了$_2$)叉子,这样切(了$_3$),切完了$_4$,放下(了$_5$)刀子,再用右手拿(了$_6$)叉子,一块一块地吃(*了$_7$)。

例(5)中,我们在每一个动词后面都加上了一个"了"。它们似乎都可以,只有最后的"了$_7$"好像不合适,因为它既不能用来标示"相对的过去",也不能把它当做"情状改变"来解释。其他括号中的"了",任选一个,都是可以接受的。不过,却有两个问题:第一,它们的接受度(指"通顺的程度")各不相同;第二,它们都不如原来的那个"了$_4$"合适。这些问题,无论称之为"接受度"、"通顺度"或者"合适度",都不能算是语法的问题,而应该是篇章组织是否确实反映实际生活的问题。要回答这些问题,就必须先看看每个小句所代表的动作之间的关系。例(4)中前面四个小句所标示的,是很自然的一串动作,可以视为同一个事件的组成份子。因此,用"了$_4$"一方面把它们与后面的几个小句分隔开来,另一方面还把前面的几个小句串连在一起,而合并成一段。所以,用"了$_4$"把整句分成两段是最好的组织办法。至于其他的那些"了",为什么每个的接受度不一致,也与它们所串连和分隔的动作,是否能自然地结合成同一事件或分隔成两个不同的事件有关。例如,用"了$_2$"显然就比用"了$_1$"好,因为"右手拿刀子,左手拿叉子"这两个动作可以很自然地看成同一个事件。如果把这两个动作用"了$_1$"切分开来,而又把分隔开来的"左手拿叉子"与"这样切,切完"合并成同一件事件,则似乎就没那么自然了。其他几个,也可以用同样的方法测试,就可以看出是否合适。总之,例(5)中所可能的标示,合适与否各有不同,但只要根据上面所说的那个"了"的篇章组织功能,加以一般的常识来判断,就可以决定能不能用"了"来将个别的动作合并为同一个事件。

如果比较例(4)与例(3),不难看出一个极大的不同。例(4)是说明体裁,本来是不需要用完成体"了"的,但是可以用**"了"的添加**这个方法来达成"事件排序"和"事件组织"的功能。而例(3)是(过去)叙事体裁,本来是每个述语都需要用完成体"了"来标示"事件的发生"的,但是可以用**"了"的省略**这个方法来达成"事件组织"的功能。

最后,我们再回头看看例(3)。如果将其中小句的前后次序略加更改,并在词语上作相应调整,则对于"了"又会有不同的需求。

(3d)就这样,几年前我离开 Ø/了$_1$ L.A.,在不同的三个小镇上住 *Ø/了$_2$ 三年,最后来到 ?Ø/了$_3$ 东边棕榈泉地带的大沙漠中。

例(3d)的三个小句中,"了"的使用与否,其情形各有不同:(i)了$_1$可以不用;(ii)了$_3$虽然可以省略,但是仍以使用为佳;(iii)而了$_2$却绝不能省略。现说明如下:

如果用了₁,有两种可能,其一是表示它是一件独立事件,于其后的两事件不能合并成同一个事件处理;其二是特别标示"离开 L.A."发生在"在不同的三个小镇上住了三年"之前。两者都没错,但不是必要的。所以也可以不用。不用了₃无可厚非,但是却缺少了将三个事件组合在一起的作用,因而听起来好像是三个分散的事件,也因此听者会有话未说完的感觉。所以,用了₃比不用要好得多。至于了₂为什么一定要用呢?它固然有排序的功能,但是排序在这里并不一定需要。而了₂所以必要的原因,也许与其前的动词"住"是单音节有关系。这一点需要作进一步的说明:从古汉语发展到现代汉语,有一个很明显的事实,那就是由于音节的简化,单音节词有倾向于变成多音节的趋势。因此,一个单音节的动词,如果是用来表示"过去事件的发生",则这个"了"就很难不用了。当然,这只是初步的推断,是否正确,还待进一步证实。

上面我们利用完成体"了"的三种功能,排出了教学的三个阶段。第一阶段介绍最基本的"叙事过去"功能;第二阶段介绍由"过去"推衍出来而较为复杂的"事件排序"功能;第三阶段则介绍与篇章有关的"事件组织"功能。完成体"了"的这三个功能,都可以根据规则应用,似乎甚少例外,应该不难学习,只要循序渐进,想必能收到事半功倍之效。

4.4 第四阶段:其他规则和例外

除了上面所提到的三个功能以外,当然还有一些其他较为琐碎的规则,仅适用于某些特定的情况。略述如下:

(6a)昨天老张告诉我/跟我说,今天不来上班。①

(6b)我记得数年前看《红楼梦》时,不断的抓着头皮想(*了):"在美国不要说五代同堂,连两代同堂都很困难……"

例(6)中的动词,根据基本规则,似乎都应该用"了",而实际上没有用"了"的特例。(6b)中的"看"虽然是代表过去所发生的事件,但是由于它是在一个从属小句里,所以不用"了"。其他几个动词,(6a)中表示说话的"告诉""说"和(6b)中表示认知的"想",如果其后有所说、所想的内容,那么,虽然是"叙事过去",就不必用"了"。原因在于这类句子所要传达的主要信息,并不是在这几个说话动词或认知动词部分,而是其后所说、所想的内容。反之,如果主要信息在"说"或"想"等事件的发生,那么,这些动词后面的"了"就变成必须使用的了。例如:

---

① 这个问题,曾在上海外国语大学作报告时,提出讨论。对当时提出问题及意见的诸位先生,特此表示感谢。

(6') A:老张今天怎么没有来上班？他请假了没有？

B:他昨天跟我说？∅/了今天不来上班。我忘了告诉你了。

例(6'B)中，动词"说"后的"了"一定要用，因为这句话的主要信息，不在"今天不来上班"，而在"他昨天跟我说了"。

至于"说"和"想"等动词后面没有所说、所想的内容，则该小句所表达的就是主要信息，因此就需要"了"来标示"叙事过去"了。如(7)：

(7) a 昨天晚上老张又来跟我说了半天的废话，真是烦死了。

b 那个问题，他抓着头皮想了好久都没有想出什么办法来。

除此而外，还有一种特例：文言体裁的动词，一般都不用"了"来标示"叙事过去"。例如：

(8) a 去国（*了）十载，飘零依旧。

b 老僧早已遁入（？了）空门，无所牵挂。

另外，上节提到单音节动词表示"过去事件的发生"时，似乎很难因为篇章原因而不用"了"，也可以放在这一个阶段来教。这些规则和特例，应该可以在基本功能习得以后，随机教学，也不致会有太大的问题。

4.5 小 结

总之，在完成体"了"的教学过程中，不必固执于语言学上学术性的说法，也不必强调"完成"(perfectivity)的普遍意义；而应该就它在现代汉语中的角色，从最基本的语义及功能，扩展到各种延伸出来的用法，从句法上的需要扩展到篇章上的应用。最后则介绍一些较为特殊的规则和例外，这些包括了(a)表说话和认知的动词，如果其后有所说、所知的内容，则不能用"了"；(b)从属小句中的动词，不必"了"；(c)文言题材中的动词，不必"了"。这样循序而进，应该可以避免不少不必要的误导和误解，因而使整个学习过程更有系统，更有成效。

五 "把"字句的教学——从结构到功能

现代汉语中的"把"字句，也许是在汉语语法中讨论最久、研究最深的句式之一，近者如张旺熹(1991)、崔希亮(1995)、张伯江(2000)、杉村博文(2002)、陈小荷(2002)等。对于应该怎样教学，也有不少讨论，如张宁、刘明臣(1994)等。也许，正由于研究透彻，所知道的细节太多，以致无法得出一个较为简单而直截了当的方法，用在语言教学之中。本节拟从"把"字句的基本结构和基本功能出发，探讨其在教学上可能采取的步骤。

5.1 第一阶段:"把"字句的基本结构

一般的语法,都会列出"把"字句的基本结构:

(9) $NP_1 +$ 把 $+ NP_2 + V + X$

其中的 NP_1 是施事,NP_2 是受事,V 是动词,X 是补语。这个结构,除了补语不太稳定以外,其他各项应该都没有问题。例如:

(10) a. 我们₁把功课₂都作完了。(结果补语)
b. 请你₁把椅子₂拿出去。(方向补语)
c. 你₁周末得把门₂修一修。(同原宾语)
d. 我₁不愿意把这么多钱₂都借给他。(目的补语)
e. 孩子们₁把家里₂弄得乱七八糟。(结果补语)
f. 大家₁都把这篇课文₂抄三遍。(频率补语)
g. 谁₁把蛋糕₂吃了?(完成体标记)

例(10)中,NP_1 和 NP_2 分别是施事和受事,非常有规则,所以学习这一部分,应该不是难事。但是,其中补语,如括号内所示,形式却多种多样。如果学生还没有掌握好各种补语的形式,则在这一个阶段,不必把所有可能的补语形式,倾囊而出,最好仅举几个熟悉的形式出来讨论。其他的形式,不妨以后随机介绍。这一点,与本文第二节曾提到的邓(1997)所主张渐进方式中的前四个阶段,在精神上是不谋而合的。

当然,实际上的问题并不如此简单。还有很多无法用这个基本结构来介绍和解释的,这些也就是邓(1997)中的第五个阶段。除了他的例句外,下面再举几例说明:

(11) a. 孩子₁把我们₂哭得一夜没睡觉。
b. 那瓶酒₁把他₂喝得酩酊大醉。
c. 你₁怎么不把葡萄₂剥了皮再吃?

例(11)中的三个句子,都没有办法直接用(9)中的结构来解释。这里一共牵涉到了三个问题。第一,三个 NP_1 中,相对于动词而言,(a)和(c)中的"孩子"和"你"固然都是施事,但(b)中的"那瓶酒"却不是。第二,(a)和(b)中的两个 NP_2 "我们"和"他"都不是相关动词的"受事"。第三,虽然,(c)中的 NP_2 "葡萄"可以算是该句动词"剥"的受事,可是,真正的受事却是"皮"。下面几个小节,我们将针对这三个问题,试图作个解决,并介绍其教法。

5.2 第二阶段:"把"字的基本功能

王力先生将"把"字句看做是处置式。Thompson(1973)将"把"字句功能看做是:

隐含着回答下列这样一个问题的答句。

　　(12) What did X do to Y? (X 把 Y 怎么了?)

其中的 X 是"施事",Y 是"受事"①。这两种说法,都很确实地阐述了它的基本功能。不过,两者都是从整个句型作为出发点,而且受到结构主义(structuralism)和变换语法(transformational grammar)的限制,无法跳出(9)中的基本结构,总认为每个"把"字句,都必须从一个与之对应的基本句式转化而来。因此,用他们的基本功能来解释例(10)中的各句,固然都没有问题,但用在(11)中的几个例子,就无法确实地解释其中所有的事实了。

　　现在,我们暂时抛开(9)中的基本结构不谈,仅仅看"把"这个字(不是"把"字句)的功能。根据屈(2001b)的研究,其实"把"字是用来特别明显地标示:其前的 NP(即 NP_1)是"施事",其后的 NP(即 NP_2)则是"受事"。这个看法基本上与(9)完全符合,也与王力、Thompson 的主张互不冲突。不过,屈的这个看法,与一般语法有一个主要的不同:乃是一般语法,是先认定了某个 NP 是"施事",某个 NP 是"受事"以后,再来决定这个句子是否可以转换成"把"字句。而屈则认为,这两个名词组的语义角色不必预先认定,而且,无论其语义角色是什么,在两者之间都可以加上一个"把"字。在原来是"施事"与"受事"之间固然可以添加一个"把"字,以特别彰显前后这两个名词组的语义角色。如果原来两个名词组并不是"施事"与"受事",这个时候不但也可以在两者之间添加"把"字,而且添加以后,这两个名词组就分别被赋予了"施事"和"受事"这两个语义角色。由于这一点的不同,屈的理论事实上还可以用来解释(11)中的那些例子。下面将(11)重列一遍,并且就用其中的那几个例句来说明这个"把字的基本功能"。

　　(11) a. 孩子₁把我们₂哭得一夜没睡觉。
　　　　 b. 那瓶酒₁把他₂喝得酩酊大醉。
　　　　 c. 你₁怎么不把葡萄₂剥了皮再吃?

如果我们不拘泥于跟它们相对应的"非把字句"中的语义角色,那么,(a)中的"我们"和(b)中的"他",由于其前的"把"字,就可以理解为"受事",(b)中的"那瓶酒"由于其后的"把"字,也就可以理解为"施事"。至于(c)中的"葡萄",尽管还有"皮"也是"受事",却可以理解为所要彰显的"受事"。

　　有了上面这样的认识,我们就可以较为轻易地解释(11)中的这一组"把"字句。"把"字的功能,是用来标示其前的名词组是"施事",其后的名词组是"受事"。至于与之

---

① 该文有关这方面所用的原文如下:
A NP_i may be fronted with ba if the rest of the sentence answers the question, 'What did the agent do to the NP?' that is, if it is semantically the 'direct object' of the sentence.

相对应的"非把字句"中的语义角色,是否是"施事"和"受事",并不是决定它能否转换成"把"字句的条件。

当然,问题还没有完全解决,因为我们还可以接着问下面这两个问题:(a) 在例(10) 这样的句子中,在与之相对应的"非把字句"中,既然 NP$_1$ 和 NP$_2$ 都已经分别是"施事"和"受事"了,为什么还要用"把"来特别标示这两个语义角色呢?(b) 究竟在什么样的情况之下才能在两个名词组之间添加"把"呢?这两个问题我们将在下面两小节中讨论。

5.3 第三阶段:功能的延伸

在讨论上面这两个问题之前,我们首先得看一看,所谓将某个名词组标示为"施事"和"受事"究竟是什么意思。所谓"施事"(agent) 就是"行为的主动者",也就是说"对该事件的负责者";而所谓"受事"(patient) 就是"因接受行为而受到影响者"。用这样的观点来看 (11),则 (11a) 中的"我们"是受影响者;(11b) 中的"那瓶酒"是当做行为的主动者,也就是应该对该事件的负责者,其中的"他"是受影响者;(11c) 中的"葡萄"是特别指明的直接受影响者,虽然"皮"也受到一定程度的影响。

现在再用同样的观点来看 (10)。我们若将 (10) 跟下面 (10') 中与之相对应的"非把字句"比较,则可以发现,各组对应句中有一个共同的差异,那就是 (10) 中的 NP$_1$ 都比 (10') 中的 NP$_1$ 对于所发生的事更需要负责,(10) 中的 NP$_2$ 则都比(10') 中的 NP$_2$ 所受的影响要来得更大。

(10) a. 我们$_1$ 把功课$_2$ 都作完了。

b. 请你$_1$ 把椅子$_2$ 拿出去。

c. 你$_1$ 周末得把门$_2$ 修一修。

d. 我$_1$ 不愿意把这么多钱$_2$ 都借给他。

e. 孩子们$_1$ 把家里$_2$ 弄得乱七八糟。

f. 大家$_1$ 都把这课书$_2$ 抄三遍。

g. 谁$_1$ 把蛋糕$_2$ 吃了?

(10') a. 我们$_1$ 功课$_2$ 都作完了。

b. 椅子$_2$ 请你$_1$ 拿出去。

c. 你$_1$ 周末得修一修门$_2$。

d. 我$_1$ 不愿意借给他这么多钱$_2$。

e. 家里$_2$ 孩子们$_1$ 弄得乱七八糟。

f. 这课书$_2$ 大家$_1$ 都抄三遍。(频率补语)

g. 谁₁吃了蛋糕₂?（完成体标记）

因此,所谓"明确地标示施事与受事",其实就是在"施事"身上增加其对事件发生的责任,在"受事"身上增加其所受影响的程度。这个扩展出来的功能,也同样适用于例(11)中各句的解释。

要让学生能认识到,"把"字的功能,基本上固然是标示其前的名词组是"施事",其后的名词组是"受事"。但是从这个基本功能出发,还可以延伸到对实际解释更为直接的一个功能,那就是:"把"字的使用,目的是要明显地表示"施事应该对该事件负责"和"受事所受影响程度的增加"。这就是"把"字句第三阶段的教学目标。

5.4 第四阶段:结构的延伸

现在再看究竟在什么情况之下才能使用"把"字句这个问题。例(10)中的各句都可以从相对应的"非把字句"演化出来,应该不是大问题,所以这里不再进一步讨论。下面将专门讨论类似例(11)中的那些"把"字句。

根据薛凤生(1987)及 Tsao(1990)等的研究,"把"字句的语义特征之一,是"把"字前后的两个名词组,都有很高的"话题性"(topicality)。（虽然其中哪个是"主话题",哪个是"次话题",尚未获得定论。）如果我们同意薛、Tsao 两人的看法,那么,(11b)与下面(13)中这句话至少在话题结构上极为相似:

(11b) 那瓶酒₁把他₂喝得酩酊大醉。

(13) 那瓶酒,他喝得酩酊大醉。

这两句话的差别,在语义及功能上,已经在上节交代过。在形式上,就在于一个有"把",一个没有。因此,我们不妨这样说:(11b)是直接在(13)中加上一个"把"字而衍生出来的。这种形式上的对应,其实还可以适用在很多其他的例句上。例如:

(14) a. 那场球₁把我₂看得累死了。（←那场球,我看得累死了。）

b. 我₁把壁炉₂生了火。（←我,壁炉生了火。）

c. 老王₁已经把这件事₂写了个报告了。（←老王,这件事已经写了个报告了。）

d. 他₁把手帕₂哭湿了。（←他,手帕哭湿了。）[参看第二节(5)]

e. 这件事₁把他₂高兴得像个什么似的。（←这件事,他高兴得像个什么似的。）

[参看第二节(5)]

姑且不论这样的对应在理论上是否站得住,在教学上至少可以让学生得到一个概念:那就是,这一类"把"字句的意义,都可以从其相对应的"非把字句"衍生出来。从另一个角度看,也可以说如果 NP$_1$ 和 NP$_2$ 不能配合 (9) 中的语义角色时,那么,只要能有如此对应,"把"字句就可以算是"合法",也可以获得合理的解释。这样配对,可以当做是"把"字句教学第四阶段的起点。

由此出发,其次所要作的,是对下面例 (15) 中的这些无法让人接受的"把"字句,应该作如何的解释。因为,按照上面的说法,例 (15) 中的每一句都应该可以从其后括号内的对应句衍生出来的。

(15) a. ? 我$_1$ 把那场球$_2$ 看得累死了。(←我,那场球看得累死了。)

b. ? 壁炉$_1$ 把我$_2$ 生了火。(←壁炉,我生了火。)

c. ? 这件事$_1$ 把老王$_2$ 写了个报告了。(←这件事,老王写了个报告了。)

d. ? 手帕$_1$ 把他$_2$ 哭湿了。(←手帕,他哭湿了。)

e. ? 他$_1$ 把这件事$_2$ 高兴得像个什么样似的。(←他,这件事高兴得像个什么样似的。)

这里所牵涉到的,其实并不是一个语法或者篇章的问题,而是根据形式,其解释所获得的事实,是否在一个人的认知范围之内。例如,把 (14a) 中的"那场球"当做该事件的负责者,"我"当做受该事件的影响者,是一般人在认知上能接受的。而在 (15a) 中,由于"我"在"把"之前,所以一定要把"我"当做该事件的负责者,而由于"那场球"在"把"之后,所以一定要把它当做事件中的受影响者。这就不是一般人所能接受的了。然而,如果事件的性质略为改变,则"我"作"施事"、"那场球"作"受事"的这种关系,却又是可以存在的。例如:

(16) 我$_1$ 把那场球$_2$ 打得窝囊透了。

例 (15) 中的其他例句之所以无法让人接受,也是同样的原因。即使是像 (15d) 中"手帕"作"施事"与"他"作"受事"那样的关系,如果有一个适当的事件,也还是可以接受的。例如:

(17) 那条手帕$_1$ 把他$_2$ 找得要命了。

如果那条手帕是他的情人送给他的,每次约会他都带着,有一天要去约会以前,忽然找不到了,那么,这句话想必是任何人都能接受的。

这个阶段的教学,主要是在首先说明,类似例 (11b) 和例 (14) 中的这些"把"字句是怎样衍生而来的。至于其结果是否容易为人所接受,乃是一个认知方面的问题。也可以说是否合乎常理的问题,而不是语法上的问题。

5.5 第五阶段:"把"字句的组码 (encoding) 过程及其他

上面提出的四个阶段,固然已经相当详尽,但是还没有包括到所有"把"字句的形式。例如，与(11a)相对应的"非把字句"应该是(18)：

  (11a) 孩子₁ 把我们₂ 哭得一夜没睡觉。

  (18) 孩子₁ 哭得我们₂ 一夜没睡觉。

如果用语法的各种限制来讲解，恐怕很难达到教学上易于让学生接受的目的。那么，我们也可以用认知的过程来解释汉语使用者是怎样将（18）这样的一件事件，转化成（11a）这样一句话的。其实在这样的一句话形成之前，说话者先决定何者应该对这件事件的发生负责，何者应该是这件事件中的受影响者。决定以后，就可以将负责者放在"把"字之前，将受影响者放在"把"字之后。

  另外还有一个问题是像前面第二节(5)中的"他把(个)犯人跑了。"这类"把"字句似乎与其他都不太一样，应该当做特例处理(请参看杉村博文，2002)。

5.6 小 结

  对"把"字句的教学，我们一共分成五个阶段处理。首先介绍"把"字句的基本结构，如(9)，这个结构足以说明一般的"把"字句，如(10)。这也是一般语法所采用的办法。第二阶段介绍"把"字（不是"把"字句）的基本功能，认定它是用来标示：其前的名词组是"施事"、其后的名词组是"受事"。这样处理，不但可以说明(10)中的各个例句，而且也可以包括(11)中比较特殊的"把"字句。第三阶段介绍"把"字功能的延伸，就是将"施事"和"受事"的意义分别延伸为"对该事件发生的负责者"和"在该事件中受影响者"。这样，就将语法观念"施事"和"受事"实际应用到"把"字句的语义解释上去。第四阶段介绍"把"字句结构的延伸，也就是设法摆脱基本句型的束缚，只要是在句首的两个名词组，其间就可以加上个"把"字来构成一个"把"字句。同时还利用认知上的合理与否，来判断某些"把"字句的是否可以接受。第五阶段则进一步利用认知的过程，说明"把"字句是怎样产生的。这不但能使学生了解"把"字句的意义，而且也使他们知道在什么情况之下使用"把"字句。当然还有一些特例必须个别处理的。

  "把"字句的结构和功能，是在现代汉语语法中比较特殊而且复杂的一个语法点。我们从它最基本的结构出发，以抽丝剥茧的办法，一层一层地介绍给学生，每一个阶段的教学都是建立在前面已经学过的基础上。这样的建议，希望能给汉语教师一点帮助。

六 总 结

  本文讨论了过去几年来很多专家学者对汉语语法教学的意见。在这个基础上，本文也提出了一些对"循序教学"的看法，然后以完成体"了"和"把"字句为例，说明怎样分阶段来教学这两个语法点。当然,这些阶段并不是严格排序、一成不变的。例如,"把"字句的第三阶段"功能的延伸"与第四阶段"结构的延伸",如果有需要互调次序,应该是没有太大的问题的;只要是在已知的基础上,每次都增加一点新知识,而且不与先前的知识有所抵触,那么,就达到了循序教学的目的了。总之,所谓由浅入深、由易及难,应该也可以说是:由基本到引申,由通例到特例,由原则到例外。而且,从上面的讨论来看,我们还可以加上一点,那就是:由句法到篇章,由结构到功能。至于其他条件,如第二节(6)中所提到的跨语言差距、语体与文体的不同、语义与句义的差别,当然也必须在考虑之列。但是,这些条件所涉及的困难度,并不反映在某个语法点循序教学中各阶段排序的先后,而反映在该语法点所需要阶段的多寡。例如,"把"字句需要五个阶段来介绍,而完成体"了"只需要四个阶段,这也许是反映了跨语言差距的大小。

参考文献

陈小荷(2002)《"把…HVP"的计算分析》,《世界汉语教学》第1期。
崔　健(2001)《汉语语法的特点与对外汉语语法教学》,第一届对外汉语教学语法讨论会论文(中国北京)。
崔希亮(1995)《把字句的若干句法语义问题》,《世界汉语教学》第3期。
崔希亮(2001)《试论教学语法的基础兼及与理论语法的关系》,第一届对外汉语教学语法讨论会论文(中国北京)。
邓守信(2001)《对外汉语语法点困难度评定》,第一届对外汉语教学语法讨论会论文(中国北京)。
金立鑫(2002)《词尾"了"的时体意义及其句法条件》,《世界汉语教学》第1期。
刘月华(1998)《关于中文教材语法的编写》,*JCLTA* 33.2:15—90.
刘月华(2001)《关于对外汉语教学语法》,第一届对外汉语教学语法讨论会论文(中国北京)。
屈承熹(2001a)《功能篇章语法及其在对外汉语教学上的应用》,第一届对外汉语教学语法讨论会论文(中国北京)。
屈承熹(2001b)《"及物性"及其在汉语中的增减机制》,《语言学问题集刊》(戴昭铭、陆镜光主编),吉林人民出版社。
杉村博文(2002)《论现代汉语"把"字句"把"的宾语带量词"个"》,《世界汉语教学》第1期。
薛凤生(1987)《试论"把"字句的语义特性》,《语言教学与研究》第1期。
舆水优(2001)《对外汉语语法教学的语法点及其出现的顺序》,第一届对外汉语教学语法讨论会论文(中国北京)。
张伯江(2000)《论"把"字句的句式语义》,《语言研究》第1期。
张　宁、刘明臣(1994)《试论运用功能法教"把"字句》,《语言教学与研究》第1期。
张旺熹(1991)《把字结构的语义及其语用分析》,《语言教学与研究》第3期。
Chang, Wuchang Vincent 张武昌(1986) *The Particle LE in Chinese Narrative Discourse: An Integrative Description.* Gainesville. FL: Unpublished University of Florida Ph. D. dissertation.
Teng, Shouhsin 邓守信(1997)"Towards a Pedagogical Grammar of Chinese", *JCLTA* 32.2:29—40.
Teng, Shouhsin 邓守信(1999) "The Acquisition of 了 le in L2 Chinese",《世界汉语教学》,1999.

1:56—64.

Thompson, Sandra A. (1973)"Transitivity and Some Problems with the *ba* Construction in Mandarin Chinese", *Journal of Chinese Linguistics* 1.2:208—221.

Tsao, Feng-fu 曹逢甫(1990) *Sentence and Clause Structure in Chinese: A Functional Approach*. Taipei: Student Book Co.

Xing, Janet 邢志群(1998)"Pedagogical Grammar of Chinese: Perspectives on Discourse and Pragmatics", *JCLTA* 33:3.63—78.

Xing, Janet 邢志群 (2000)"Pedagogical Grammar of Chinese: Spatial and Temporal Expressions", *JCLTA* 35:2.75—90.

((美国)佛罗里达大学;200433 上海,复旦大学;
150080 哈尔滨,黑龙江大学汉语研究中心)

"篇章断句"之汉语阅读策略教学[*]

信 世 昌

摘　要：本文基于语言策略教学法（Strategy-based Instruction）的观点，旨在探讨使用篇章断句的方式作为中文阅读策略之教学，笔者自1997年起开始进行一系列的阅读策略研究计划（信世昌，1998），经由学理探讨及教学实验来验证一些阅读策略教学之效果及可行性。其中所发展的"分词断句"教学法，包括了"分词策略"与"断句策略"的教学。所谓"分词策略"是在句子之中分断出词汇的策略教学，已有多位华语教师将之应用于实际的教学上并加以验证（信世昌，2000，2001）；而"断句策略"则是在段落或篇章中进行断句的策略教学，本文则基于实证的结果来探讨此断句策略的教学。

所谓断句教学的实施的方式是先将整段或整篇文章的标点符号删除，让外籍学生阅读没有标点符号的文章，试图判读其文意，并且持笔将应断句之处划出标点符号，借以训练其阅读能力。本文将探讨断句训练的原理与实施程序，并举出实例。

关键词：华语文教学；阅读策略；断句

前　言

在文章中分词断句的能力一直是中国传统的阅读基本素养，在标点符号尚未为近代采用之前，数千年来的所有的中文篇章都是汉字连贯通篇到底，既不断句亦不断词。尽管现代的中文写作已加上标点符号，但仍然到处可看到不断句的文体。例如现今所存的大量古刻本或摹写本之古籍，石碑的碑文，寺庙门柱上的长联，书法的字帖，以及国画上的题字，即使是现代的书法作品及国画题字亦从不断句。因此阅读这些不断句文体的能力，不仅仍有其用途，也是中文阅读能力的展现。

自古以来，培养读书人之分词断句的能力一直是重要的阅读传统，所采用的训练方式通常是"圈点"，即使用毛笔蘸朱砂在文章分句之处画上红色的句读。

"圈点"其本身并非阅读的目的，而是阅读训练的一种手段，前人的圈点法其实是非

---

[*] 本文曾口头发表于第七届世界汉语教学研讨会。

常好的阅读训练策略,因为读书人必须能彻底读通并理解其文意,才能顺利在正确的地方圈点,并且随着大量的圈点练习,文言文阅读认知能力亦愈加进步,则又促使判别句读的速度愈行加快,形成良性的循环。这种方式往往又从精读转而成为"泛读",当读书人面对大部头的书籍时,既得句句圈点,又要省时间,因此必须采"略读"的方式,而加快断句的速度,往往一部书籍圈点下来,其阅读能力可自然到达炉火纯青的地步。然而近代自从标点符号被广泛使用后,固然读者不必再费神判断句子隔断之处,减轻了阅读时的认知负荷,但也减低了阅读的心理认知活动,原本阅读时所需的断句分词的认知活动,仅余下分词的活动,虽然阅读的效率可提高,但汉语的阅读能力反而不如古人。

目前在台湾仍有不少大学的中文系要求学生"点书",甚至圈点如十三经注疏之类的大部头书籍,但由于现代印行的古书已多加注了标点符号,使得此手段仅成为强制阅读的方式,失去了断句认知的训练目的。

标点符号既已纳入汉语,已不可能取消,但却可用未加标点的篇章作为阅读训练的手段。甚至可更进一步,将阅读没有标点符号文章之能力视为中文阅读能力的指标之一,更可将之应用于对外汉语教学。

一 何谓断句策略

所谓的"断句",是指在文章段落之中,将原本相连的句子分隔开,透过这种认知活动,使学习者能够建立文句的概念,在阅读时能快速判断段落中的文句组合,以顺利读取文意并增加阅读的效能。

断句教学实施的方式是先将整段或整篇文章的标点符号删除,让外籍学生阅读没有标点符号的文章,试图判读其文意,并且持笔将应断句之处划出标点符号,借以训练其阅读能力。

实施的方式是先让学生在阅读文句时,试图判断其中的词汇与子句,同时持笔在文句中凡是词汇界限之处皆画下斜线,将句中的词汇逐一断开,借以让学生练习辨识文句之中的汉字与词汇的组合。例如:

  小林每次一看篮球赛就会激动地大喊大叫要是有三四场球赛他会一直看下去他平常很安静大家都看不出来他是一个球迷他自己也觉得奇怪为什么一看球赛就念不下书吃不下饭

答案:

  小林每次一看篮球赛/就会激动地大喊大叫/要是有三四场球赛/他会一直看下去/他平常很安静/大家都看不出来他是一个球迷/他自己也觉得奇怪/为什么一

看球赛就念不下书/吃不下饭/

这种断句的方式在表面上似乎是一种机械化的活动,然而它却是一种"思考展示"(think aloud)的活动,透过执笔画线的方式,将外国学生的中文阅读认知能力具体展现,如果学生能理解文意并且能辨认这些文句的组合,则必能正确地划分句子,否则必然有断句的错误,无法在正确的地方断句。学生固然要进行文句判断的认知练习,而教师亦可透过个别审视,了解学生的阅读程度与阅读困难之处,对于检定学生的阅读能力,以及诊断学生的语文障碍,均极有帮助。

值得注意的是:断句的教学法在教学类型方面是属于阅读"策略"的教学,而非一般的阅读"内容"教学。作为策略训练的方式,其目的并不是借着断句来精密分析其语法句型结构,而是经由大量而有系统的练习,通过外在的活动,使阅读者不断进行文句形式操练,并且进行内在的判断、组合、分隔、重组等中文认知历程。

二 练习材料之教学次序

该阅读策略之教学需提供相当多的各式篇章作为练习之用,这些练习文本应依照由简入难之顺序来逐步练习。依次序可分为1. 复合句断句;2. 段落断句;3. 选用适当的标点符号进行断句;4. 长篇断句。

(一) 复合句断句

选择较长的复合句,内含三四个短句,并含有连接词,由于其文意相关,所以较为简单。例如:

"因为气象报告说今天会下雨所以你最好带把伞否则可能会淋到雨"

→"因为气象报告说今天会下雨 / 所以你最好带把伞 / 否则可能会淋到雨"

(二) 段落断句

选取整个段落的文句,约两百字左右,包含大约十来个句子,最好包括一些易前后混淆的词汇,以增加断句的困难。例如:

"我昨天收到一张名信片上面只写了我家的地址没写是谁寄的我看着看着笑了起来原来这是姑妈三年前去墨西哥旅行的时候寄给我的姑妈和我都以为这张明信片早就丢了没想到长途旅行了三年以后却平平安安地寄到了我家"

这个练习目的只在训练学生正确的断句能力,因此学生只要用最简单的逗号和句号,将这类没有标点符号的小文章断出正确的句意即可。

（三）选用适当的标点符号进行断句

更困难的方式是要求学生不但要断句,还要标出正确的标点符号,以训练学生能更精准地了解文意,才能适当标出逗号、句号、顿号或惊叹号等符号。这个练习目的在于训练学生熟悉更多种标点符号的使用方法,并能更加精确地使用它。下面是由几个句子所组成的某篇文章的小段落,请用所给予的标点符号断句。例如:

"生活就像调味料甜的酸的苦的辣的一罐罐融合在一起每一种调味料都必须加得刚刚好生活才有美味"(。,,,,、、、)

→"生活就像调味料,甜的、酸的、苦的、辣的,一罐罐融合在一起,每一种调味料都必须加得刚刚好,生活才有美味。"

此题先在题目后列出标点的种类及数量,包括一个句号、四个逗号与三个顿号,令学生按其数量找出断句的位置并标出符号,数量必须一致。

若标点符号的种类增多,则困难度增加。例如:

"朋友就像一本一本的书有的书不好看看完了第一页就不想再看了有的书看了会有不好的影响有的书看了会引起我的喜怒哀乐有的书很好看希望永远也看不完"(、、、;;;,,,。)

→"朋友就像一本一本的书:有的书不好看,看完了第一页就不想再看了;有的书看了会有不好的影响;有的书看了会引起我的喜、怒、哀、乐;有的书很好看,希望永远也看不完。"

此题比上一题更难,有五种不同的符号在内,但也更有训练的价值。目前已有汉语教材将此活动纳入练习的项目,例如:刘颂浩、林欢(2000)核心阅读。北京:华语文教学出版社。第37页。

（四）长篇断句

选用报章杂志上的文章,长度至少一千字,甚至可达数千字,先经过删除标点的处理,供学生练习泛读式的断句,并考验学生断句的速度。例如可选择一长篇进行比赛,可限定学生必须在二十秒内快速断句,再计算每位学生正确标号的数量,并计算其正确率。

此活动应采取"泛读"的原则,要求学生在不求甚解的情形下,能找出断句之处,这个活动可以明显看出学生的阅读理解程度,并可具体评分。

三 古代汉语的断句教学

文言文一般都属于高级汉语课程,由于学习者的白话文程度已达一定的水平,其阅读难点主要在于词汇及句法,但是由于文言文的单字词多,大多的汉字多已为高级程度的学生所学过,再加上之乎者也等等的句末虚字反复出现,容易辨别出句尾,因此在断句方面不见得比白话文困难。但若有特殊的文句反复出现,将是一大挑战。例如:

例一:

"世有伯乐而后有千里马千里马常有而伯乐不常有故虽有名马祇辱于奴隶人之手骈死于槽枥之间不以千里称也"(唐韩愈《杂说》)

答案:

"世有伯乐 / 而后有千里马 / 千里马常有 / 而伯乐不常有 / 故虽有名马 / 祇辱于奴隶人之手 / 骈死于槽枥之间 / 不以千里称也"

例二:

"秦人不暇自哀而后人哀之后人哀之而不鉴之亦使后人而复哀后人也"(唐杜牧《阿房宫赋》)

答案:

"秦人不暇自哀 / 而后人哀之 / 后人哀之 / 而不鉴之 / 亦使后人而复哀后人也"

例三:

"游人去而禽鸟乐也然而禽鸟知山林之乐而不知人之乐人知从太守游而乐而不知太守之乐其乐也"(宋欧阳修《醉翁亭记》)

答案:

"游人去而禽鸟乐也 / 然而禽鸟知山林之乐 / 而不知人之乐 / 人知从太守游而乐 / 而不知太守之乐其乐也"

以上各句虽然在词汇方面并不深奥,但其困难之处在于相同的文辞反复出现,并且有些文句的句末词与下一句的开头词可以合为一个有意义的词组短句。不过从其篇章涵义、语气词、句法及对仗等方面去解析,仍可顺利断句。这类型的文章往往是断句练习的好材料。

更难的断句材料是具有专业或哲理色彩的文本,理解其文意较为困难。例如:

"舍利子色不异空空不异色受想行事亦复如是舍利子是诸法空像不生不灭不垢不净不增不减是故空中无受想行事无眼耳鼻舌身意无色身香味触法"(《般若波

罗蜜多心经》)

答案：

"舍利子,色不异空,空不异色,受想行事,亦复如是。舍利子,是诸法空像,不生不灭,不垢不净,不增不减,是故空中无受想行事,无眼耳鼻舌身意,无色身香味触法。"

此段落取自佛经,大致由排比句型构成,可以从其排比及对比的方式来断句,但因牵涉到文句的哲理内涵,较一般文言文更为不易断句。

四　课堂教学之实际现象

断句策略之教学已经过多次的教学试验,一般进行的方式是由教师先提供断句练习的篇章或段落,先由学生试着断句,之后在课堂上进行讨论,请学生分别提出自己的断句法与理由。经访谈及课堂观察,分析出下列现象：

（一）一般整段或整篇的白话文断句,若其中无歧义句,则对于初级与中级学生并不构成困难,大多能顺利断出,但断句所花的时间则明显因学生的程度高下而有差别。因此在实施断句练习时,教师应设定时间长短,增加学生的紧迫感,较易达到效果。

（二）对于段落内容的难度安排不必太过受限于学生的程度,篇章中若有学生尚未学过的生难字词亦无妨,如此一则考验学生在阅读上下文时的猜测能力,二则可让此训练活动具有挑战性,如此更有助于学生阅读能力之提升。由于一般以内容为主的教学必须以阶梯的方式来安排课文内容的难度（生词与句法）,甚至必须符合某些等级规范,但是策略训练则应打破以内容为主体的考虑及规范,而多以未分级的真实语料作为训练材料。

（三）对于歧义句组的断句,较能看出学生的语意掌握程度,最好能选择两种以上的歧义句型。

例一："下雨天留客天留我不留"

此句组若考虑不同的语意及自我对话之情境,至少可能有七种以上的断法：

1. 下雨天／留客天／留我不留？
2. 下雨天／留客天／留我？／不留！
3. 下雨天／留客／天留我不留？
4. 下雨天／留客／天留／我不留！
5. 下雨／天留客／天留／我不留！
6. 下雨／天留客／天留我不留？

7. 下雨／天留客／天留我／不留！

例二：无鱼肉也可无鸡鸭也可粗茶淡饭不可少

此句组至少有两种断法，若再纳入语气的分别，则可延伸出五种以上的断法：

1. 无鱼／肉也可／无鸡／鸭也可／粗茶淡饭不可少
2. 无鱼／肉也可／无鸡鸭也可／粗茶淡饭不可少
3. 无鱼肉也可／无鸡／鸭也可／粗茶淡饭不可少
4. 无鱼肉也可／无鸡鸭也可／粗茶／淡饭／不可少
5. 无鱼肉也／可无鸡鸭／也可粗茶／淡饭不可少

经教学试验得到的结果，若不经提醒，一般中级程度之学生多半以直觉方式找出其中的一种断法，而未加深究或意识到其他的可能性，若老师事先提醒有不同的断法，个别学生或可找出其中的两种或三种断法。若经过整班同学共同讨论，集思广益，也最多仅得五种断法，似乎歧义句组最能引发同学的讨论。

这类的教学试验已实施多次，参与试验的外国学生的中文程度多属中高级。由教学经验及访谈得知，断句的教学法很受师生的肯定，也很方便运用于教学，唯对于初级华语程度者尚需进一步之实验。

五　结　语

借着类似古人圈点的方式来训练外籍学生阅读现代汉语的能力，是极为可行的方式，一则训练学生掌握文句阅读的能力，另一方面也可将学生的阅读理解能力藉此而呈现出来，这也可视为一种"思维发声"（think aloud）的方式，借着学生持笔断句的活动，让教师看出学生进行阅读时，对于文句的掌握程度。事实上，第二语文的学习往往比学习母语更须依靠学习策略，在阅读方面，不仅是注重课文的书面内容，亦应着重训练外籍学生可自行运用的中文阅读技巧。因此断句的策略训练有其传统与现代的作用，值得华语老师善加运用与推广。

此外，此项阅读策略训练的方式虽是以对外汉语教学为主，但其中部分活动或可用于以中文为母语（L1）的教学，尤其在文言文的部分，可作为中学国文教学的活动。当然亦可针对海外汉学系的学生作为古代汉语阅读训练之活动。

参考文献

国语推行委员会（1997）《重订标点符号手册》，国语推行委员会发行。
胡志伟、颜乃欣（1992）《阅读中文的心理历程：80年代研究的回顾与展望》，《中国语文心理学研究第一年度结案报告》,第78—117页。
刘颂浩、林欢（2000）《核心阅读》,华语文教学出版社。
信世昌（1998）《华语文学习方法与教材内容相互整合之教学课程设计（I）》,《国科会研究计划报告》(NSC 87-2411-H-003-010)。
信世昌（2000）《"断句分词"的阅读策略训练——文句认读的教程发展与实践》,《第六届世界华语文教学研讨会论文集》（教学应用组第四册）,第192—203页。
信世昌（2000）《以汉语为第二语言的学习方法分析及教程规划》,《第六届国际汉语教学研讨会论文选集》,第92—99页,北京大学出版社。
信世昌（2001）《华语文阅读策略之教程发展与研究》,师大书苑有限公司。
杨翼（1998）《高级汉语学习者的学习策略与学习效果之关系》,《世界汉语教学》第1期。
叶德明（1997）《外籍学生中文阅读策略之研究》,国科会研究计划报告。
曾志朗（1988）《汉语认词历程的建构与验证》,国科会研究计划报告。
周健（1999）《探索汉语阅读的微技能》,第六届国际汉语教学研讨会论文。
周小兵、张世涛（1999）《中级汉语阅读教程》,北京大学出版社。
O'Malley, J. M., & Chamot, A. U. (1990) *Learning Strategies in Second Language Acquisition*. N.Y.: Cambridge University Press.

（台湾师范大学 华语文教学研究所）

以辅助专业教学为目的的汉语作为第二语言的教学：实践与思考

郭 熙

摘 要：国内对汉语作为第二语言教学的各项研究工作正在深入展开，但对特殊目的汉语教学(CSP)及相关问题的研究还不太多。中国南京大学和美国约翰斯·霍普金斯(Johns Hopkins)大学在南京合办的中美文化研究中心的汉语教学可以看做是一个 CSP 的个案。对这个个案的背景、特点、理论支撑以及操作中的具体问题进行探讨很有意义。

关键词：LSP；第二语言教学；对外汉语教学

○

特殊用途的语言学习(LSP)近年来受到了广泛的关注。其中，特殊目的英语(English for Specific Purpose，以下简称 ESP)的教学和研究由来已久。ESP 的教学对象一般为成年人，如正在从事各项专业工作的专门人才、正在接受培训的各类人员以及在校大学生等。与此相仿，随着汉语人才需求的不断增加，特殊目的汉语(Chinese for Specific Purpose，以下简称 CSP)学习队伍也在快速扩大。然而，尽管国内对汉语作为第二语言教学的各项研究工作正在深入展开，但学界对特殊目的汉语教学及相关问题的研究似乎还很不够。本文拟以自己多年在中国南京大学和美国约翰斯·霍普金斯(Johns Hopkins)大学在南京合办的中美文化研究中心执教的实践对相关的一些问题进行初步的探讨。

一

作为一个教学与研究机构，中美文化研究中心成立于 1985 年，旨在培养从事中美事务的专门人才和有关领域的教学、科研人员。它以中美两国的政治、社会、经济、文化、外交、历史、法律及国际问题等作为教学与研究的主要内容。学制一年。

中心的这一性质决定了它不同于国内许多以招收国际语言学生的语言中心。但是,由于国际学生的教学媒介语言是汉语,而国际学生的语言背景各不相同,中美中心从一开始就在开设专业课程的同时开设了相应的语言课程,以帮助国际学生顺利完成专业课程的学习。

按照规定,进入该中心的国际学生的汉语水平必须通过 CAL(The Center for Applied Linguistics)举行的汉语水平考试(以大学汉语系 3 年级的水平为参照)。考试由 3 部分组成:(1) 听力理解;(2)阅读理解;(3)语法。考虑到不同的语言学习背景,试卷提供繁简两种字体的版本。考试采用多项选择的方式,由机器阅卷,时间为两个小时。卷面总分为 150 分,考试成绩在 90 分以上者有资格进入该中心学习。1990 年开始,该中心又开设 A1 项目,这是一个一个学期的项目,除两门规定的专业课程外,辅之以语言强化课程,第二学期即转入正常班。CAL 考试分数在 70 和 90 之间的,原则上安排在 A1 班。国际学生是否要经过 A1 学习,需由入学后汉语教授主持的考试(笔试和面试)结果决定。

入学后的考试是一种 HSK 式的模拟考试。根据多年来的实践,CAL 考试成绩和中美中心的汉语水平考试结果基本上是吻合的。一般来说,多数考生的成绩会高于 CAL 考试,因为许多学生在被录取后为了适应新的学习生活,利用暑期上补习学校或到使用汉语的地区旅行,提高了自己的汉语水平。也有过 CAL 考试和入学后考试成绩悬殊,而最后又不能跟班上课而退学的个案。

中美中心的语言课程设置见下表:

南京大学中美文化研究中心语言课程设置一览表

学期	第 一 学 期				第 二 学 期	
班级	A 班 "core" curriculum		A1 班 "intermediate" curriculum		无区分	
课程	文献阅读	论文写作	听和说	文献阅读	热门话题讨论	论文写作
课程性质	必修	必修	选修	选修	选修	选修
人数(通常)	20 人左右	15 人左右	10 人以下	10 人以下	16 人左右*	10 人左右
授课时间	2 小时/周	2 小时/周	4.8 小时/周	4.5 小时/周	2 小时/周	2 小时/周

说明:讨论课分组进行,每组控制在 8 人以下。

专业课围绕中美两国的政治、社会、经济、文化、外交、历史、法律及国际问题等开设。A1 班的专业课为两门,通常为"中国传统文化与现代化"和"中国经济"。

随着社会的发展,来中美中心学习的国际学生的目的也在变化。早期的学生年龄比较大,社会阅历也比较丰富,语言学习背景相对单一,以亚洲或中国文化学习或研究者居多；后来的学生情况则有很大不同。其中多数是为了了解中国，希望通过这里的学习，获得在中国或国外与中国有关的公司等工作的机会。下面是1987—2001毕业生的就业情况：

中美文化中心国际学生毕业后职业分布示意图

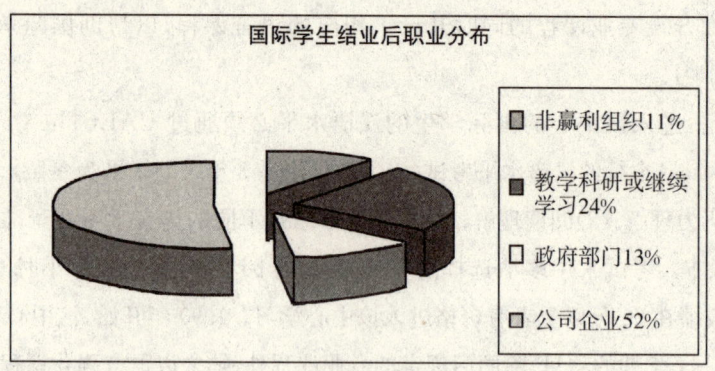

资料来源：南京大学中美文化中心网页。获取日期：2004年2月20日。

从1990年A1班开办开始，除了中间一段出国教书外，笔者一直兼职于中美文化研究中心，从事汉语课程的教学工作，其中大部分时间是执教A1班。10多年来，我们多次参与课程设置的讨论，一直致力于探讨一种适合于辅助专业课程教学的汉语教学模式。我们认为，这是种应该属于特殊目的的汉语教学。

二

特殊目的的汉语教学特殊在什么地方？就根本上说，当然是目的特殊。就我们现在讨论的中美文化中心这个个案来说，其目的就不同于一般的语言学习中心。该中心的语言课程的特殊目的就是它要学生学习专业课扫除语言上的障碍。而正是这一特殊目的，决定了它在教学内容、教学方式等的方方面面表现出自己的特点。

(一) 内容专业化

中美中心语言课程的文本所负载的内容大多和专业课程相关，其中涉及中国政治、经济、文化和社会等方面的问题。许多文本直接源于专业课的参考文献，也有相关的最新的音像新闻资料。A1班的课程的资料主要集中在经济、历史文化、社会和时事新闻方面，A班的资料则根据选修课程的学生所选专业课程的情况而安排。例如，如果学生集中选择的课程在经济方面，就多选经济方面的内容作为教材；如果文化方面的多，就以文化方面的为主。就总体而论，是各种课程兼顾。

（二）教材不固定

由于语言教学内容的专业化，而专业课程每年会随着各种情况进行调整，中美中心的语言课至今没有固定的教材。任课教师每年根据当时开设的课程的参考文献和其他相关文本选取适合进行语言教学的材料。阅读课的教学材料由教师提供，口语和讨论课的材料主要由教师提供，学生也要按照教师和教学的要求自己选取相关的学习材料。

（三）授课方式灵活多样

中美中心的语言课程采取的授课方式是非常灵活的。阅读课总体上是教师主持讲解和课堂讨论相结合，口语或讨论课可以是教师主持，也可以是学生主持。课程要求每个学生在一个学期内必须至少作一次报告，主持一次讨论。无论谁主持讨论，必须在前一天把讨论中要用到的文本、词汇和结构表发给学生和任课教师。为了调节控制学生掌握常用的词汇、句法结构和表达手段，学生主持人须事前就讨论的内容、词表等和任课教师进行沟通。

授课方式的灵活性还表现在语言课和专业课的互动上。专业课程的教授也根据自己的课程需要，专门就需要的词汇列出清单，指导文献阅读，改变了专业课和语言课两张皮的状况。

（四）学生以真实身份参与

一般的语言课的训练尤其是口语和讨论课，通常的做法是为说话而说话，讨论也是为讨论而讨论，情景是设定的。中美中心的讨论课上，学生则是以真实的角色参加的。如上所说，语言课上每个学生自己必须准备一次演讲，提供相关的学习材料和词汇表、语法点。但这种演讲不是表演式的参与。学生可以直接把自己关心和研究的问题拿到课堂上讨论，做到了口语、讨论课和专业课内容讨论相结合。通过听说训练，提高了学生专业课的听课能力和课堂讨论的表达能力。

论文写作课也是这样，要求学生解决实际问题，把写作教学与课程论文紧密地结合起来。

（五）考试注重专业应用能力

这种强调为专业课的应用而学习的教学理念还引起了考试方式的变革。主要有二：一是加强平常测验的力度，以测验促课外学习；二是重运用能力，重点考查学生在阅读、讨论和写作上的表现。

　　以平时测验促课外学习的基本做法是：教师提前从学习材料中找出若干（通常为 20 多个）常用词（包括通用专业词和基本词），标注拼音，由学生自己课外查词典并造句，上课时由教师进行检查和测验。每次课都有词汇和结构的测验。

　　期中和期末的考试以检查运用能力为主。视课程分为口试和笔试，或口试加笔试。阅读方面的考试主要是选取相关的文献，就其中的词汇、段落或篇章的意思进行考查；写作和口试则是就相关专业进行综合评定。口试中，也会选择一些常用的词汇或结构，要求学生在谈话中使用，检查其使用的正确程度。

三

　　陈宏（1996）引 Canale（1983）把语言能力归纳为四个方面的知识和技能，即，(1)语法能力（能够掌握语言代码）；(2)社会语言学能力（言语能够在意义和形式上都具有得体性）；(3)成段话语能力（能够在口头或书面的成段表达中协调语法形式与意义，把二者有机地结合起来）；(4)策略能力（能够运用语言的和非语言的交际策略对交际中断进行补救，更有效地完成交际行为）。尽管人们后来认为 Canale 忽略了四者之间的关系，但毫无疑问，他把这四种能力综合考虑，尤其是把社会语言学的能力纳入语言能力的一个方面是非常重要的。

　　我们知道，传统的语言教学十分注重语法的正确、发音的标准和词汇的丰富。但社会语言学的研究发现，人们在衡量一个人的语言是否地道的时候，或许更重要的是注重他能够在不同的语境里选择不同的句型和词汇，能够把语言的各要素用得恰到好处（郭熙，1999）。正因为如此，社会语言学理论十分强调语境。社会语言学认为，交际由语言和语言环境两部分组成，语言必须在特定的社会环境里使用，才能确定恰当得体地选择语言形式。由于交际在语言学习中起着重要作用，因此，学习某种语言的人也必须了解语言使用的环境。也就是说，在语言教学中，无论是老师还是学生都必须重视语言和语言环境的密切关系，必须同时重视语言材料和语言环境，必须把注意力都集中到真实的交际场合。只有这样，才能对学生所使用的语言是否恰当提供明确的指导，借以使学生得体地运用语言。

　　上面这种教学理念的提出，可以说是社会语言学对第二语言教学中课程计划制订的重要而又明显的贡献之一。而作为特殊目的的语言教学——如，我们在这里讨论的汉语教学作为专业课的辅助的工作，正具备了实践这种理论的条件，换句话说，特殊目的汉语教学正是对社会语言学上述理论的重要实践。语言习得理论认为，学习者学习

ESP 的最成功的地方就是它尽量对教学过程中的全部变量（学习者自身的各种因素、环境的各种因素、语言交际中产生的各种因素）进行控制，使教学对每一个学习者都产生最佳效果（张凯 1995）。这和社会语言学的理论是一致的。

一般的语言教学，尤其是过去一个时期，每个教学步骤都是封闭的，在这里，语言符号被肢解了。这些零碎的部件各个可能都是完好的，例如，发音标准，词汇规范，语法正确，按照一般的理解，把这些部件组装起来放到环境中，就可以运用了。事实上，且不说这些部件组合本身可能就有问题——具体到汉语，比如说语流音变，即使这些部件组合得很好，但如果没有与更大的部件——语境组合起来，交际可能仍然无法正常进行。如上所说，与一般的语言中心相比，中美中心语言课程具有其得天独厚的条件：它所提供的环境是正常的学习和学术语言环境。学生在这里学习语言的过程也是以目的语言为媒介语的学术活动和专业学习的过程，它是语言材料和语言环境的统一现实，是培养语言学习者社会语言学能力的重要渠道。

另一方面，既然特殊目的的语言教学是从学生专业课的学习出发，那么，以学生为中心似乎更应该是理所当然的了。本文谈到的这些学习对象比较复杂，语言文化背景各不相同，如何根据这些学生的具体情况安排教学，也需要社会语言学理论的支撑。社会语言学认为，语言是为某种特定的目前形成的群体的人所说的话。社会语言学告诉我们，这种特殊目的的语言教学，除了我们上面所说的关心教学材料、关心环境以外，还有更重要的因素——语言学习者。

吕叔湘（1980）曾经对语言研究中忽视语言使用者的情况进行了批评。他说：

> 语言是什么？说是"工具"。什么工具？说是"人们交流思想的工具"。可是打开任何一本讲语言的书来看，都只看见"工具"，"人们"没有了。语音啊，语法啊，词汇啊，条分缕析，讲得挺多，可都讲的是这种工具的部件和结构，没有讲人们怎么使唤这种工具。

这一批评对汉语作为第二语言教学也同样有启发。学习语言是要学习掌握一种工具，但语言这个工具和别的工具不同。语言习得理论已经证明，人在学习语言的时候是具有创造性的。在我们讨论的个案中，学习者的创造性包括两个方面，一是语言方面的创造性，另一个是专业方面的创造。这种学习的优越性在于，学习者的目的很明确，是有的放矢，因此这种切合实际的教学有利于满足他们的需要，使他们提高了积极性。在这里，又出现了人、材料、环境的有机统一，一个完整的社会现实。

值得注意的是，在汉语作为专业课的辅助教学中，教师是作为交际的另一方出现的。相对于学生来说，教师的角色有点尴尬。因为学生始终是以直接的参与者进入交际环境的，教师则未必。他有时大概需要逢场作戏。为了维持交际活动的进行，他常常需要不露声色地有意地支持或者反对某种意见。应该说,这种特殊的课程对教师提出的要求近乎苛刻:教师不能像传统语言课那样可以依赖于教材,不再是教学的主宰者;除了具有良好的语言和语言学素养以外,教师还必须是个多面手,有渊博的知识,有灵活的交际能力,能自如地遵循交际中的和谐律。我常常为学界看不起语言教师的做法感到遗憾,因为不少人并没有这方面的经验,他们不知道一个好的语言教师常常具有超常的业务能力,他们从事的工作并不是所谓的"小儿科"。另一方面,在不少情况下,从事这种教学的教师也成了学习者,这里主要指的是专业课的知识方面。有意思的是,教师在很多情况下必须充当这样的角色:让学生成为老师,而学生在向教师回答或讲授专业知识的时候,可能不知道自己已在进行传统语言教学中最枯燥乏味的语言训练。

总而言之,作为一个独特的言语社区(speech community)和专业教学环境,上述 CSP 在 10 多年的探索中形成了自己的模式。从多年的教学实践看,效果应该是理想的。尽管目前该中心尚未形成自己的语言评估机制,但从学生和专业课程教师的反映看,这种语言教学总体上是成功的,其中 A1 班的语言进展尤为明显。

四

中美中心的个案实践也带来一些值得进一步思考的问题。

(一) 语言变体的选用

正规语言教学中都以标准语为本,一些汉语教材就曾打出《标准中文》的旗号以占领市场。应该说,语言教学中教授标准语是极其正常的事情。随着汉语作为第二语言教学的深入发展,带有方言口音的普通话已经进入了教学的领域。北京语言学院出版社的《中级汉语听和说》很早就开始了这方面的尝试。这种尝试的理念和社会语言学主张的教学原则是一致的,也是有益的。而在中美中心的个案中,如何面对方言普通话的问题显得更为突出。因为专业课程的教师中,有的方言色彩还相当重。要使学生更快地适应专业课程的学习,有必要选取相关的语言材料进行训练。这就有"度"上的考虑,也有类型上的考虑。方言普通话有许多类型,要弄清楚选择哪些更有代表性,更有利于学生的专业学习。看来有必要对方言普通话的类型进行研究。因为在今后相当长的一个时期里,方言普通话的局面还很难打破。另一方面,这里语言教学所提出的也是一个有意义的社会语言学课题。在这里,我们看到了语言教学和社会语言学的一种互相促动。

除了方音问题以外,还有语言的规范与不规范问题。正式的语言教材都是"范本":

有的是经过加工处理的,有的本身就是典范之作。但在我们的个案中,经常会遇到文献语言的不规范问题,其中既有词汇的,也有语法乃至标点符号的。这种现象今后仍然不可能杜绝。

上述问题怎么处理?社会语言学认为,一种语言的非标准变体虽然不会接受语言权威的认可,但是,在社会的实际使用中,它却是客观存在的。CPS的教学在这方面需要作进一步的探讨。

(二)汉字的书写

跟标准语相关的还有写字问题。正规的语言课只教授标准的楷书汉字,但在我们的个案中,教师的汉字写法各异。这种认字上的问题多年来一直困扰着国际同学,也直接影响到学生对专业课程的学习。曾经多次有学生建议开设一门关于汉字的选修课,因为各种原因这门课并没有开出来。现在我已经离开中美中心,没有机会进行这方面的探讨了。这是我至今觉得遗憾的一件事。希望同行们能就这个问题继续进行探讨,制定出一个合适的方案,解决好特殊目的汉语教学中的汉字教学问题。此外,我也相信这个问题的解决,不仅有利于特殊目的的汉语教学,对一般的汉语教学也应该有积极意义。

(三)对待学生语言错误的态度

语言错误是无法避免的。发音、词汇、语法、表达,错误无处不在。且不说即兴讨论中的各种错误多如牛毛,就是学生已经反复修改的课程论文,也同样会是错误百出。如何对待学生的语言错误,不同的语言老师会有不同的态度。当然,语言老师的任务之一就是发现学生的错误,帮助纠正错误。但在像我们所讨论的个案中,纠正错误,什么时候纠正错误成了一个值得认真探讨的问题。我们认为教师应该容忍学生的语言错误。我们甚至在学生中宣传这样的口号:鼓励犯错误。这样做的目的是为了让学生不断地尝试新的表述方式。因为如果不能宽容地对待学生的语言错误,学生就会过多地采用回避策略,导致学生的语言"僵化"。上面个案中的语言学习活动本身就是交际活动,虽说有练习的成分,或者,从教师的角度说,主要是练习的成分,但对于学生来说,他们是学术活动的参与者,他们可能并不希望打断他们的谈话思路。我们在调查中发现,大多数的学生都不希望教师打断他们,但也有人认为,要使自己的语言水平不断得到提高,教师必须及时纠正他们的错误。事实上,"宽容"不是不管,问题是用什么方式。或许,比较理想的方法是及时地把他们的错误记录下来,在适当的时候专门进行沟通。这样,既给了学生面子,使得他们更敢于主动地发言,也不至于打断他们的整体思路,使大段的会话得以正常进行。

（四）对学生为中心的全面理解

一个时期以来，在一般的语言教学中，"以学生为中心"的说法比较流行。我们对此已经表示过自己的意见（郭熙，2002）。特殊目的的汉语教学是从学生的实际需要出发。一般认为，这种教学应该以学生为中心（王若江，2003）。但是这种以学生为中心恐怕也有"度"的把握问题。在我们的个案中，学生背景不同——这里说的背景主要包括学生的社会文化、教育、语言学习（尤其是原来各自的语言课的教学模式）的背景等，因此要求也就会不同。在我们的经验里，不同学年的情况会有很大不同，就是同一学年中的也情况各异。过去的10多年里，我们曾试验多种不同的模式。同一种模式，在某一学年会特别受欢迎，效果也可能特别好；但在另一个学年里，情况则可能完全相反。所以，在我们看来，以学生为中心是相对的。教师应该根据自己的实际经验，对不同的学生的需求作出准确的判断。就像病人对医生的信任会影响到治疗效果一样，学生对教师的信任在很大程度上也会影响到语言学习的效果。要让学生相信教师指导的合理性，避免教师被学生牵着鼻子走的现象。

（五）变化中的汉语的教学

语言每天在变化。要不要教变化中的语言？语言教学界历来有不同的看法。作为专业课程辅助的汉语教学对这个问题应该如何处理？是视之若无，还是合理吸收？我们的做法是后者。这主要是因为考虑到下面因素：国际同学到中国来学习研究政治、经济和社会问题的是多数，而这些都和当今的社会生活紧密相关。学生要听广播，看电视，看报纸。各种新词语和新的表达方式，常常成为他们的拦路虎。而这些新的词语和用法一般的词典还尚未来得及吸收，有的可能永远也不会被词典吸收。同时，当我们讨论到当今国际和中国的各种情况的时候，必须使用一些新的词语和概念。这样一来，就带来进一步的问题：如何处理好语言的内核和外层的关系，如何能够让学生通过掌握语言的内核而转化到外层？这是需要进一步认真探讨的。

上面说的远不是问题的全部。例如，通用词汇和专业词的处理、教材的固定与不固定、汉语水平的测试、话题资料的建设等等都需要我们进一步展开思考。

总的来说，上面的个案为我们探讨CSP提供了一个靶子，关注各种不同的教学模式，对于汉语作为第二语言教学研究的深化是有意义的。

参考文献

陈　宏(1996)《第二语言能力结构研究回顾》,《世界汉语教学》第 2 期。
郭　熙(1999)《中国社会语言学》,南京大学出版社。
郭　熙(2002)《理论语法与教学语法的衔接问题:以汉语作为第二语言教学为例》,《汉语学习》第 4 期。
吕叔湘(1980)《语言作为一种社会现象——陈原〈语言与社会生活〉读后》,《读书》第 4 期。
王若江(2003)《特殊目的汉语教学实践引发的思考》,《语言教学与研究》第 1 期。
张　凯(1995)《标准参照性的语言能力测验——兼论 HSK 的参照性质》,《汉语水平考试研究论文选》,现代出版社。

(510610　广州,暨南大学华文学院)

韩汉方向概念表达形式对比

崔 健 朴贞姬

摘 要:本文主要讨论了韩国语与汉语方向概念表达的异同及其原因。韩国语中典型的方向概念表达形式只有一个,而汉语多达三个。因此韩国语更多地借助于其他手段或其他空间概念标记,如位置格标记,因而造成了方向概念和位置概念之间的交错复杂的关系,在很多情况下,方向标记和位置标记可以相通。汉语的方向标记成员多,各司其职,分工相对明确,方向标记和位置标记通常互不相容,而且方向成分和结果成分不能同时用于一个句子中。汉语中 VP 前后的方向短语在移动距离、移动时间的反应上呈现对立。韩国语与汉语的方向概念都可以投射到时间和目标对象领域,但是具体情况不尽相同,汉语的方向概念还可以表示言说对象,韩国语则不能。

关键词:方向概念;韩汉对比;语言特点

方向概念及其表达是处所理论的主要议题之一。本文拟就韩汉语方向概念表达形式的异同进行讨论。

韩国语表达方向概念的典型形式有"NL+로"及其同义形式"을 향하여"。例如:

 (1) 열차 가 북경 으로 달린다.
  (列车 主格标 北京 方向标 跑)

 (2) 열차 가 북경 을 향하여 달린다.
  (列车 主格标 北京 宾格标 向 跑)

汉语表达方向概念的典型形式有"往+NL"、"向+NL"和"朝+NL"。[①] 例如:

 (3) 列车往北京方向开。

 (4) 列车向北京方向开。

 (5) 列车朝北京方向开。

"往+NL"和"向+NL"还可以位于动词之后。例如:

 (6) 列车开往北京。

---

① 现代汉语中"照"、"冲"、"奔"等也表示方向。限于篇幅,暂不讨论。

(7) 列车开向北京。

我们在讨论各自之间的异同的基础上,找出对应关系及其条件,并讨论造成两种语言表达形式差异的原因。

一 韩国语两种形式和汉语三种形式的异同

1.1 "NL+로"和"NL+을 향하여"

韩国语方向标记"로"是多义标记,它既可以表示移动方向,也可以表示经由点。因此"NL+로"有时可以做两种理解。例如:

(8) 그는 대교로 걸어왔다.

(8)的"대교"既可以理解为移动的方向或目标,也可以理解为移动时所经过的经由点。当"NL+로"表示经由处所时,方向标记后头可以添加表示"利用"义的"해서",表示移动方向时则不能。

(9) 그 는 대교 로 해서 왔다.
　　(他 话题标 大桥 方向标 用 来了)

汉语中方向概念和经由点概念用不同的标记来表示,也就是说,在汉语世界中方向概念和经由点概念之间没有任何联系。(8)的"NL+로"分别对应于"方向标记+NL"和"经由标记+NL"。

(10) 他向大桥过来。

(11) 他从大桥过来。①

"을 향하여"的情况需要说明。它是由宾格标记"을"和汉源词"向"[xjaŋ]加上动词的接续形式构成的固定形式,仍具有宾述关系,"을+향하여"始见于15世纪《翻译老乞大》16世纪的《朴通事新释谚解》。②

(12) a. 离搁间有一百步地,北巷里向街开杂货铺儿便是。(《翻译老乞大》上48b)

b. 阁어셔 두미 일 백보 따만 한 데 북녁 고래 거리 향하야 잡요근것젼 난데 곧 그라.

(13) a. 后来有人向山打围。(《朴通事新释谚解》3:57a——59a)

---

① 严格地说,"从大桥过来"中的"从大桥"还可以理解为经由处所。
② 《翻译老乞大》、《翻译朴通事》、《朴通事新释谚解》均依韩国学者朴在渊校点的《〈老乞大〉·〈朴通事〉原文·谚解比较资料》(鲜文大学校中韩翻译文献研究所:2003)。资料中谚文均用15世纪的标记法书写,为了印刷之便,现按现代标记法转写。

b. 后에 사람이 산즁을 향하야 산영하다가.

我们预测"을 향하여"的形成时期早于15世纪,由于韩国语历史文献的限制,无法查考其确切的形成时期,值得注意的是《翻译老乞大》和《翻译朴通事》中"往+NL"和"朝+NL"也对应于"을 향하여"。例如:

(14) a. 我也往北京去。

b. 나도 北京 향하야 가노라。(《翻译老乞大》上 7b)

(15) a. 朝南开着一个小墙门便是。

b. 남녁 향하야 한 죠고맷 일각문 낸데 긔라.(《翻译朴通事》上 58b)

"향하여"有时也可以用在方向标记后头,构成"로 향하여"的固定形式,这一形式具有很强的动作义,在句中经常做谓语。例如:

(16) a. 어머니는 다짜고짜로 나를 차에 태우고 집으로 향했다.(문세용《나는 한국인이야》)

(17) a. 그들은 일을 말끔히 끝내고서야 집으로 향했다.(《현대조선말사전》)

可见,韩国语表达方向概念用语法手段和分析手段两种手段,后者由借自汉语的成分构成。"을 향하여"已经逐渐趋于虚化,整个"을 향하여"可看做表方向的一种补充手段(백춘범,1992;우형식,1996)。但是对二者的异同未曾进行讨论。强势语言对弱势语言的影响主要表现在词汇层面上,但对语法层面也会产生一些影响。韩国语中有一些固定格式和部分连接词以及部分形式名词均源自汉语。

韩国语中方向格标记"로"和位格标记"에"可以连用,此时严格遵循位格先于方向格的顺序。比较:

(18) a. 학생   들   은   광장   에   로   몰려갔다.
(学生 复数标 话题标 广场 位移标 方向标 涌去)

b. *학생   들   은   광장   로   에   몰려갔다.
(学生 复数标 话题标 广场 方向标 位移标 涌去)

这一顺序符合先有位置后有方向的原则。移位方向跟移位终点密切相关,即移位总是以某一预定的达到目标为前提,移位动作完结以后必然止于某一位置。方向成分是修正了的终点成分(우형식,1996:152)。"을 향하여"中的宾格标记却不宜跟位格标记连用。例如:

(19) a. ? 그들   은   생활   의   대하   에   를   향하여 뛰어들었다.
(他们 复数标 生活 属格标 大河 位格 宾格 向 跳进)

b. ? 학생   들   은   광장   에   를   향하여   몰려갔다.
(学生 复数标 话题标 广场 位格 宾格 向 涌去)

不过,这是指与宾格标记"을"和"향하여"连用时的情形而言,如果单用宾格标记则可以跟位格标记连用,但主要见于口语,口语中写成"엘",此时也严格遵循位格标记先于宾格标记的顺序。例如:

(20) a. 나 는 부산 에 를 갈거야.
　　　(我　话语标　釜山　位移标　宾格标　去)
　　b. *나 는 부산 을 에 갈거야.
　　　　(我　话语标　釜山　宾格标　位移标　去)

"로"和"을 향하여"对 NL 和动词的要求也有区别。先看它们对 NL 的要求。"로"对 NL 的要求相对严格一些,"을 향하여"对 NL 的要求相对宽松一些,前者排斥指人名词和指物名词。比较:

(21) a. 그는 학교(쪽)로 뛰여갔다.
　　b. 그는 학교(쪽)을 향하여 뛰여갔다.

(22) a. *그는 나로 뛰여왔다.
　　b. 그는 나쪽으로 뛰여왔다.
　　c. 그는 나(쪽)을 향하여 뛰여왔다.

(23) a. *그는 책상으로 기여갔다.
　　b. 그는 책상쪽으로 기여갔다.
　　c. 그는 책상(쪽)을 향하여 기여갔다.

方向标记排斥指人名词和指物名词,可能跟人们选择方向或目标的心理有关。指人名词和指物名词所指的人和物通常只被看做对象而不被看做方向或目标。"을 향하여"不同,"향(向)"本身只表示"方向"义,因此不受这样的限制。

"NL＋로"既可以跟移动动词结合,也可以跟结果动词结合,"을 향하여"则排斥结果动词。比较:

(24) a. 그 는 교실 로 걸어갔다.
　　　(他　话题标　教室　方向标　走去了)
　　b. 그 는 교실 로 걸어들어갔다.
　　　(他　话题标　教室　方向标　走进去了)

(25) a. 그 는 교실 을 향하여 걸어갔다.
　　　(他　话题标　教室　宾格标　向　走去了)
　　b. *그 는 교실 을 향하여 걸어들어갔다.
　　　(他　话题标　教室　宾格标　向　走进去了)

1.2 "往+NL"、"向+NL"和"NL+朝"

汉语的三种形式之间也存在类似于韩国语的差别。"向"和"朝"对 NL 的要求相对宽松一些,"往"对 NL 的要求跟"로"平行,不能跟指人名词和指物名词。比较:

*往我跑来	往我这儿跑来
向我跑来	向我这儿跑来
朝我跑来	朝我这儿跑来
*往书桌爬去	往书桌跟前爬去
向书桌爬去	向书桌那儿爬去
朝书桌爬去	朝书桌那儿爬去

可见,"로"和"往"跟指人名词和指物名词组合时都要用处所代词或方位词等手段加以处所化,"을 향하여"和"向""朝"对 NL 的要求则十分宽松,不需要这些手段的支持。可见,韩国语和汉语方向标记呈现相当高的一致性。

	处所名词	指人名词	指物名词
로	+	−	−
을 향하여	+	+	+
往	+	−	−
向	+	+	+
朝	+	+	+

与韩国语同类型的日本语的情况也类似于韩国语和汉语。例如:

(26) a. *彼は私へ歩いてきた。

b. 彼は私のほうへ歩いてきた。

(27) a. 彼は私に向って歩いてきた。

b. 彼は私の方へ向って歩いてきた。

(28) a. *彼はつくえへ向って歩いてきた。

b. 彼はつくえへの方へ向って歩いてきた。

日语里方向标记"へ"不能直接跟指人名词和指物名词直接组合,而汉源的"向かう"不受此限。英语的情况跟韩国语、汉语和日本语都不同。

(29) a. He came to me.

b. He run to me.

"往+NL"、"向+NL"和"朝+NL"在动词的选择上也有区别。"往+NL"对动词的要求相对宽松一些,"向+NL"和"朝+NL"相对严格一些。比较:

(30) a. 汽车往车站驶去。

b. 汽车向车站驶去。

c. 汽车朝车站驶去。

(31) a. 小王往床上一躺就睡着了。

b. *小王向床上一躺就睡着了。

c. *小王朝床上一躺就睡着了。

二 对应关系

2.1 "NL+로"在汉语中的对应情况

"NL+로"经常对应于"往+NL",但并非所有的"NL+로"都对应于"往+NL"。这里主要有两种情况。一是跟由"到"字参与构成的连谓句对应,二是跟"VP+(到/在)+NL"对应。先讨论第一种情况。例如:

(32) a. 남수는 시장으로 야채사러 갔다.

b. 南洙到市场买菜去了。

c. *南洙往市场买菜去了。

(33) a. 순희는 도서관으로 공부하려 갔다.

b. 顺姬到图书馆看书去了。

c. *顺姬往图书馆看书去了。

(34) a. 미혜는 병원으로 병보러 갔다.

b. 美惠到医院看病去了。

c. *美惠往医院看病去了。

韩国语的各例都表示目的关系,"NL+로"既指第一个动作的移动方向或目标,又指第二个动作将要实现的处所;"往+NL"只指方向或目标,而"买菜""看书""看病"等动作则达到某一处所以后才能实现。显然,"往+NL"和 VP_2 表示的动作在语义上互相抵触。"到+NL"句的情况不同,它既可以表示预定的目标也可以指移动所止的处所,因此各 b 句均能成立。下面讨论第二种情况。先看例子。

(35) a. 순녀는 집으로 돌아왔다.(《피바다》p.58)

b. 顺女回到了家里。

c. *顺女往家里回到。

(36) a. 그들은 선술집으로 모여들었다.(리기영《쥐불》p.265)

b. 他们聚集到简易酒馆里。

　　　　　　c. *他们往简易酒馆里聚集到。
　　(37) a. 민수는 하는수 없이 방으로 들어갔다.(강경애《인간문제》)
　　　　　　b. 敏洙没有办法只好进(到)屋里了。
　　　　　　c. *敏洙没有办法只好往屋里进去了。

各c译句例均不能成立,原因仍然在于"往"字只表示方向或预定的目标,"往+NL"自然跟表示结果的成分不相容。"向+NL"和"朝+NL"也都只表示方向或预定的目标,因此也都排斥结果成分。下面的错句均来自留学生的作文。

　　　　*他往教室里进去了。
　　　　*他向国内回去了。
　　　　*他又朝屋外走出来了。

如前所说,韩国语"로+NL"既可以跟移动动词结合也可以跟结果动词结合,这些例子显然是把母语的规则扩大到目的语的结果,是一种典型的负迁移现象。由于上述原因,汉语里当移动方向和移动结果一起出现时,倾向于把与两个概念相关的动作分开来表达。例如:

　　(38) a. 眼瞧着这花子往南跑着跑着往东一拐,就进了胡同儿了。(《评书聊斋志异》1.55)
　　　　　　b. *眼瞧着这花子跑着跑着往东一拐进,就进了胡同儿了。
　　(39) a. 于是我也忙不迭地往窗户上爬,上去才发现窗户上严严实实地遮着窗帘。(王朔《过把瘾》285)
　　　　　　b. *于是我也忙不迭地往窗户上爬上去,才发现窗户上严严实实地遮着窗帘。
　　(40) a. 刚一抬手,鹦哥儿一抿翅膀,往下一落,正落在阿宝的手里。(《评书聊斋志异》1.87)
　　　　　　b. *刚一抬手,鹦哥儿一抿翅膀,往下一落在阿宝的手里。

上面各a句中移动过程成分和移动结果成分分别出现在前后两个分句里,而b句中这两个成分同时出现在一个句子里。沈家煊(1995)在讨论事件的"有界"和"无界"时指出,对连续事件的叙述总是一个事件接着一个事件;事件与事件之间要有界限,人就是这样认识世界,也就按这样的认识用语言来表达世界。沈文的论点同样可以用来解释上述现象。各b句违背这一要求,自然就难以成立了。不过,这是指汉语的情形而言,韩国语的情况有所不同。如上所说,"NL+로"既可以指预定目标也可以指达到的处所,再加上谓语动词占据句末的位置,因此,方向目标成分和结果成分可以同时出现在一个句子中。显然,韩汉的这种差异是由语言结构的不同特点所导致的。

(41) 이 거지는 남쪽으로 계속 뛰다가 남쪽으로 꺽어 바로 골목으로 들어갔다.

(42) 나도 그래서 급히 창문으로 기여 올라가 보니 창문은 커텐으로 잘 가려져 있었다.

2.2 "往+NL"在韩国语中的对应情况

通过对比描写我们看到,汉语的三种方向表达形式在韩国语中的对应关系也比较复杂。下面主要讨论"往+NL"在韩国语中的对应情况。

(43) a. 人往沙发上一坐,录音机就自动唱歌。(苏叔阳《婚礼集》126 页)

b. 그가 소파에 앉자 녹음기에서는 노래가 저절로 흘러나왔다.

c. *그가 소파로 앉자 녹음기에서는 노래가 저절로 흘러나왔다.

(44) a. 小伙子就势往炕上一躺,长长地吁了一口气。(《小说选刊》1982 年第 1 期)

b. 젊은이는 그 바람으로 온돌에 눕더니 길게 한숨을 내쉬였다.

c. *젊은이는 그 바람으로 온돌로 눕더니 길게 한숨을 내쉬였다.

(45) a. 他往我身上一靠,就睡着了。

b. 그는 내 몸에 기대자마자 곧 잠들어 버렸다.

c. *그는 내 몸으로 기대자마자 곧 잠들어 버렸다.

(43)—(45)的"往+NL"不跟"NL+方向格"对应而跟"NL+位格"对应。我们注意到汉语各例中的"坐""躺""靠"等动词本身并不表示移动动作,但是各例带有明显的移动意味,原因在于"往"字本身未完全虚化,仍然具有很强的移动义,"往"字赋予整个表达式一种移动义。韩国语的方向格标记则已经完全虚化。值得注意的是各例的"往"字跟"到"字相通。

人坐到沙发上,录音机就自动唱歌。

小伙子就势躺到炕上,长长地吁了一口气。

他一靠到我身上,就睡着了。

上文提到,韩国语的方向格标记也可以跟位格标记相通,但是这只是就[+位移][+长距]动词句而言。可见,"NL+方向格"和"往+NL"对动词的选择范围不同,"往+NL"对动词的要求更宽松一些。下面是及物动词句的情形。

(46) a. 日本人来了,……用碳水往墙上贴标语。(《小说选刊》1986 年第 1 期 29 页)

b. 일본사람들은 탄수로 벽에 표어를 붙였다.

c. *일본사람들은 탄수로 벽으로 표어를 붙였다.

(47) a. 她往额头上扎针,她已经学会了针灸止痛法。(《小说选刊》1986 年第 7 期)

b. 그녀는 이마에 침을 찔렀다. 이미 침구지통법을 배운 그녀였다.

c. *그녀는 이마로 침을 찔렀다. 이미 침구지통법을 배운 그녀였다.

(48) a. 他晚上躺在床上,往肚皮上写检讨。(《1983 年优秀短篇小说选》354 页)

b. 그는 밤에 침대에 누워서 배가죽에 반성문을 써보았다.

c. *그는 밤에 침대로 누워서 배가죽에 반성문을 써보았다.

(46)—(48)的"往+NL"也仍然跟"位格标记+NL"对应,"贴""扎""写"等动词可以跟"往+NL"结合,与这些动词对应的"붙이다""찌르다""쓰다"等不能跟"NL+로"结合,只有当 NL 后头添加方位词才可以。例如:

(49) a. 그는 소파쪽으로 앉았다.

b. 그는 침대가로 누웠다.

此时"NL+方位词+로"和动词之间可以补出移动动词,如"오다/가다"(来/去)。可见,韩国语中方向标记对动词的要求比汉语的"往"字严格得多。例如:

(50) a. 그는 소파쪽으로 가 앉았다.

b. 그는 침대가로 와 앉았다.

下面的"往+NL"、"向+NL"和"朝+NL"都表示视线的移动方向,它们跟"을 향하여"对应,不跟"NL+로"对应。

(51) a. 他偷偷地往屋中瞭了一眼。(《骆驼祥子》46)

b. 그는 몰래 방 안쪽을 향해 들여다 보았다.

c. ? 그는 몰래 방 안쪽으로 향해 들여다 보았다.

(52) a. 王红眼向院子里扫了一眼。(《高玉宝》17)

b. 눈빨갱이는 뜰안쪽을 향해 휘둘러보았다.

c. ? 눈빨갱이는 뜰안쪽으로 휘둘러보았다.

(53) a. 小学生们一个个扭头朝后看。(《高玉宝》41)

b. 소학생들은 모두 머리를 돌려 뒤를 향하여 보았다.

c. ? 소학생들은 모두 머리를 돌려 뒤로 보았다.

我们注意到"往+NL"、"向+NL"和"朝+NL"还跟"NL+을(宾格)"对应。例如:

(54) 그는 몰래 방안쪽을 들여다보았다.

(55) 눈빨갱이는 뜰안쪽을 휘둘러보았다.

(56) 소학생들은 모두 머리를 돌려 뒤를 보았다.

其实,汉语的各例也可以用相应的述宾结构来表达。

  (57) 他偷偷地瞟了一眼屋中。

  (58) 王红眼扫了一眼院子。

  (59) 小学生一个个都看后边。

不过改用宾述/述宾结构以后凸显的侧面发生了变化。原来的表达式意在强调视线所向,改变结构之后就带有明显的动作和对象之间的关系了。韩汉语在这一点上也呈现一致。

  下面的"往+NL"、"向+NL"和"朝+NL"也只跟"을 향하여"对应。

  (60) a. 他往屋里喊了一声。

    b. 그는 방안쪽을 향하여 한마디 웨쳤다.

    c. * 그는 방안쪽으로 한마디 웨쳤다.

  (61) a. 刘四爷向院中指了指。(《骆驼祥子》115)

    b. 류쓰예는 뜰안쪽을 향하여 가리켰다.

    c. ? 류쓰예는 뜰안쪽으로 가리켰다.

  (62) a. 王红眼朝屋里咕噜了一句。(《高玉宝》39)

    b. 눈빨갱이는 방안을 향하여 한마디 했다.

    c. * 눈빨갱이는 방안으로 한마디 했다.

比较(51)—(53)和(60)—(62)我们不难看到,前者有相应的述宾/宾述结构,后者则没有,原因在于动词的类别不同,在这一点上,韩汉语呈现一致性[1]。

  (63) * 他喊了一声屋里。

  (64) * 王红眼咕噜了一句屋里。

  (65) * 그는 방안을 한마디 웨쳤다.

  (66) * 눈빨갱이는 방안쪽을 한마디 중얼거렸다.

(60)—(62)汉语的"往"字可以换成"对着",韩国语的"을 향하여"也可以换成"位格标记+대고"。例如:

  (67) 他对着屋里喊了一声。

  (68) 王红眼对着屋里咕噜了一句。

  (69) 그는 방안에 대고 한마디 웨쳤다.

  (70) 눈빨갱이는 방안에 대고 한마디 중얼거렸다.

---

 ① 例(61)a和(61)b都有相应的述宾/宾述结构。"刘四爷指了指院子"和"류쓰예는 뜰안쪽을 가리켰다."似乎都可以说。

2.3 方向和抵达点

池上(1981:268—269)指出,目标概念即方向概念既可以还原为抵达点概念,抵达点概念可以涵盖目标概念,意思是说,二者之间存在包容与被包容的关系。通过上面的对比描写,我们看到韩国语和汉语中同样存在类似的问题。其实,韩国语学界和汉语学界都注意到目标概念和抵达点概念表达相关的问题。但具体情况不尽相同。

方向标记和位格即抵达点标记的异同是韩国语语法学界讨论比较多的问题之一。임홍빈(1974),홍윤표(1978),정희정(1986),남기심(1993),서정수(1996)等进行过深入的讨论。概括地说,二者的区别表现在如下几个方面。

一是对 NL 的要求不同。方向标记可以跟方向名词组合,位格标记不能。比较:

(71) a. 동쪽   으로   걸어갔다.
     (东边   方向标   走去)
   b. *동쪽   에   걸어갔다.
     (东边   位格标   走去)

二是对时间标记的反应不同。在连动句中紧挨着方向标记的 V_1 通常排斥已然标记,位格标记不受此限。比较:

(72) a. 그는 학교로 가다가 되돌아 왔다.(进行)
   b. ? 그는 학교로 갔다가 되돌아 왔다.(已然)
(73) a. 그는 학교에 가다가 되돌아 왔다.(进行)
   b. 그는 학교에 갔다가 되돌아 왔다.(已然)

三是对动词的选择范围不同。"NL+方向标记"通常只跟移动动词结合,"NL+位格标记"主要跟附着类动词结合。比较:

(74) a. 그   는   침대   에   누웠다.
     (他   话题标 床   位格标   躺了)
   b. *그   는   침대   로   누웠다.
     (他   话题标 床   方向标   躺了)

汉语学界也注意到方向目标和抵达点的异同。如邓守信(1983:185—186)详细讨论了"往"和"到"的异同。二者均可指位置变化的终点,区别在于"往"指"预想"中的或"计划"中的目标,"到"则指"抵达"的目标。例如:

(75) a. 我今晚得往纽约开。
   b. 我今晚得开到纽约。

(a)句和(b)句的区别十分明显。又如:

(76) a. 11 次列车开往吉林方向。
　　　b. ? 11 次列车开到吉林方向。
(77) a. 飞往上海的 1615 次航班下午 5 点已经到达目的地。
　　　b. ? 飞到上海的 1615 次航班下午 5 点已经到达目的地。

(76)说的是移动过程,"往"可以和"方向"相容,"到"具有到达义,自然不能跟"方向"相容;同理(77)"往"可以跟抵达点同现,"到"自然排斥抵达点成分。"往""到"跟"로""에"具有一定的共性。请看(76)的译文:

(78) a. 11 번 열차는 길림방향으로 간다.
　　　b. ? 11 번 열차는 길림방향에 간다.

上文说"往"和"到"相通,其实"往"不仅跟"到"相通,而且还跟"在"相通。如例(46)、(47)、(48)的"往+NL"都可以换成"在+NL"。例如:

(46) a' 日本人来了……用碳水往墙上刷标语。
　　　b' 日本人来了……用碳水在墙上刷标语。
(47) a' 她往额头上扎银针,她已经学会了针灸止痛法。
　　　b' 她在额头上扎银针,她已经学会了针灸止痛法。
(48) a' 他晚上躺在床上,往肚皮上写检讨。
　　　b' 他晚上躺在床上,在肚皮上写检讨。

在这一点上,汉语和韩国语呈现较大的差别,此时韩国语只能用位格标记,不能用方向标记,二者不能互换,如(46)c、(47)c 和(48)c。"을 향하여"表示"向"义,自然不能对应于"往+NL"。例如:

(79) *일본사람들은 벽을 향하여 표어를 붙였다.
(80) ? 그녀는 이마를 향하여 침을 찔렀다.
(81) *그는 밤에 침대를 향하여 누워서 배가죽에 반성문을 썼다.

汉语的"向"、"朝"与"往"不同,只强调方向,不带有移动过程义,因此也自然排斥抵达点成分。例如:

(82) *日本人来了……用碳水向/朝墙上刷标语。
(83) *她向/朝额头上扎银针,她已经学会了针灸止痛法。
(84) *他晚上躺在床上,向/朝肚皮上写检讨。

方向概念和抵达点概念是一对密切相关的概念,方向跟移动过程相关,移动过程一旦结束就必然止于某一点。因此,方向标记在不少情况下可以换成抵达点标记,不过二者仍然各司其职,区别也明显,如纯粹的方向成分通常排斥带有结果性的成分,方向标记即便换成抵达点标记,二者凸显的侧面不同,心理影像也不尽相同。另外,我们看到

两种标记的替换,以方向标记换成抵达点标记为多,而不是相反。可见,方向概念尽管可以看成修正了的抵达点概念(우형식:1996),但是不能把二者视为一同。不过,在不同的语言中具体情况有所不同。

三 方向短语的位置

3.1 主语的前后

韩国语属于助词型语言,方向短语的位置自然相对自由,既可以位于主语之前,也可以位于主语之后,汉语的方向短语只能位于主语之后。比较:

(85) a. 순희   는   앞   으로   한   발작   내디디였다.
     (顺姬 话题标   前   方向标   一   步   迈了)
   b. 앞   으로   순희   는   한   발작   내디디였다.
     (前   方向标   顺姬 话题标   一   步   迈了)

(86) a. 顺姬往/向/朝前迈了一步。
   b. *往/向/朝前顺姬迈了一步。

在这一点上"往/向/朝+NL"区别于"在"字短语、"从"字短语等其他空间介词短语,后者既可以位于主语之前也可以位于主语之后。比较:

(87) a. 小王在教室里复习功课。
   b. 在教室里,小王复习功课,小李画画。

(88) a. 我从他那里什么都没拿。
   b. 从他那里我什么都没拿。

说韩国语方向短语位置相对自由,这只是就跟主语的位置而言,当它跟其他处所短语共现时则受限制,如跟起点短语同现时严格遵循起点短语>方向短语的顺序,这符合时间铺排律的原则。汉语也同样遵循这一原则。

(89) a. 안에서 밖으로 나가다.
   b. *밖으로 안에서 나가다.

(90) a. 여기로부터 아래로 내리뛰어라.
   b. *아래로 여기로부터 내리뛰여라.

(91) a. 从屋里往外走。
   b. *往外从屋里走。

(92) a. 从这往下跳。

b. *往下从这跳。

3.2 "方向短语+VP"和"VP+方向短语"的异同

3.2.1 "往+NL"的位置

"往+NL"既可以位于VP前,也可以位于VP后。例如:

　　往北京方向飞。　　　飞往北京方向。
　　往友谊路搬迁。　　　迁往友谊路。
　　往内地发。　　　　　发往内地。

不过,"往+NL"以位于VP之前为常。根据张赪(2002,160—161)的调查,从先秦直到元明时期"往+NL"的位置主要还是在VP之前。我们在《朴通事新释谚解》中也只发现1例"往+NL"位于VP后的例子。

　　弓王只得改换衣装,逃往山中去了。(3:57a—59b)

《现代汉语八百词》"往"字条说,能出现在"往+NL"之前的动词限于"开、通、迁、送、寄、运、派、飞、逃"等。根据我们的观察,能放在"往+NL"前的动词有逐渐增加的趋势,"发、解、押、调、顶、转、驶、带、拖、拉、伸、售"等动词都能放在"往+NL"之前,但均见于书面语中。例如:

　　他们把犯人押往公安局了。
　　他已经调往陕西了。
　　内蒙的羊毛大部分都售往内地。

动词后的"往+NL"可以移到动词之前,如上述各例,但也受限制,"VP+往+NL"后头再出现动词性成分就不能直接移到前边。例如:

　　凯泽于次日从美国飞往中国大陆公干,并计划再转往日本东京访问。(《环球时报》)

例中"飞往中国"和"转往日本东京"后头分别有"公干"和"访问",这两个"往+NL"就不宜移到动词前头。

　　*凯泽于次日从美国往中国大陆飞公干,并计划再往日本东京转访问。

3.2.2 "向+NL"的位置

"向+NL"的位置也相对自由一些,既可以位于动词前,也可以位于动词后。二者可谓同义,但是凸显侧面不同。前者意在强调移动过程,后者预示移动过程的完结。二者的差别可图示如下:

向+VP+NL： ⟶ Y

VP+NL+向+NL： ⟶ ……… Y

二者语义上的差别在句法层面上也有一系列的不同的反映。

首先,对 NL 的要求不同。"向+NL+VP"的 NL 不受音节的限制,"VP+向+NL"的 NL 必须是双音节的。比较:

(93) a. 水向下流。　　　　＊水流向下。

　　　b. 水向下边流。　　　水流向下边。

其次,对距离成分的要求不同。"向+NL+VP"后头可以出现移动距离成分,"VP+向+NL"排斥移动距离成分。比较:

(94) a. 飞机刚刚向北京方向飞行 10 公里,就……

　　　b. ＊飞机刚刚飞向北京方向 10 公里,就……

再次,"向+NP"位于 VP 之前时,"向"后头可以用"着"字,位于 VP 之后时不能。比较:

(95) a. 汽车向着机场驶去。

　　　b. ＊汽车驶向着机场。

"向+NL"位于动词之前时凸显移动过程,因此结构上可以复杂一些,"向+NL"靠近动词时强调移动过程的完结,因此结构不宜复杂,移动距离、"着"字均跟移动过程有关,自然能为表达式所容,而位于 VP 时自然被排斥。不过,并不是说两种格式永远呈现对立。如两种格式里都能出现表持续义的副词,都排斥时量状语和动量状语。例如:

(96) a. 他们继续向车站跑去。

　　　b. 他们继续跑向车站。

(97) a. ＊我们半个小时就向学校跑去。

　　　b. ＊我们半个小时就跑向车站。

(98) a. ＊他们几步就向宿舍跑去。

　　　b. ＊他们几步就跑向宿舍。

时间状语和动量状语分别表示完成某一动作所用的时间量和动作量,而"向+NL"不管在动词前还是在动词后都只表示方向或将要达到的目标,即表示接近的目标,这就导致了已然和未然的互相抵触,句子自然不能成立了。这也是语言的一种共性,韩国语的两种形式尽管只能位于动词前,也排斥移动距离成分和时间成分。例如:

(99) ? 우리는 반시간에 학교로 뛰어갔다.

(100) ? 그들은 몇 걸음에 기숙사로 뛰어갔다.

以上讨论的是表移动义不及物动词句的情况，表移动义及物动词句的情况有所不同。比较：

  向锅里倒水。   *倒向锅里水。

  向河里扔了几块石头。 *扔向河里几块石头。

  向敌人阵地投手榴弹。 *投向敌人的阵地手榴弹。

可见，及物移动动词句里受事成分不能位于"VP＋NL"之后，这个现象是李临定先生(李临定，1986)提出来的，但是解释不详。我们认为及物移动动词句的差别跟不及物移动动词句的差别一样可以做统一的解释，"倒水"、"扔石头"、"投手榴弹"等动作事件止于"锅里"、"河里"、"敌人阵地"等所指的空间作用域之内，也就是说"VP＋向＋NL"表示一个完整的"有界"事件，因此受事成分就不宜出现在"VP＋向"之后，而只能用"把"字移至动词前头。

  (101) 把水倒向锅里。

  (102) 把石头扔向河里。

  (103) 把手榴弹投向敌人的阵地。

不过，语言结构的特点也影响表达式的成立与否。韩国语中动词永远占据句末的位置，其他成分一概位于动词之前，因此，韩国语里不存在类似于汉语的问题。认知因素和结构特点对汉语语序的影响，比其他语言更加明显更加直接一些。

位于动词后的"向＋NL"一般都能移到动词前头，但是指抽象的目标域时以居后为常，这些"V＋向"呈现较强的凝固化倾向。比较：

  走向富强 ?向富强走去

  迈向胜利 ?向胜利迈去

  引向死亡 ?向死亡引去

  奔向未来 ?向未来奔去

  迎向明天 ?向明天迎去

  驶向光明 ?向光明驶去

3.3 "向"的词缀化

卢涛(2000:133—136)注意到"向"的词缀化(affixation)现象，认为有一部分"V＋向"和"N＋向"经过紧缩化(reduction)过程已经固化为词。例如：

  V＋向：今后趋向 去向不明 指引航向 语义指向

      偏向弟弟 倾向西方 南北走向

  N＋向：性格内向 外向经济 风向稳定

志向明确　　方向明确　　面向未来

一部分"向＋V"和"向＋N"中的"向"也已经变成构词成分。《现代汉语词典》共收录11个由"向"构成的词。

向来　　向上　　向导　　向往　　向使　　向学　　向好　　向慕

向背　　向心　　向隅　　向日葵　　向火　　向倒　　向日　　向阳

有些"VP＋往"如"以往、交往、过往"等已经固化为词，后头不能带处所成分，不过"前往、来往"可以带处所成分，如"前往东南亚3国进行国事访问"，"来往于北京和上海之间"。

韩国语的"향"(向)字也可以放在动词前后，这显然是汉语的影响所至。下面是《韩国语汉字词词典》所收的相关词条。

V/N＋향：　지향(指向)　　경향(倾向)　　편향(偏向)　　내향(内向)

외향(外向)　　풍향(风向)　　방향(方向)　　향열심(向热心)

향＋V/N：향념(向念)　　향모(向慕)　　향방(向方)　　향배(向背)

향사곡(向斜谷)　향상(向上)　　향습성(向湿性)　향시(向时)

향심(向心)　　향심력(向心力)　향자(向者)　　향전(向前)

향진(向进)　　향학(向学)　　향학심(向学心)　향학열(向学热)

향후(向后)　　향화(向化)　　향앙(向仰)　　향양(向阳)

향인(向人)　　향일(向日)　　향일화(向日花)　향월(向月)

四　方向概念的扩展

4.1　表示时间

韩国语和汉语的方向概念都可以投射到时间领域。当方向标记用来表示时间时仍然具有源域用法的一些特点。但是韩国语和汉语的具体情况有所不同。韩国语的"로"只能跟表未来义方位词和未来时间名词组合，也通常跟[＋延展]类动词组合，这跟人们对时间流向的一般认知心理吻合。例如：

(104) a. 이 일은 뒤로 미루자.

b. 회의 시간을 오후로 변경했다.

(105) a. 숙제는 오후안으로 다 끝냈다.

b. *숙제는 어제안으로 다 끝냈다.

"을 향하여"不能用来表示时间。我们不能说：

(106) * 이 일은 내일을 향하여 미루자.

(107) * 숙제는 오후안으로 향하여 끝내라.

汉语的方向标记也可以用来表示时间,但通常跟"后"组合。例如:

往/向后延　　　　往/向后推迟　　　　往/向后拖

* 往/向昨天延　　* 往/? 向下午推迟　　* 往/向 3 点拖

跟其他时间名词组合时,汉语里不再用方向标记而用其他标记或不用任何标记。在这一点上,有别于韩国语。例如:

(108) a. [在]年内一定要完成。

b. 会议日期改[到]明天吧。

4.2 表示目标对象

韩国语和汉语的方向标记都可以用来引介对象,对象指动作的目标,因此方向标记可以很自然地用来引介对象,也就是说方向领域和对象领域之间有足够的相似点。不过,韩国语和汉语的情况不尽相同。先看汉语的情况。

(109) a. 公司打算向美国进口一批先进设备。

b. 我们要向国外引进先进技术。

(109)中的"向"引介对象,此时"向"字可以换成起点标记"从"字。例如:

(110) a. 公司打算从美国进口一批先进设备。

b. 我们要从国外引进先进技术。

"向"和"从"可以替换,但是二者的观察方向不同,它们对应于下面两幅不同的影像:

向: $\boxed{Y}\longleftarrow$

从: $\boxed{Y}\longrightarrow$

韩国语的情形不同。韩国语的方向标记"로"不能用来引介对象,而只能用起点标记。例如:

(111) a. 회사 에서 는 미국 에서 선진 설비 를 구입했다.

(公司 处所标 话题标 美国 起点标 先进 设备 宾格标 购入了)

b. * 회사 에서 는 미국 으로 선진 설비 를 구입했다.

(公司 处所标 话题标 美国 方向标 先进 设备 宾格标 购入了)

其实"로"可以跟表起点义的限定助词"부터"构成"로+부터",这一形式中尽管有方向标记,但是不能表示对象,仍然表示起点。例如:

(112) a. 회사에서는 미국으로부터선진 설비를 구입했다.

b. *회사에서는 미국으로 선진 설비를 구입했다.

(113) a. 우리는 외국으로부터 선진 기술을 영입하려고 한다.

b. *우리는 외국으로 선진 기술을 영입하려고 한다.

"로+부터"相当于"向+从",汉语孤立语特点一般不允许两个空间介词连用。其实由"向"引介的对象也可以看做起点,"向"可以和"从"替换也基于这一点,只是二者的方向不同罢了,韩国语只能用起点标记也能证明这一点。说话人完全可以根据表达的需要选择不同的表达形式,从这一点来说,汉语世界比韩国语世界更富有弹性。"向+NL"引介起点对象时只跟有限的几个动词结合:

引进　进口　购进　购买　购入　采购　买　要　借　学习

这一类动词可称之为内向性动词(卢涛,2000:131)。"向+NL"跟外向性动词结合时,"向"字不能跟"从"字互换。例如:

(114) a. 他们县向日本出口农产品。

b. *他们县从日本出口农产品。

(115) a. 我们每年向内地出售大量木材。

b. *我们每年从内地出售大量木材。

此时韩国语也可以用方向标记,也就是说韩国语方向标记不能用来指起点对象,因而自然只能跟外向性动词结合。例如:

(116) a. 그들은 일본으로 농산품을 수출한다.

(117) b. 우리는 해마다 내지로 대량의 목재를 판매한다.

我们看到韩国语"을 향하여"尽管有源自汉语的成分,但是既不能用来指起点对象,也不能指目标对象。例如:

(118) a. *회사에서는 미국을 향하여 선진설비를 구입했다.

b. *우리는 외국을 향하여 선진 기술을 영입할 타산이다.

(119) a. *그들은 일본을 향하여 농산품을 수출한다.

b. *우리는 해마다 내지를 향하여 대량의 목재를 판매한다.

"往"和"朝"的情况类似于"로"和"을 향하여","往"和"朝"都不能用来表示起点对象。例如:

(120) a. *公司打算往美国引进一批先进设备。

b. *公司打算朝美国引进一批先进设备。

但是二者仍有区别,"往"可以引介目标对象,"朝"不能。比较:

(121) a. 他们往日本出口农产品。

b. *他们朝日本出口农产品。

以上讨论的情况可列表如下：

	起点对象	目标对象	内向动词	外向动词	备注
向	+	+	+	+	VP 为内向性动词时可以换成"从"
往	−	+	−	+	VP 为内向性动词时用起点标记
朝	−	−	−	−	
로	−	+	−	+	
을 향하여	−	−	−	−	

日语的情形跟韩国语相似,只能用起点标记而不能用方向标记。例如：

(122) a. 我が社は先進施設をアメリカから取りいれようとしている。
b. ＊我が社は先進施設をアメリカへ取りいれようとしている。

4.3 表示言说对象

"向+NL"还可以用来表示言说对象。言说对象也是一种目标,只是比移动方向或目标更加抽象而已。例如：

向政府反映情况。

向公司请假。

向有关部门询问。

言说对象通常由指人名词或团体名词来充任,动词以言说动词为多,如：反映 报告 解释 汇报 请假 宣传 宣战 告密 举报 告状 上告 起诉 投降 查询 询问 问 讲 请示 说明 证明 负责。"向"有时可以换成"跟"。例如：

跟老师请假。

跟大家解释。

跟公司说明。

引介言说对象是"向"的最常见的用法之一。宋代之前"向"的主要作用是引进对象,动词以言说动词为主,到了宋代"向"更多的是引进动作的方向(张赪,2002:186,215,223)。韩国语方向标记"로"和"을 향하여"都不能用来指言说对象,而直接用对象标记。例如：

(123) a. 정부　　에　　알리다.
　　　（政府　对象标　　告诉）
b. ＊정부　　로　　알리다.
　　　（政府　方向标　　告诉）

汉语里方向标记的对象用法只见于"向",受自身语义的限制,"往"和"朝"都不能投射到对象领域。我们不能说"＊往/朝政府反映","＊往/朝大家解释","＊往/朝上级汇报"。方向概念投射到其他概念领域是语言的一种普遍现象,但是其投射领域可通常因语言而异,我们看到,韩国语的方向标记表示时间相对自由,汉语的方向标记则没有韩国语自由;汉语的方向标记可以用来介引起点对象、目标对象和言说对象,韩国语的方向标记则只能用来表示目标对象,而且同义标记当中每个标记的具体投射领域也不完全一样。

参考文献

崔　健 (2002)《韩汉范畴表达对比》,中国大百科全书出版社。
邓守信 (1983)《汉语及物性关系的语义研究》,学生书局。
李临定 (1986)《汉语比较语法》,中国社会科学出版社。
刘丹青 (2003)《语序类型学与介词理论》,商务印书馆。
吕叔湘主编 (2002)《现代汉语八百词》,商务印书馆。
柳英绿 (1985)《"'到'字句及其在朝鲜语中的对应形式"》,《延边大学学报》第 4 期。
齐沪扬 (1998)《现代汉语空间问题研究》,学林出版社。
沈家煊 (1985)《英汉空间概念的表达形式》,《外语教学与研究》,第 4 期。
沈家煊 (1995)《"'有界'与'无界'"》,《中国语文》第 5 期。
张　赪 (2002)《汉语介词词组语序的历史演变》,北京语言文化大学出版社。
池上嘉彦(1981)《すると「なる」の言語学》,大修馆。
田中茂範・松本曜 (1997)《日英語比較選書—空間と移動の表現》,研究社。
朴贞姬 (2005)《日朝中3言語の仕組み》,振学出版。
卢　涛 (2000)《中国語における「空間動詞」の文法化研究》,白帝社。
남기심 (1993)《국어 조사의 용법》,서광학술자료사.
백춘법 (1992)《조선어 단어결합과 단어 어울림 연구》,사회과학출판사.
서정수 (1996)《현대국어문법론》,한양대학교출판부.
정희정 (1986)《"'에'를 중심으로 본 토씨의 의미—'에'와 '로'의 의미 비교"》,《국어학》17 호.
우형식 (1996)《국어터동구문연구》,도서출판박의정.
이기동 (1981)《"조사'에'와 '에서'의 기본의미"》,《한글》제174 호.
임홍빈 (1974)《"'로'와 선택의 양태화"》,서울대학교 언어연구소》,《어학연구》제 10 권제2 부.

(崔健,133002　延吉,延边大学汉语言文化学院;
朴贞姬,100083　北京,北京语言大学外语学院)

从交际语言教学到任务型语言教学*

吴 勇 毅

摘 要：本文通过对交际语言教学与任务型语言教学的比较，强调了两种教学法在第二语言教学中的作用和运用，并着重对任务型教学法在对外汉语教学中的使用，提出了应注意的问题和目前学界对此种教学法的关注。

关键词：第二语言教学；教学法；交际语言教学；任务型语言教学

一 交际语言教学与任务型语言教学

1.0 交际语言教学（Communicative Language Teaching，CLT）或称交际教学法（Communicative Approach，CA）产生于20世纪70年代，是以语言的功能和意念为纲，着力培养学习者交际能力的一种教学路子或教学法。交际语言教学的包容性很大，现在的第二语言教学或外语教学，不管是什么样的，都愿意冠以"交际"的称号。

任务型语言教学（Task-based Language Teaching，TBLT）或称任务（型）教学法（Task-based Approaches，TBA；Task-based Instruction，TBI）产生于20世纪80年代，仍然在发展之中，对它有许多不同的看法和理解，比如什么是"任务"。在介绍了对"任务"的各种看法后，龚亚夫、罗少茜（2003）认为，我们可以把任务型语言教学定义为：任务就是人们在日常生活、工作、娱乐活动中所从事的各种各样的有目的的活动。任务型语言教学的核心思想是要模拟人们在社会、学校生活中运用语言所从事的各类活动，把语言学习与学习者在今后日常生活中的语言应用结合起来。任务型语言教学把人们在社会生活中所做的事情分为若干非常具体的"任务"，并把培养学生具备完成这些任务的能力作为教学目标。这个定义并非没有可以争议的地方，比如"模拟"，夏纪梅、孔宪辉（1998）就认为，以任务为本的学习是一种"干中学"，而且不仅仅局限于语言的实践。通过任务学习，而不是靠一套教材和书本练习，可以让学生体验人是如何用语言做事或

---

* 本文是中美"新世纪对外汉语教学——海内外的互动与互补"学术演讲讨论会报告的一部分，2004年12月北京语言文化大学。

处理矛盾的。

1.1 通常认为,任务型语言教学是诸多交际教学途径中的一种(龚亚夫、罗少茜,2003),或者说是在交际教学法的基础上发展起来的一套教学新途径、一套教学方法(岳守国,2001;URWIN & DU,2003;韦建辉,2003)。但也有人认为,任务教学法的兴起与交际法在外语课堂受挫是分不开的,任务教学法是兼容交际法和传统教学理念的折衷主义教学(阮周林,2001)。笔者以为,尽管我们可以把任务型语言教学视为交际语言教学的一种,但事实上,两者之间存在着许多差异。

交际语言教学或交际教学法带给我们两个最重要的财富,一个是培养交际能力的教学思想/教学途径,另一个就是功能-意念大纲。前者的理论基础是社会语言学家 Hymes(1971)的关于交际能力的学说和 Halliday 的语言功能理论,后者是在 Wilkins(1972)的意念大纲的基础上发展起来的。首先在这两点上,任务型语言教学就有别于交际语言教学。

1.2 Hymes 认为语言能力(语法知识)只是交际能力的一部分,交际能力是由四个部分组成的:(1)合乎语法性(语法的),某种说法是否(以及在什么程度上)从形式上来讲是可能的;(2)可行性(心理的),某种说法是否(以及在什么程度上)是可行的;(3)得体性(社会的),某种说法是否(以及在什么程度上)是得体的;(4)实际操作性(概率的),某种说法是否(以及在什么程度上)实际出现/实现了。于是,培养学生运用语言进行交际的能力,即语言交际能力成为了交际语言教学,也是第二语言教学的目标。

Canale 和 Swain(1980)把 Hymes 的理论具体化了,他们认为,交际能力具体包括:(1)语法能力;(2)社会语言能力;(3)语篇能力;(4)策略能力。这为第二语言教学设定了一个具体的框架和目标,同时也深化了交际能力的学说。

任务型语言教学或任务(型)教学法承认培养语言交际能力是其目标,但在这方面更进了一步,具体说,培养语言交际能力只是其目标之一。这话怎么理解呢?我们知道,任务型语言教学的特点就是让学生用所学语言——目的语去完成各种类型的"任务","以任务为本"。但完成任务所需要的不仅仅是"(语言)交际能力",还要有发现问题、分析问题、解决问题的逻辑思维能力和认知能力。"语言学习的目标不是单纯学语言,而是把语言作为工具来发展人的认知能力";"'任务教学法'把语言能力目标与工作能力目标紧密联系起来,每一个任务都是一个整体计划,包含各种机会和接触面。学生在这些过程中发展了认知潜能,一种有明确目的的生成、转换、应用语言知识和交际知识和技能的潜能"(夏纪梅、孔宪辉,1998)。普通语言学常说,语言是人类最重要的交际工具和思维工具。交际法突出了前一方面,而任务法则在后一方面有所发展。

所以实际上,我们认为,任务型语言教学至少有两个目标,一个是培养学生的语言交际能力,另一个是发展学生的发现问题、分析问题和解决问题(完成任务)的能力。前一种能力为后一种能力服务,目的语是发展后一种能力的工具。用目的语去完成任务,去分析问题,解决问题,这就更加突出了语言的"工具性",这是任务型语言教学的一个重要特点。这跟为掌握语言而学习语言的其他教学法都不同。例如,情景法和交际法都强调要利用环境练习/学习语言,而任务型教学法则强调在环境中用语言去解决问题/完成任务,学生在解决问题、完成任务的过程中进而提高自己的语言水平。

　　传统的语言教学以学生掌握语言本身(语法规则、句型、词汇项目等)为目标,至于学生是否会在具体的交际活动中使用语言项目;是否会在有上下文的语境中恰当地选择语言项目,比如句型、词语,就只能让学生在今后的日常生活中自己慢慢体会、慢慢摸索了,那是课堂以外的事儿,是学生自己今后的事儿。交际法试图突破这一点,要培养学生用语言进行交际的能力,尤其是在"得体性"方面,但它的目标仍然局限在语言本身,比如掌握语言功能和意念的表达方式,并能在不同的语境中恰当地选择不同的表达方式等。任务型教学法则走得更远,它强调的是"完成任务优先"(task completion has some priority)(Skehan,1998)。从学习过程的角度看,任务型教学法是把"学生在今后的日常生活中自己慢慢体会、慢慢摸索"的事儿,包括用语言完成日常工作中的任务,解决日常生活中的问题,"提前"到了学习过程、学习阶段了。

　　1.3 交际语言教学带给我们的另一个财富是功能－意念大纲,这可以 van E. K. (1975)的 Threshold level English 为代表。传统的语法大纲或者说结构大纲跟功能－意念大纲的最大区别在于大纲所提供的内容不同,给我们的清单不同。前者提供的是语言形式:语法项目、句型等。这些语法项目、句型是按所谓的难易程度,以循序渐进的方式排列的。后者提供的是语言意义或者说内容:功能项目(功能是使用语言的目的/交际的目的)、意念(意念是语言表达的概念意义,如时间、空间、数量、频率等),功能、意念本身很难按难易程度排列。语法大纲和功能－意念大纲都有一个共同的假设,即学生应该按照列出的项目清单学习,一旦掌握了这些(抽象的、孤立的)清单上的项目,也就等于掌握了语言。因此,从某种意义上讲,它们是一路货。它们注重的都是学生要达到的最终的目的状态或者说终端产品。所以第二语言教学大纲的设计者把它们都归为"产品式大纲"(product syllabus)。"因为这两种大纲都着重学习的结果状态,大纲内容主要是对语法知识项目或功能意念项目的列举。至于如何达到目标状态,大纲不作具体说明。"(束定芳,庄智象,1996)也就是说"产品式大纲"对学习的"过程"不加考虑。

　　而任务型语言教学,尽管也关心学习的结果状态,但其着重点却在学习和使用语言的过程(本身),在达到最终目的状态的所需进行的一系列行动/活动/任务。所以任务型教学法被视为"过程式大纲"(process/procedural syllabus)的产物。"过程式大纲"提供的是学习任务。"产品式大纲"与"过程式大纲"的区别在于,前者的重心考虑的是"学什么"(What is to be learnt),强调学习语言的内容(subject);后者考虑的则是"怎么学的"(How is it to be learnt),强调学习和掌握语言的过程(process)(夏纪梅、孔宪煇,1998)。注重过程性是任务型语言教学的另一个重要特点。

1.4 同交际法相比,任务法还有许多不同之处,比如,交际法以意义为中心,重流利而轻准确,任务法则强调以形式为中心(form-focused);交际法认为语言的四种技能可以分开训练,任务法则更强调在完成任务中综合运用语言技能,等等。

二 任务型教学法在对外汉语教学中

2.0 我国的英语教学界对任务型教学的研究始于上个世纪 90 年代末,并且成为目前英语教学界研究和实践的热点。作为其研究的重要成果之一,就是在中华人民共和国教育部制订的新的普通高级中学的"英语课程标准"(2001)中提出了要进行任务型的英语教学。该"标准"的第四部分实施建议中的第三条教学建议就是:"倡导'任务型'的教学途径,培养学生综合语言运用能力"。它指出:

"本《标准》以学生'能做某事'的描述方式设定各级目标要求。教师应该避免单纯传授语言知识的教学方法,尽量采用'任务型'的教学途径。

教师应该根据课程的总体目标并结合教学内容,创造性地设计贴近学生实际的教学活动,吸引和组织他们积极参与。学生通过思考、调查、讨论、交流和合作等方式,学习和使用英语,完成学习任务。

在设计'任务型'教学活动时,教师应注意以下几点:

1. 活动要有明确的目的并具有可操作性;
2. 活动要以学生的生活经验和兴趣为出发点,内容和方式要尽量真实;
3. 活动要有利于学生学习英语知识、发展语言技能,从而提高实际语言运用能力;
4. 活动应积极促进英语学科和其他学科间的互相渗透和联系,使学生的思维和想象力、审美情趣和艺术感受、协作和创新精神等综合素质得到发展;
5. 活动要能够促进学生获取、处理和使用信息,用英语与他人交流,发展用英语解决实际问题的能力;
6. 活动不应该仅限于课堂教学,而要延伸到课堂之外的学习和生活之中。"

这段话体现了任务型教学法的思想和精神,值得我们细细体会。

2.1 对外汉语教学界开始注意并且研究任务型教学法也始于 20 世纪 90 年代末,不过从发表文章的时间来看比英语教学界略晚一点。但是迄今为止,英语教学界已经发表了大量的研究和实践文章,而对外汉语教学界只有区区几篇(马箭飞,2000;马箭飞,2001;吴中伟,2004a;吴中伟,2004b 等)。这方面的差距是明显的,或者说对任务型教学法的注意和重视程度是不一样的。

2.2 2000 年马箭飞发表了题为《以"交际任务"为基础的汉语短期教学新模式》的文章,这可以说是任务型教学法在国内对外汉语教学中的第一次尝试。其研究成果是国家汉办编制的《高等学校外国留学生汉语教学大纲(短期强化)》(2002)中的附件"汉语交际任务项目表"。这个项目表在某种程度上可以说是一种任务型大纲(Task-based syllabus),跟以往对外汉语教学界使用的语法大纲,无论是在内容上,还是在描述方式上都完全不同,是尝试性的、开创性的。但注意过它的人可能不多。

2.3 对外汉语教学界目前对任务型教学法的研究还处于初始阶段,主要在口语教学、教材编写、短期教学模式、形式与意义的关系等方面进行探讨。作为一种方兴未艾的第二语言教学法,对它的研究亟须加强。

参考文献

龚亚夫、罗少茜(2003)《任务型语言教学》,人民教育出版社。
国家对外汉语教学领导小组办公室编(2002)《高等学校外国留学生汉语教学大纲》(短期强化),北京语言文化大学出版社。
马箭飞(2000)《以"交际任务"为基础的汉语短期教学新模式》,《世界汉语教学》第 4 期。
马箭飞(2001)《以"交际任务"为基础的汉语短期强化教学教材设计》,《对外汉语教学与教材研究论文集》,华语教学出版社。
邱艺鸿(2001)《试论"任务教学法"在英语专业综合英语课教学中的应用》,《鹭江职业大学学报》第 2 期。
阮周林(2001)《任务前期准备对 EFL 写作的影响》,《外语与外语教学》第 4 期。
束定芳、庄智象(1996)《现代外语教学——理论、实践与方法》,上海外语教育出版社。
韦建辉(2003)《任务教学法在大学英语阅读教学中的运用》,《高教论坛》第 5 期。
吴中伟(2004a)《浅谈基于交际任务的教学法——兼谈口语教学的新思路》,《第七届国际汉语教学讨论会论文选》,北京大学出版社。
吴中伟(2004b)《语言教学中形式与意义的平衡——任务教学法研究之二》,对外汉语研究学术讨论会论文。
夏纪梅(2001)《任务教学法给大学英语教学带来的效益》,《中国大学教学》第 6 期。
夏纪梅、孔宪辉(1998)《"难题教学法"与"任务教学法"的理论依据及其模式比较》,《外语界》第 4 期。
徐 强(2000)《交际法英语教学和考试评估》,上海外语教育出版社。
于 勇(2000)《"以形式为中心"的任务教学法与我国外语语法教学》,《沈阳师范学院学报》(社会科学版)第 3 期。
岳守国(2002)《任务语言教学法:概要、理据及运用》,《外语教学与研究》(外国语文双月刊)第 5 期。
中华人民共和国教育部制订(2001)《英语课程标准》(全日制义务教育、普通高级中学),北京师范大学出版社。

祝畹瑾编(1985)《社会语言学译文集》,北京大学出版社。
Canale, M. (1983) From communicative competence to communicative language pedagogy. Richards, J. and Schmidt, R. (eds.) *Language and communication*. Longman.
Canale, M. and Swain, M. (1980) Theoretical bases of communicative approaches to second language teaching and testing. *Applied Linguistics*, 1/1.
Fotos, S. and Ellis, R. (1991) Communicating about grammar: A task-based approach. *TESOL Quarterly* (4).
Fotos, S. (1998) Shifting the form from forms to form in the EFL classroom. ELT(4).
Hymes, D. (1971) *On communicative competence*, Philadelphia, University of Pennsylvania Press.
Long, M. (1985) A role for instruction in second language acquisition: Task-based language trainning, in Hyltenstam, K. & Pienemann, M. (eds.) *Modeling and Assessing Second Language Acquisition*. Clevedon, Avon, Multilingual Matters, 77-99.
Long, M. (1988) Focus on form: A design feature in language teaching methodology, in K., De Bot et al. (eds.) *Foreign Language Research in Cross-Cultural Perspectives*, Amsterdam: John Benjamins.
Prabhu, N. (1983) Procedural syllabuses. Paper presented at the RELC Seminar, Singapore.
Prabhu, N. (1987) *Second Language Pedagogy: A Perspective*. Oxford University Press.
Skehan, P. (1998) *A Cognitive Approach to Language Learning*.《语言学习认知法》,上海外语教育出版社,1999。
Urwin, J. & Du, L. (2003) Task-based approaches to second language pedagogy and the design of Chinese textbooks at tertiary level.《世界汉语教学》,第3期。
Wilkins, D. A. (1972) Grammatical, situational and notional syllabuses, *Proceedings of the Third International Congress of Applied Linguistics*, Copenhagen 1972.
Wilkins, D. A. (1974) Notional syllabuses and the concept of a minimum adequate grammar, in Corder and Roulet (eds.) 1974.
Wilkins, D. A. (1976) *Notional Syllabuses*, Oxford University Press.
Willis, J. (1996) *A Framework for Task-based Learning*. London: Longman.
Yalden, J. (1987) *The Communicative Syllabus: Evaluation, Design and Implementation*. Prentice-Hall International.

(200062 上海,华东师范大学对外汉语学院)

心理语言学中的第二语言学习及理论发展

邢　欣　吕红梅

摘　要：语言学习理论是从心理语言学角度提出的理论,其中有些与第二语言教学理论相同,但其主要方面是从语言的理解和生成的大脑机制角度对第二语言教学进行探讨,因此更注重人脑对第二语言的接受和认知。这些理论可以应用到对外汉语教学的各个环节,从而提高教学效果。本文主要探讨心理语言学中有关第二语言学习的内容,分析了第二语言学习的基本特点,阐释了第二语言学习的研究范围、与语言学理论的关系、动态学习过程等。有关第二语言学习的研究和探讨是心理语言学的核心,由此形成了许多理论,本文梳理了理论的发展史并对其主要的理论发展和流派做了分析和评述,包括行为主义学习理论、语言天赋理论、认知学习理论、社会环境论、互动行为论等。

关键词：第二语言学习;行为主义理论;天赋论;认知论;环境论;互动论

一　第二语言学习及理论

人们在日常生活、学习和工作中,在进行各种感知和思考的过程中,都需要语言的参与。因而,语言就成为个体学习的一项重要内容。语言的学习是一个复杂的过程,贯穿于人的一生。无论是新生儿还是老人,无论是母语学习还是第二语言学习,无论语言的表现形式是文字符号还是手语等等,语言在个体的社会化进程中、在个体的身心发展的历程中都起到了至关重要的作用,因此,语言学习也是个体学习中的重要一环。现在,第二语言学习的研究逐渐成为一个热点,随着对外汉语教学、外语教学和对少数民族汉语教学的发展,在心理语言学中有关第二语言学习的理论探讨也日益深入,许多研究提出了新的视点。

1.1 第二语言学习的基本特点

1.1.1 语言学习的含义

在语言学中,"语言习得(acquisition)"和"语言学习(learning)"是两个不同的概念。前者强调语言的自然形成过程,后者强调对语言的形式和规则的系统学习,通常发生于正规的课堂和学校环境中。在心理语言学中的语言学习泛指这两类。语言学习或许要持续一生。婴儿从学会发出特定的声音开始,到产生较为复杂、完整、有意义的句子,其语言能力发生了巨大的变化。过去认为1岁左右开始形成语言,现在则倾向于更早些,甚至在儿童出生前就已经开始了。儿童在5岁左右时,已经能够流利地表达自己的想法,但语言学习的过程并没有结束,儿童要继续学习复杂的语法和语义,一直延续到青春期甚至是成年期。由于语言是动态变化的,即使是成人也需要不断适应生活中语言的变化,进行语言学习。一般而言,语言的学习可以从两个角度来考虑:一是语言的理解和生成;一是着眼于语言结构。

1.1.2 第二语言学习

第二语言学习(Second Language Acquisition,SLA)是指学习者在基本掌握母语的情况下,学习另外一门语言。有些研究者对第二语言学习与外语学习进行了区分,认为外语学习是学习者在母语的语言环境中学习另一门语言,而第二语言学习则是学习者在第二语言国家或地区的语言环境中学习。我们这里暂不进行这种区分,而是将母语之外的第二门语言的学习统称为第二语言学习。

第二语言的学习在某些方面遵循着语言学习的一般规律,比如对语音的掌握都要经历从单个音素的发音规则到音素组合的发音规则,再到整个语音系统的学习过程;学习者也需要掌握所学语言的词库,逐步在大脑中建立一个"心理词库";同样,学习者还要掌握一定的句法结构规则和语义结构规则知识,知道在特定的语言环境中,如何恰当地使用语言,使交际活动得以顺利进行。简言之,无论是母语学习还是第二语言学习,都经历着先声后形、先简单后复杂、先散乱后精密、先感性后理性、先习成后法则等基本的学习顺序(王忠义,1998)。正是由于语言学习存在着共性,所以,第二语言学习中应该最大限度地吸收母语学习中的合理成分。

1.1.3 第二语言学习过程中的中介语

Selinker(1971)提出了第二语言学习中的中介语(interlanguage),中介语是第二语言学习者在学习过程中出现的现象,其产生的基础有五个程序:母语影响(负迁移)、语言训练影响(过度迁移)、学习策略影响,交际策略影响、过度泛化。这五个过程存在于晚期心理结构中,可以在过了语言学习关键期(12岁)后通过第二语言教学开发出来。此外,他还提出了第二语言结构化石化(fossilization)这一重要的第二语言学习概念,这为语言学习中的重复错误形式被固化的现象提供了依据(靳洪刚,1997,127—128)。

1.1.4 第二语言学习与母语习得的不同

第二语言学习与母语习得在很多方面有所不同,有其特殊的学习规律。首先,语言学习的基础不同。与母语习得相比,学习者在学习第二语言之前,其语言能力已经有了一定程度的发展,认知能力通常也相对成熟,能够进行问题解决,推论和记忆任务。这些基本能力的发展以及知识存量的不断增大都在一定程度上影响着第二语言学习,使其具有特殊性。其次,语言环境不同。母语有较理想的、自然的"可理解性输入"的语言刺激,先听说再读写加听说,先口语再书面加口语,语言练习和应用的范围非常广。而第二语言的语言输入则更多地具有人为性,口语、书面经常同步进行,练习和使用的范围都比较有限。第三,语言学习的心理加工过程不同。第二语言学习中,语音的掌握不是自发地、无意识地完成的,而是通过"有意识地去学"来实现的。母语词汇的掌握是从语言片段的"整体"意义的模糊、笼统的把握向个别词的准确、精细的"分化",这与儿童思维发展的规律相一致。而第二语言的学习一般是从分析到综合,先进行语言分析活动,并结合语码的转换和意义的注释,然后通过综合过程才能获得对词汇的真正掌握。母语句子的掌握要经过从不完整句到完整句,从简单到复杂的变化。而第二语言的句子学习需要经过语法和句子规则的转换,不存在明显的渐进性。此外,在学习的动机、年龄起点、语言文字等诸多方面,第二语言学习与母语学习都存在很多差异。因而,对第二语言学习的研究有其自身的特点和意义。

1.2 第二语言学习的有关研究

1.2.1 语言学习理论

语言学习理论的核心是要搞清楚人们在怎样的情况下学会语言以及大脑对语言的生成和理解是怎样形成的。围绕这些问题展开的研究形成了语言学习理论。

1.2.1.1 心理学之前的语言学习研究

人类关于学习的研究,早在心理学之前就已经开始。早期的哲学家亚理士多德就提出了控制思维过程的三条联想规律:接近律、相似律、对比律(朱纯,1994)。简单来说,接近律是指词语之间的关联度,比如"领袖、茶杯"等词的构成;相似律是指词语之间的相似关系的连接,比如汉语中的同义复合词"中心、美丽"等;对比律指反义关系,比如反义复合词"反正、东西"等。按照这三个联想规律,一个词也可产生三种联想,如"黑"可产生"黑夜"(接近律)、"黑人"(相似律)、"黑白"(对比律)。亚氏的联想规律对后来的学习心理研究产生了重大影响。

1.2.2.2 语言学习理论要解决的问题

学习心理学早期主要通过学习心理试验解决学习记忆问题。其中 Herrnann Ebbinghaus(1850—1909)第一个对记忆进行了系统的调查,发现了遗忘先快后慢的规律。其后的经验主义和理性主义以及综合两者的社会交互理论等都是语言学习理论的发展分支,并试图解决语言学习中的内在机制和外界影响作用(朱纯,1994)。Pinker(1990)指出了与学习有关的四个方面:A. 语言,为了生存而掌握的一种目的语;B. 环境,学习者需要的世界信息;C. 学习策略,建立假设的算法,即乔姆斯基的语言习得机制;D. 成功的标准,在经过一段学习后学习者形成与目的语一致的假设,或接近假设,或几种假设都有,但只有一个是正确的。在语言学习中,由于环境提供的信息是有限的,而假设是无限的,因此关键的因素是反面的证据,即不能成句的信息(桂诗春,2000,122—123)。

1.2.3 第二语言学习研究

第二语言学习系统、深入的研究开始于 20 世纪 60 年代末(Corder,1967),到目前为止,该领域的研究取得了很大进展,具体反映于以下几个方面:

1.2.3.1 研究的范围

总体来看,与 20 世纪七八十年代相比,SLA 的研究范围有了很大的扩展。从语言学(尤其是语法)的、心理语言学的研究到实用主义的、社会语言学的研究。研究者在继续关注学习者语法的获得,探究心理语言过程的同时,开始对学习者如何在日常生活中运用语言、影响语言发展的社会因素等更为复杂的问题进行研究。可以说,SLA 研究的生态化倾向越来越鲜明。

1.2.3.2 对语言理论的应用

早期的研究侧重于理论的建构,即通过搜集、分析学习者的语言资料,对其主要特征进行描述,形成相应的 SLA 理论。而现在的研究则侧重于对一些特定理论的确定和检验,即通过实验、调查等多种研究方式来考察某些 SLA 理论的合理性。此外,目前的研究也重视对以往经典的语言学习理论的应用,如对乔姆斯基的普遍语法,语言的功能模型(Givon,1995),语言类型学等的运用。这种应用不只是语法概念或术语的简单套用,而是结合第二语言学习的特点,对这些理论中的重要概念、观点进行了更为深入的探讨、扩展。第二语言学习的研究在利用一般语言学研究成果的同时,也促进了语言学的纵深发展。

1.2.3.3 对课堂中学习过程的重视

虽然在第二语言学习研究的早期,研究者也比较关注学习者在课堂中的语言学习问题,但多是对语言学习中的个别、局部的问题进行探讨,缺乏系统性、整体性,不能够充分揭示 SLA 的实质。现在的研究更注重在真实的学习环境中,多角度、系统地探讨 SLA 的特点与有效条件。结合实际的课堂学习来研究 SLA,可以对语言教学提供指导,同时丰富第二语言学习的理论研究。

二 行为主义理论

2.1 行为主义的方法

第二语言的习得研究在很大程度上受到语言学和心理学理论变化和趋势的影响,从母语习得理论中可以看到,行为主义用模仿、练习、反馈和习惯形成等术语来解释语言学习。学习者接受环境中的语言输入,然后在单词和物体之间建立联结,这种联结随着不断的模仿、练习、反馈等得以增强。语言的发展实际上就是一个习惯形成的过程。由于第二语言的学习以母语为起点,而第二语言所要建立的语言习惯可能与母语的语言习惯有所不同,因此二者之间有可能产生相互干扰。为了避免这种现象的发生,并预测第二语言学习的难度,有必要进行不同语言间的对比分析(contrast analysis,CA)。

2.2 对比分析法

对比分析观点认为(Lado,1957),通过母语和第二语言之间的比较,可以找出二者间的相同点和不同点。学习者比较容易掌握两种语言中的相似之处,但在两种语言的不同之处则有可能出现困难。莱多(Lado)认为,不仅要对两种语言之间的语言学成分进行对比,也要对其文化系统进行对比。但是 20 世纪 50 年代到 60 年代的对比分析主要集中在两种语言的语音和语法方面。通过对一些语言结构的比较,来预测学习者可能出现的语言学习困难。

母语对第二语言习得的影响是不可否认的。但一些研究发现,对比分析并不能预测所有的语言错误,而且所预测出的某些学习困难在学习者的学习过程中并没有真正出现(Dulay & Burt,1974)。研究还发现,有时两种语言之间的不同之处并不会引起学习困难,而恰恰是两种语言相似的地方,经常会产生语言的干扰作用(Freeman & Long,1991)。

另外,研究者发现,语言学习似乎遵循着一些共同的发展顺序,不同母语的学习者在学习同一种第二语言时会出现一些相似的错误。其中最具代表性的是 Dulay & Burt(1974)以母语分别为西班牙语和汉语的学习者为对象进行的研究。研究发现,不管学习者的母语与英语的结构是否相同,学习者都表现出相同的语言获得顺序。西班牙、中国、日本的学习者在学习"That is very simple."的句子时,都会出现省略"is"的错误(Huang & Hatch,1978),英语为母语的儿童也会出现相同的错误(Brown,1973)。其他许多研究也发现了相似的结论。

这说明母语的影响并不仅仅是习惯的迁移,而是一个更为精细、复杂的过程。由于行为主义理论本身的局限性,对比分析只是在母语的语言结构层面上进行较为机械的分析,未能就第二语言获得过程中的内在机制进行深入探讨。

三 天赋论(先天论、内在论)

3.1 生成语法理论

乔姆斯基(Chomsky N.,1957,1965)提出的生成语法理论是为了解释儿童母语的习得,但是当研究者将其用于第二语言学习领域时,发现它提供了一种强有力的解释和研究视角。生成语法理论成为对第二语言学习最有影响的理论之一。

生成语法理论认为,不同母语的学习者之所以表现出第二语言习得的共同发展顺序,是由于人类具有内在的、独立于其他认知能力的独特的语言获得机制,即 UG。UG 在第二语言的学习过程中同样起作用,使不同语言背景、不同母语的学习者出现相同的语言获得顺序。但研究者对 UG 在第二语言获得过程中的具体作用机制尚未达成共识。

在第二语言的学习中,学习者已经掌握了一种语言(母语)。那么学习究竟是从母语开始,母语和 UG 共同起作用,通过逐步的再建构过程来完成的,还是与母语完全无关,重新开始?对此各有不同看法。有人倾向于第一种观点,强调母语的作用。也有人认为学习者像儿童学习母语一样,利用 UG,重新创造性地获得第二语言。

此外,在正式的教学和错误纠正对学习者语言获得的影响方面,研究者也存在不同的观点。一些研究者认为,成年第二语言学习者同儿童一样,不需要也不能从错误纠正中受益。错误纠正和语法知识只能改变表面的语言行为,对潜在的语言系统知识不会产生实质性的影响(Schwartz,1993)。其他一些研究者则认为,UG 本身已经受到第一语言习得的影响,不是原本意义上的 UG,因而需要进行明确的第二语言的语法教学。

UG 为第二语言习得的研究提供了一个语言学的理论框架,但运用这种理论解释第二语言也存在着某些疑问:

首先是语言学习的关键期问题。既然第二语言学习通常是在关键期之后进行的,那么 UG 所起到的作用是非常小的。因为 UG 一般是在关键期被激活并发挥其最大作用。有的研究者的解释是在关键期结束后学习第二语言,即使许多学习者最终没有完全掌握第二语言,仍然存在一个(第二)语言习得的逻辑问题:学习者最终掌握的知识要多于仅仅依靠语言输入所能够掌握的。从这一点出发,普遍语法对第二语言学习者是同样适用的。

其次,利用普遍语法对第二语言习得的解释和研究多是针对语法进行的,关注于第二语言学习者潜在的语言能力同母语学习者是否相同。因而,他们的研究方式主要是对两组学习者的语法判断进行比较,而不是进行真实的语言观察。对语言学习的其他方面不能给出充分的解释。

3.2 Krashen 的监控理论

对行为主义的批判,对语法的结构性分析的兴起(Chomsky,1957;Robins,1979),以及一些语言习得顺序的实证研究的出现,人们开始逐渐将注意力转向语言习得的内在机制,对人类语言和思维的创造性潜能进行研究(Odlin,1989)。由此出现了与行为主义理论完全不同的创造性构建理论,认为母语在第二语言的学习中,不会产生任何作用(Dulay & Burt,1974)。第二语言学习与母语习得不完全相似,主要是由于动机、焦虑、学习环境以及其他一些因素的影响。在创造性构建理论中较有影响的包括 Krashen 的监控理论。Krashen 的监控理论由五个假设构成。

3.2.1 习得—学习假说

"习得"(acquisition)和"学习"(learning)是两个不同的过程。习得是通过接触第二语言的例子,潜意识地掌握语言的过程,同儿童习得母语相似。而学习是一个有意识的过程,是对形式和规则的有意注意。Krashen 认为,只有习得的知识才能形成自然的、流利的交流。并且学习得到的知识不能转化为习得的知识。

3.2.2 监控假说

Krashen 认为,习得系统对流利的表达和对正确性的本能判断起作用,而学习系统起监控作用。只有当学习者关注于表达的正确性而不是意义的交流时,有足够的时间在记忆中搜索相关规则,并且知道语言规则的时候,才会使用学习系统。

3.2.3 自然顺序假说

同第一语言的学习一样,第二语言的学习同样有可预测的习得顺序。看起来简单的规则并不一定会首先习得。并且 Krashen 发现,语言习得的自然顺序与语言课堂中的习得顺序并不相同。

3.2.4 输入假说

Krashen 认为个体只有通过接触可理解的输入(comprehensible input)才能习得语言。如果输入的形式和结构恰好高于学习者的现有水平(Krashen 称之为 i+1),语言的理解和习得可以同时产生。但有些人在丰富的可理解输入环境中也不能习得语言,Krashen 用情感过滤假说对此进行了解释。

3.2.5 情感过滤假说

情感是指动机、需要、态度和情绪状态等。一个焦虑、愤怒、厌烦的学习者会过滤掉可理解的语言输入。所以,学习者的情绪和精神状态会影响到注意和学习的内容。情绪既可以起促进作用,也会起阻碍作用。

监控理论强调内在的语言习得机制在学习中的重要作用,因而否认母语在第二语言的学习中有任何的作用,由此促使了教学中的交际法的产生。

不过,这种理论由于没有实际证明而受到很多批评。对监控理论的一些假设,一些研究者也提出了反对意见。如,情感过滤假说不能解释为什么儿童学习第二语言不需要情感过滤。White(1987)认为,语言输入并不一定都是可理解的,不可理解的输入有时可以作为学习的负面材料。另外,语言获得的共同顺序并不能说明内在语言获得机制的存在。可以从第二语言的特征(如,输入的频率,Larsen-Freeman,1976),以及学习所有知识(包括语言)的一般认知能力的角度进行解释(O'Grady,1987;Parker,1988a)。

四 认知理论

4.1 信息加工

信息加工理论认为,语言习得是一个知识体系不断积累,然后逐渐自动化的过程。Anderson(1983)提出了ACT(Adaptive Control of Thought)模型。认为学习是一个从陈述性知识转化为程序性知识的过程。基于这种理论,O'Malley 和 Chamot(1990)提出第二语言的学习也遵循这样一个过程。首先是对语言的注意和理解阶段,然后是将理解的知识逐渐转化为程序性知识,减少有意注意,最后是自动化的阶段。Barry Mclaughlin(1987)提出了信息加工模型。一开始,学习者对所学语言的所有方面进行注意。但人类的注意广度是有限的,所以,在第二语言学习的早期阶段,学习者只会对信息中的主要单词进行关注。通过实践和经验的积累,学习者逐渐能够无意识地、迅速地、自动化地使用某些知识,这就释放了一些注意资源,使学习者能够注意语言的其他方面,这些方面通过练习也会逐渐变得自动化。由此可以看出,这种理论与 Krashen 的监控理论完全相反,强调注意的作用,认为注意是第二语言习得的首要的和必要的阶段(Richard Schmidt,1990)。

4.2 竞争模型(the Competition Model)

Brian Macwhinney(1989)提出了竞争模型(the Competition Model)。竞争模型的主要内容是,语言是用来交际的,有四个主要的方面:词序、单词、形态和声调。使用者必须通过这四个方面,才能进行交际。受认知加工空间的局限,学习者不可能同时注意到这四个方面。所以,如果一种语言强调声调的使用,那么相对来说,词序的作用就会减少;强调词序,词形的作用就会下降。例如,汉语强调声调,而没有形态的变化。所以,没有哪一种语言能够同时兼顾到这四个方面,而总是对某一方面有所强调。儿童在学习母语的时候会逐渐地发现哪种线索更重要,学会忽视其他的线索,也就是在对句子进行加工的时候,赋予四个线索不同的权重(Kilborn & Cooreman,1987)。当第二语言学习者继续使用在母语中习得的这种权重时,就会产生迁移。虽然,这种权重的使用不会像在母语中那么明显,但当学习者达到了较高的水平之后,还会出现。

4.3 关联主义

关联主义(Rumelhart,D. and McClelland,J. 1986)认为,不需要假设一个独立的语

言习得机制对第二语言的习得进行解释,语言输入比任何内在的知识更为重要。学习者本身具有的是学习的能力,而不是任何特定的语言结构。

先天论者认为语言输入是激活了语言学知识,而关联主义认为,学习者是通过不断地接触环境中的语言而形成了自己的语言知识体系。当学习者在特定的语言环境中不断听到某种语言形式之后,就会建立越来越有力的"关联"。这种"关联"是输入和输出在个体头脑中的关联,与行为主义刺激—反应之间的直接关联是不同的。一个情境或一个语言学因素会逐渐地激活头脑中其他的因素。如果不同的因素经常同时出现,那么关联就会很强,反之则弱。例如,学习者认为主语—谓语动词的形式是正确的,并不是因为他们知道了这个规则,而是因为他们经常接受"I say""he says"这样的语言输入,因而每个主语代词都激活了正确的动词形式。再如汉语中数词和名词之间必须出现量词,学习者不是靠规则学习,而是经常接受"一本书"这样的输入,激活了正确的形式。

但关联主义主要集中于词汇和语素的研究。对如何能够形成复杂的语法结构的知识还不能给予很好的解释。

五 社会环境论

上面介绍的各种观点,不管是从一般认知能力的角度,还是从语言学的角度,都是以第二语言学习者的能力本身为出发点的,这种能力或者是一般的,或者是特殊的。下面介绍的观点,则跳出了这个圈子,从学习者对第二语言的主观态度和社会因素进行考虑。

John Schumann(1978a)提出了文化适应模型(The Acculturation Model),对学习者所学语言的社会距离和心理距离进行了分析。Schumann认为,成功的学习意味着成为第二语言文化的一部分。如果学习者认为自己优于或低于第二语言的母语者,就不会学好第二语言。因此,学习者群体与第二语言群体之间的社会距离是很重要的。如果说社会距离是一种社会现象,那么心理距离则是从个体水平上进行的分析。心理距离包括四个方面:语言冲突、文化冲突、动机和自我渗透。Schumann认为这些心理因素,在社会距离是中性的时候,会对学习者的学习产生最大的影响。

这种理论的一个特点是比较了第二语言学习与皮钦语(pidgin)语言和克里奥尔语(creole)发展的相似性。不管相互结合的是哪两种语言,皮钦语的一个特征就是语法较为简单。

对文化适应模型的一个批评是,社会距离和心理距离没有可信的测量标准。心理距离不是固定的、静态的。它会随着学习者的经验而不断变化。英语现在作为一种世界范围的语言工具,学习者不必与英语学习者有任何的联系,社会距离也可以减少到最低程度。另外,一些研究发现,社会距离和心理距离并不能决定学习者最终的掌握情况(Kelley,1982)。有的学习者的社会距离和心理距离都很小,但仍不能学好第二语言。

要对第二语言的学习进行一个较全面的解释,社会因素和心理因素必然是不可忽视的。但同样,如果忽视了语言学因素和认知因素,同样不能对第二语言的学习过程进行合理的解释。

六 互动行为理论（交互作用理论）

互动行为论同时使用先天因素和环境因素来对第二语言的学习过程进行解释。Evelyn Hatch(1992),Teresa Pica(1994)和 Michael Long(1983)等认为,许多第二语言的习得都是在社会互动中进行的,这同第一语言习得过程中的儿童直接言语相似。通过对第二语言学习者和母语者交谈的观察,Michael Long 提出了与 Krashen 相似的观点,认为可理解的输入是语言习得的必要基础。但与 Krashen 不同的是,他更关注于如何使这种输入可理解,他认为语言互动行为的调整(modified interaction)是必要的(Long,1983)。

按照 Long 的观点,与其他讲话者进行互动的机会,使讲话者能够不断调整自己的讲话内容和方式,直到学习者能够理解。互动调整后的语言并不总是语言形式的简单化,也包括对交际的详细解释、语速的调整、不同情境信息的提供等。Long 认为,每个第二语言初学者从母语者那里得到的语言,在某些方面都是经过调整的。

另一个强调互动行为在第二语言学习中作用的观点是维果斯基的社会文化理论。维果斯基的理论认为,所有的认知发展,包括语言发展都是个体之间语言互动的结果。Jim Lantolf 等(1994)将维果斯基的理论以及最近发展区的概念扩展到第二语言学习的领域,认为学习者在与比自己水平高的讲话者的社会互动中,语言学知识水平不断提高。持维果斯基社会文化学习观点的互动论者同其他互动论者的不同在于:社会文化互动论者认为,语言的习得是在学习者和对话者之间的互动中获得的,而其他互动论者认为,调整的输入为学习者提供了加工和内化的材料。

七 总 结

行为主义理论的观点主要是基于动物对实验室刺激的反应,这种反应无法推论到人类复杂的语言学习上。信息加工和关联主义主要是使用计算机模拟或严格控制的实验室实验,要被试学习一些经过严格选择的语言。这种观点不能推广到正常情况下人类复杂的语言学习。与上述观点相反,天赋论者是对熟练语言使用者的复杂语言知识进行研究。对这种观点的批评是只了解语言知识的最后状态是不够的,还需要对达到熟练水平的不同发展步骤进行研究。互动行为论强调交际中调整的重要作用,对交际过程中,学习者如何从对话者那里获得支持,掌握新的语言知识进行了解释。这种观点的缺陷是,学习者最终掌握的很多知识在输入中都是不存在的,因而不能仅仅强调外在的语言信息,语言学习的内在规则在语言习得中也起一定的作用。

不同的 SLA 学习理论都有自己的根据和缺陷,都是从某个视角解释了学习的本质,都不能涵盖整个 SLA 领域。另外,不同理论所用的支持性材料也是不同的。有的是对语言不同发展阶段的特点进行分析,有的是针对最终的语言能力或因素,有的是使用语言学材料,有的是使用测验分数和反应时间等,因而,对同一个研究方面也可能得出不同的结论,而这些结论之间并没有直接的可比性。

但是,每个理论对学习的不同解释,并不代表它们是不相容的,而是可以相互补充。如行为主义的习惯形成说对第二语言的语音和词汇学习有较强的解释力,普遍语法理论可以用来教授"核心"语法,在词汇教学中,可以运用词汇联想进行概念教学。现在人们的注意力逐渐转向了语用学,关注学习者在语言的互动交际中语言的习得过程。同第一语言的习得一样,第二语言的学习也是一个复杂的过程,有多种影响因素,不能寄希望于语言学习理论会有一个简单的解释,也不能偏重于某一方面,而忽视其他方面。

语言学习理论是从心理语言学角度提出的理论,其中有些与第二语言教学理论相同,但其主要方面是从语言的理解和生成的大脑机制角度对第二语言教学进行探讨,因此更注重人脑对第二语言的接受和认知。这些理论可以应用到对外汉语教学的各个环节,从而提高教学效果。

参考文献

彭聃龄(2001)《普通心理学》,北京师范大学出版社。
桂诗春(2000)《新编心理语言学》,上海外语教育出版社。
靳洪刚(1997)《语言获得理论研究》,中国社会科学出版社。
王魁京(1998)《第二语言学习理论研究》,北京师范大学出版社。
王忠义(1998)《向背互参,相辅相成》,《中小学英语教学与研究》第 1 期。
张厚粲(主译)(2002)《国际心理学手册》,华东师范大学出版社。
朱 纯(1994)《外语教学心理学》,上海外语教育出版社。
Anderson, J. R. (1995) *Learning and Memory*. CH. 10.
Brown, R. (1973) Schizophrenia, Language, and Reality. American Psychologist.

Bruner, J. (1983) *Child's Talk: Learning to Use Language*. New York: W. W. Norton & Company.
Chesterfield, R. and Barrows Chesterfield (1985) Natural order in children's use of second language learning strategies, *Apllied Linguistics* 6:45-59.
Chomsky, N. (1957) *Syntactic Structure*. The Hague: Mouton.
Chomsky, N. (1965) *Aspects of the Theory of Syntax*. Cambridge, Mass: MIT Press.
Corder, S. P. (1967) The significance of learners' errors. *International Review of Applied Linguistics* 5:161-169.
Crutchley, A. (1999) Bilingual children in language units: Getting the bigger picture. *Child Language Teaching and Therapy* 15:3 (201-217).
Diane Larsen-Freeman & Michael H. Long (1991) **An introduction to second language acquisition research.**
Dulay, H. & Burt, M. (1974) Natural sequences in child second language acquisition. Language Lerning 24:37-53.
Ellis, R. (1994) *The Study of Second Language Learning*. Oxford University Press.
Flege, J. (1987) A critical period for learning to pronounce foreign language. *Apllied Linguistics* 8:162-177.
Giles, H. and W. Byrne (1982) An intergroup approach to second language acquisition. *Journal of Multicultural and Mutilingual Development* 3:17-40.
Huang, J. & Evelyn, H. (1978) A Chinese child's acquisition of English. *In Second Language Acquisition: A Book of Readings, ed. by Evelyn Hatch*. Rowley, Mass: Newbury House.
Krashen, S., M. Long and R. Scarcella (1979) Age, rate and eventual attainment in second lauguage acquisition. *TESOL Quarterly* 13:573-582. Reprinted in Krashen et al. (eds.).
Kelly, P. (1982) Interlanguage, variation and social/psychological influences within a developmental stage. Unpublished MA in TESL thesis, University of California at Los Angeles.
Lado, R. (1957) Languages Across Cultures. *Ann Arbor Michigan*. University of Michigan Press.
Lantolf, J. and G. Appel (1994) *Vygotakian Approaches to Second Language Research*. Norwood, N. J.: Alex.
Lenneberg, E. (1967) *Biological Foundations of Language*. John Wiley New York.
Long, M. (1983) Native speaker/non-native speaker conversation and the negotiation of comprehensive input. *Applied Linguistics* 4:126-141.
Mclaughlin, B., T. Rossman, and B. McLeod (1983) Second language learning: An information-processtin perspective. *Language Learning* 33:135-158.
Mclaughlin, B. (1987) *Theories of Second Language Learning*. Edward Arnold.
O'Grady, W. (1987) *Principles of Grammar and Learning*. University of Chicago Press.
O'Malley, J., Chamot, A. (1990) *Learning Strategies in Second Language Acquisition*. Cambridge University Press.
Piaget, J. (1959) *Language and Thought of the Child*. New York: Free Press.
Robin, R. (1979) *A Short History of Linguisitics*. London: Longman.
Rubin, J. (1975) What the 'good language learner' can teach us. *TESOL Quarterly* 9:41-51.
Schmidt, R. (1990) The role of consciousness in second language learning. *Applied Linguistics* 11(2):129-158.

Schumann,J. (1978) The Pidginization Process: A Model for Second Language Acquistion. Rowley, Mass: Mewbury House.
Snow,C. & M. Hoefnagel—Höhle (1982) School age second language learners access to simplified linguisitics input. *Language Learning* 32:685-696.
Terence Odlin (1989) *Language Transfer: Cross-linguistic Influence in Language Learning*. Cambridge University Press.
White,L. (1987) Markness and Second Language acquisition: The question of transfer. *Studies in Second Language Learning* 9:185-261.
Slobin,D. I. (1966) Grammatical transformations and sentence comprehension in childhood and adulthood. *Journal of Verbal Learning and Verbal Behavior*,5,219-227.

(邢欣　100024　北京,中国传媒大学;吕红梅　100875　北京,北京师范大学)

输入调整与对外汉语阅读教材编写

朱 勇

摘 要： 阅读是一项重要的语言技能，在汉语第二语言学习中有着举足轻重的作用，但留学生在阅读过程中经常遇到文本不易理解的问题，因而影响了阅读效果。将"提示、标题、旁批"等输入调整方式引入对外汉语阅读教材是帮助学生获得"可懂输入"的一个重要方法。这样，学习者就可以根据自身水平整合运用阅读教材中出现的各种输入调整方式，获得更好的学习效果。

关键词： 输入调整；对外汉语；阅读教材；应用研究

阅读是一项重要的语言技能，在汉语第二语言学习中有着举足轻重的作用，它已经为越来越多的学者所关注。通过阅读不仅可以复习生词，掌握一定的文化知识，还可以进行伴随学习。所谓"伴随学习"是指学习者在对话、阅读和看电视等过程中的一种不经意的学习，在此过程中，个体的注意力主要集中在有关信息而不是语言知识上，对词汇、语法及文化等的掌握是一个自然的渐进过程。但是学生并非在任何阅读中都会自然而然地进行伴随学习。如果阅读的文本不可理解或不易理解，学生就容易猜错。一旦猜错不仅无法有效地进行伴随学习，反而在大脑中留下了一个错误的词义或知识点，甚至有"化石化"的可能。因此，如何使文本变得可理解、易理解就显得非常重要。那么怎样才能使文本变得可理解、易理解呢？输入调整（modified input）是一个重要途径。Watanabe 指出，第二语言研究中，输入调整已是一个重要的领域。隐藏其后的动机就是输入必须可理解才易吸收。Huckin & Coady 认为调整文本输入是解决伴随学习中某些问题的一条可能的途径，"对特定词的注解等输入调整对伴随学习是有效的。"确实，由于学生的第二语言水平和自然语言难度之间存在一定的落差，要缩小这种差距，对文本进行输入调整很有必要。

一 输入调整方法

输入调整的方法有很多，可以从多个角度对之进行分类。1.按调整时间可分为：前输入调整、交际中输入调整(如"查词典")。前输入调整又可分为内部调整(如"同位语方法")和外部调整(如"加边注")。2.按技能可分为：听力调整和阅读调整等。3.按信息处理的方式可分为：自上而下调整和自下而上调整。给阅读文章加"主题句"就属于自上而下调整，主题句的设立可以帮助读者建立全文的语义图式，更好地从较高的语言层面去理解较低的语言层面；给阅读文章加"边注"则是一种自下而上的调整方式，它可以帮助读者先搞懂生词，然后层层推进，直至弄懂全文。4.按信息类别可分为：语言信息调整(如用边注对词语进行注解等)和非语言信息调整(如在旁批栏中介绍文章的文化背景等)。

其中对阅读材料进行调整有多种方法：通过改变文本中某些概念的难度来使文本变得可理解，或者对生词加边注，为生词设立同位语，允许学生查词典，事先提供文本的大意(即"提示"或"主题句"，如《大学英语》阅读教材课文的 introduction，留学生报刊教材中每课前的提示)以及给文章加标题等等。这些输入调整形式都各有特色，作用也不尽相同①。以下主要介绍几种常用的外部输入调整方法。

(一) 加边注(marginal glosses)

边注是一种重要的辅助理解的手段，很多学者对其作用以及具体形式都有所研究。一般认为边注的优点主要有：1.可以增强学生的阅读信心，减少害怕心理。2.跟猜测相比，能够保证输入的正确性。3.能够缩短学生阅读时的停顿时间，有助于理解全文。4.跟查词典相比，它更方便，更容易被学生接受。5.边注更灵活，其注释用词的难度可以根据读者的水平或读物的不同等级来定。边注的主要缺点是加工浅。总体而言，大多数学者认为加边注有利于读者的阅读，他们倾向于赞同使用加边注的方法来帮助学生阅读。

(二) 查词典

无论是第一语言学习还是第二语言学习，查词典都是一种常用的辅助性学习形式。一般来说，人们认为查词典有助于理解文本，是学生课后学习的良师益友。关于查词典(单双语词典)的作用同样有很多学者对之进行了研究。研究认为，查词典的主要优势是它能促进词汇加工深度。因为查词典的过程就是一个检索(音序或部首)的过程，一个选择义项的过程，一个不断输入目标词信息的过程。其次，查词典还可以培养学生的

---

① 关于边注和查词典对留学生阅读的作用可参见朱勇《边注和查词典等输入调整对留学生伴随性词汇学习的作用》一文(《世界汉语教学》2004 年第 4 期)。

自学能力，词典是学生的不会说话且不厌其烦的老师。查词典的缺点主要有：1.比较费时、麻烦，很多学生不愿意查。2.如果学生不能正确切分词语，即使查词典也无济于事。3.如果在查词典过程中停顿过多，会导致学生"只见树木，不见森林"，无法很好地从总体上把握文章。

尽管查词典有一些问题，但不可否认，词典仍然是学生不可或缺的一个学习工具，我们不应该因噎废食，而应该扬长避短，充分发挥它的长处，尽可能为学生的学习提供帮助。

（三）文章提示

关于"提示"的作用，笔者于 2002 年 11 月就此采用质的研究方法对北师大汉语文化学院的 6 名中级水平的留学生进行了个别访谈。调查对象主要是根据"目的性抽样"和"最大差异抽样"的原则来选取的。所谓"目的性抽样"，它属于"非概率抽样"中的一种，即抽取那些能够为本研究问题提供最大信息量的样本；而"最大差异抽样"指的是，被抽中的样本所产生的研究结果将最大限度地覆盖研究现象中各种不同的情况。依据以上原则，我们在中级班的 36 名同学中根据其性别、国籍、母语、文化背景及语言水平抽样出 6 人，研究对象中有男生和女生；有汉字圈的日韩学生，有非汉字圈的欧洲学生；有大学生，也有高中生。访谈话题为"像对外汉语报刊课的课文那样事先给出文章大意的提示好不好？你喜欢吗？"。

参加访谈的 6 位同学中有 5 人表示喜欢提示。他们大多认为通过提示可以知道文章的大概意思，有助于他们理解课文，猜测生词。有一位同学的看法比较有代表性。她说，"上个学期的老师不讲提示，我从来不看，这学期从老师开始看，虽然这学期的报刊更难，但我这个学期反而更容易理解。"因为上学期的老师从来不讲报刊课文前的"提示"，她觉得报刊课特别难，这学期的老师重视提示部分，因此尽管现在的报刊课文实际上比上学期难，可是她反而觉得容易了，提示的作用可见一斑。

此外，也有同学在赞同之余对提示的位置提出异议，有的认为前置好，有的认为后置好。至于提示前置还是后置，鉴于大多数同学支持前置，再结合报刊课的实践，我们认为前置好。那些希望自己先阅读最后对照的同学可以先不看提示，阅读完毕后再回头对照亦可。

根据《大学英语》和《报刊语言教材》的实践以及上述访谈的结果来看，在阅读材料前设置"提示或主题句"将会帮助学生自上而下地获取文章的有关信息，更好地理解文章。

(四) 文章标题

林美惠、郑昭明(转引自张必隐 2002)曾研究在文章具有"适当标题"、"无关标题",以及在"没有标题"这三种情境下,对阅读理解的影响。结果表明,当文章具有适当标题时,其平均理解评定值与正确回忆数,比其他两种情境要高;而在"无关标题"与"没有标题"之间并没有什么明显的差异。因此,文章标题并非可有可无,它是一种可以促进学生理解课文的"自上而下"性质的输入调整形式。

二 对外汉语阅读教材中的输入调整现状

我们先来考察一下对外汉语阅读教材输入调整的有关情况,考察的教材为近年来大陆出版的有代表性的 5 部,依次为(以出版时间为序):宋柏年、施宝义主编(1999)《中国文化读本》;白崇乾、朱建中(1999)《报刊语言教材》;余宁(2000)《中国视点》;课程教材研究所(2001)《中文读本(第一册)》;陈田顺等(2002)《汉语阅读教程》。

就内容来看,目前的输入调整主要涉及:生词、文章背景知识、语法和相关的文化内容等。虽然这些教材有一些不足,但可喜的是,其中不少编写者已经开始积极探索、努力创新,比如有些教材在输入调整形式上已经对传统有所突破。拿生词方面的调整形式来说,除了传统的生词表外,还有"边注"、"旁批"等。此外,文章背景知识有"提示";语法有文后"语法注释"和"旁批";文化内容有文后"文化内容注释"和"旁批"等,总的输入调整形式还是比较多的,但也有以下几个问题不容忽视。

1. 有的编者外部输入调整意识不够。尽管编写者大多已经对选文的文字及文章内容事先做过调整(内部输入调整),从而降低了文章的难度,但外部输入调整同样不容忽视。比如有的教材,全书几十万字,而作为泛读材料的阅读课文部分却没有任何外部输入调整,当读者面对很多生词以及不熟悉的文化背景时,他们恐怕很难有读下去的勇气和信心。

2. 对于具体采用何种输入调整形式,多数编者或借助于经验,或凭借个人的喜好来选择,很少对各种输入调整方式的优劣及它们的特点进行过质的和量的研究。因此对于输入调整方式的选择显得经验有余,科学不足。

3. 单部教材的输入调整方式有待进一步多样化。这 5 部教材共采用了生词表、边注、提示、旁批、附录(文化注释和语法注释)等多种输入调整形式,可是从单部教材来看,输入调整形式显得比较单一。其实可以将提示、边注、附录、查一查等等多种形式立体呈现,由学生自己各取所需。

我们知道，编写适于学生自主阅读的读物和教材是实现学生自主学习的一个重要环节。鲁健骥认为大力加强泛读课程的建设是对外汉语教学的当务之急，尤其是要编写大量供泛读使用的读物。但是，目前还很少看到那种起脚手架作用的内容浅显易懂、形式多样有趣的读物。因此，如何编写高质量的读物就成为一个亟待解决的问题，我们认为引入多种输入调整方式或许正是解决这一问题的有效途径之一。

三 输入调整方式设想与实验验证

根据前面的分析，我们拟对泛读教材的编写形式提出几点粗浅的设想，并对之进行实验验证。需要强调的是，尽管选文不是本文讨论的重点，但选文无疑非常重要，是第一位的。只有选文精当，才能凸显外部输入调整的意义。

（一）设想

本文设想阅读材料的输入调整方式应包括以下几部分：

1. 提示

文章前面设提示（主题句）。提示的作用前面已有介绍，而且国内英语教学界和《报刊语言教材》等对外汉语教材都已经采用，而且从教师和学生两方面的反馈来看效果不错。这跟《中文读本》从课文中选出主旨句或精彩语句置于文前的方法异曲同工。

2. 标题

文章要有标题。标题尤其是"适当标题"对理解全文有一定的作用，可以帮助读者"自上而下"地理解文章。我们认为所谓"适当标题"应该有这样两个特征：

（1）标题用词相对容易些，不用过难的词语。

（2）标题大致能揭示文章主旨，若能"一目了然"最好。

3. 旁批

（1）为生词提供边注，学生自由使用。究竟用第一语言还是用第二语言作注，应根据读者的水平和词汇的性质等来确定。

（2）列出关键词请学生说说其意思或者在文中关键词处设置 * 等标记，以提醒学生注意，促使他们去猜测或查词典，以免忽略。

（3）适当设置与文章理解有关的问题（比如《中文读本》），促进学生思考，增强加工深度。

（二）实验验证

上述编写形式上的构想究竟效果如何还需要实验来证明。为此，我们把学生分成实验组和控制组进行对比实验。衡量依据是学生的伴随性词汇学习效果。下面是实验操作的有关情况。

1. 实验对象

实验对象是北京大学对外汉语教育学院汉语13班和14班的同学（中级班），这两个班属于平行班，学生水平基本一致，具有可比性。其中13班为控制组，14班为实验组。本次实验的被试共29人，其中13班11人，14班18人。具体人员构成及分组情况见表1。

表1　人员构成及分组情况

组　别	输入调整形式	实验对象构成
实验组	主题句、标题、边注、查一查	18人（韩4、日6、美4、泰2、越1、西1）
控制组	只有生词表（含拼音及英文翻译）	11人（韩5、日2、美2、俄1、德1）

2. 阅读材料

阅读材料为1篇题为《漂流瓶的作用》的约400字的短文（见附录）。

3. 阅读与考查

被试阅读文章后完成3道有关文章理解的选择题，考查内容既有宏观问题也有细节问题。这样做的目的是保证词汇学习的伴随性质。

4. 即时测试

另纸列出目标词及干扰词，要求被试在规定时间内完成词义解释（不提供文章，属于"回忆"测试）。

5. 评分方法

由笔者和一位研究生先分别判分（一致率近90%），再共同商定，仍不一致的请第三人评分。对学生词汇知识的判断采用5级评分标准（分值：0、0.5、1、1.5、2）。

6. 实验结果：见表2及其说明部分。

表2　实验组和控制组词汇得分比较

组　别	人数	平均值	标准差	均值标准误
控制组	11	4.545	3.166	.955
实验组	18	6.667	2.249	.530

		Levene's		两均数是否相等的 t 检验						
		F 值	P 值	t 值	自由度	P 值(双侧)	均数差值	差值的标准误	差值的 95%可信区间 下限	上限
词汇得分	方差齐	2.060	.163	-2.110	27	.044	-2.121	1.005	-4.183	.89E-02
	方差不齐			-1.943	16.213	.070	-2.121	1.092	-4.433	.191

从表2的统计结果来看(利用SPSS10.0统计软件完成),控制组的词汇平均得分率为45.45%,实验组的词汇平均词汇得分率66.67%。独立样本t检验结果显示,F=2.06,P=.163>.15,属于方差齐性检验。而p(双侧)=.044<.05,说明两组词汇得分差异显著,因此实验组伴随性词汇学习的效果好于控制组,且效果明显,这在一定程度上证明了"提示""标题""旁批"等综合的输入调整对伴随性词汇学习的积极作用,其效果要好于只带生词表的传统的输入调整方式。

笔者在随后的教学实践中就输入调整方式问题与一些留学生进行了交流,他们对于综合的输入调整方式表现出了浓厚的兴趣,比较喜欢这种形式的阅读材料,认为这样阅读起来容易些。

不过,由于本次实验的被试数量不多,上述有关结论还需要在今后的教学科研中进一步去验证,以便为对外汉语阅读教材的编写提供更为科学的依据。

四 结 语

总之,对外汉语阅读教材编写者应该努力去熟悉各种输入调整方式的特点,并将其适当运用于教材编写中,从而为学生的自主学习提供更多的帮助。同时,学习者在面对教材中提供的多种输入调整形式时,要根据自身水平加以整合运用,从而获得更好的学习效果。只有这样,才能更加凸显输入调整方式引入的意义。

参考文献

鲁健骥(2002)《说"精读"和"泛读"》,《中国对外汉语教学学会第七次学术讨论会论文选》,人民教育出版社。

张必隐(2002)《阅读心理学》(修订版),北京师范大学出版社。

朱 勇(2004)《汉语第二语言词汇学习问题刍议》,《云南师范大学学报》(对外汉语教学与研究版)第1期。

Huckin & Coady (1999) Incidental vocabulary acquisition in a second language: A Review. *SSLA*, (21).

Watanabe (1997) Input, intake and retention: Effects of increased processing on incidental learning of foreign vocabulary. *SSLA*, (19).

附　录(黑体字词语为目标词)

漂流瓶的作用

　　漂流瓶就是密封后抛入海里,在海上漂流的瓶子。它最早是用来测量海流或者传递情报的。可是也有人把它作为传教或者其他的宣传工具。世界是很奇妙的,有时候这小小的漂流瓶也会给人带来**预料**不到的结果。

　　美国有一位传教士,名叫乔治。从1949年起,他在餐厅垃圾箱里拾捡酒瓶和饮料瓶,此后20年里他总共将1.5万只瓶子抛入大海。抛入海中的漂流瓶里都放进了一张宣传品,要求看到它的人能去掉**酗酒**的坏习惯。

　　有一天,他收到一封信,写信的是一位商人。信中写道:酗酒使他**倾家荡产**。自己的商店没有了,妻子也离开了他。他无路可走,只得逃往别的国家。一天,他在海边捡到了一只乔治的漂流瓶。宣传品中说的话使他大为**震惊**,他立即回信给乔治。他写道:"我打算回国了!我要振作精神,重新开始生活。"两年后,乔治又收到了他的第二封信。他说,他每周**竭尽全力**地努力工作,妻子已经回家了。在信的最后,他写道:"我现在的一切都是大西洋的漂流瓶给的。"

(100089　北京,北京外国语大学国际交流学院)

外国留学生使用"在 NL"的调查分析

林齐倩

摘 要：外国留学生在使用介词"在"的过程中常常会出现一些偏误，本文通过对韩国、日本及一些欧美国家的留学生使用"在 NL"的情况的调查，分析留学生出现偏误的类型及其原因，得出对留学生进行介词"在"教学的一些启示。

关键词：在；处所；偏误

引 言

介词是外国留学生学习中较难掌握的一个部分。汉语介词很多，但在初级阶段，汉语学习者能够使用的介词并不太多，其中"在"是留学生使用最多的一个介词(赵葵欣，2000)。丁安琪和沈兰曾对韩国学生和王朔《顽主》的"在"的使用情况进行过对比分析，结果显示：韩国学生与母语为汉语者在使用介词"在"的时候，最常使用的都是表示处所的用法(丁安琪、沈兰，2001)。

介词"在"介引处所成分，构成介词短语"在 NL"(N 代表处所名词，L 代表方位词)后，在句中有三个位置，构成 3 种句式(NP 代表名词短语，VP 代表动词短语)：

甲式：NP ＋ VP ＋ 在 NL。如：爷爷躺在沙发上。

乙式：NP ＋ 在 NL ＋ VP。如：我在家里看电视。

丙式：在 NL ＋ NP ＋ VP。如：在火车上，他遇到了一位老朋友。

"在 NL"是对外汉语教学中的一个难点，外国留学生对何时该用甲式、何时该用乙式、何时该用丙式，以及甲、乙、丙三式中介词"在"何时该隐、何时须用、何时隐现均可不是很清楚，导致许多偏误的出现。本文将在前人调查研究的基础上，对韩国、日本及一些欧美国家的留学生学习和掌握"在 NL"的情况进行进一步的调查，并做出一定的分析，试图为对留学生的这一语法点的教学提供一些思路。

一　研究程序

1.1　调查内容及方法

笔者对在苏州大学海外教育学院学习汉语的留学生使用"在 NL"的情况进行了调查。调查分为两个阶段。第一阶段调查的目的是搜集偏误语料,考察留学生自发使用"在 NL"的情况,语料来自两部分。第一部分是初中高级阶段留学生的作文,共 105 篇(其中初级 46 篇,中级 32 篇,高级 27 篇),搜集到"在 NL"的句子 94 个,其中使用错误的句子有 38 个,占 40.4%;第二部分是 60 名初中高级阶段留学生(其中初级 24 名,中级 21 名,高级 15 名)口语测试的录音资料,共搜集到"在 NL"的句子 79 个,其中使用错误的有 43 句,占 54.4%。可见口语中"在 NL"的出错率要高于书面语。

以上两部分调查完毕以后,便进入调查的第二阶段。笔者将总共搜集到的 81 个偏误句(作文中出现 38 个,口语测试中出现 43 个)进行合并归类,依据偏误类型制作成一份调查问卷(见附录)。调查问卷有两种题型,一种是联词成句,一种是判断正误。对母语为韩语、日语、英语、法语、德语、俄语的 56 位留学生(为了统计方便,我们把法国、德国、美国、英国、俄罗斯的留学生统称为"欧美学生")进行了调查,目的是统计留学生对"在 NL"句式使用的错误率,为分析偏误类型及其原因提供数据依据。以下是被调查的 56 位留学生的基本情况:

表 1

	初级班(2-4 班)			中级班(5-8 班)				高级班(9-11 班)		
班	2	3	4	5	6	7	8	9	10	11
韩国学生数	2	3	2	2	2	3	1	1	1	2
日本学生数	2	2	2	2	2	2	2	1	2	2
欧美学生数	2	3	2	2	1	2	2	2	1	1
学生总数	20			23				13		
阶段	L1			L2				L3		
在 56 人中所占比例	35.7%			41.1%				23.2%		

1.2 调查结果统计

表2 "在"字句调查问卷结果统计表

问卷题号	L1 错误数	L2 错误数	L3 错误数	总错误率
1	5	0	0	8.9%
2	7	1	0	14.3%
3	6	0	0	10.7%
4	6	2	0	14.3%
5	9	9	5	41.1%
6	12	12	7	55.4%
7	12	10	6	50%
8 A	12	11	4	48.2%
8 B	4	6	2	21.4%
8 C	10	14	7	55.4%
9 A	10	3	1	25%
9 B	9	6	5	35.7%
10 A	2	0	0	3.6%
10 B	3	3	5	44.6%
11 A	3	1	1	8.9%
11 B	14	9	6	51.8%
11 C	9	6	2	30.4%
11 D	12	18	10	71.4%
11 E	10	6	5	37.5%
12 A	12	16	10	64.3%
12 B	14	16	10	71.4%
13 A	9	10	6	44.6%
13 B	8	17	2	48.2%
13 C	6	5	3	25%
14 A	12	9	6	48.2%
14 B	14	16	3	58.9%
14 C	3	9	2	25%
14 D	13	14	6	58.9%
15 A	4	3	2	16.1%
15 B	6	5	4	26.8%
15 C	4	6	4	25%
16 A	10	12	4	46.4%
16 B	16	16	8	71.4%

16 C	10	15	2	48.2%
16 D	16	17	6	69.6%
17 A	6	6	2	25%
17 B	3	3	1	12.5%
17 C	9	16	8	58.9%
17 D	7	4	0	19.6%
18 A	5	3	0	14.3%
18 B	14	14	2	53.6%
18 C	6	9	2	30.4%

1.3 偏误类型及其原因分析

（一）乙式错用为甲式。如：

(1) 我教英语在这个学校。[1]

(2) 我要下车在人民路。[2]

这类偏误的错误率并不高，都不超过 20%，这可能是由于对外汉语教材对乙式这一句式比较重视的缘故。笔者查阅了一部分对外汉语教材，对乙式的语法点处理如下：

《标准汉语教程 上册（二）》："在＋表示地点的名词"构成的短语可以修饰谓语，表示动作发生的地点时，叫做地点状语，地点状语要放在谓语的前边，如：我在大学教英语。（编者：黄政澄，北京大学出版社，p.7）

《实用汉语会话 2》："在"作介词，与它后边的名词或代词组成介词结构，在句中作状语，表示动作发生的地点，例如：他在教室学习。（编者：朱旗，上海外语教育出版社，p.25）

《汉语会话 301 句》：状语是用来修饰动词或形容词的。它一般要放在中心语的前边，例如：他在家看电视。（编者：康玉华、来思平，北京语言文化大学出版社，p.86）

《华人实用汉语课本》：介宾词组常用在动词或形容词前边作状语，例如：我们在宿舍看书。（编者：张富强，厦门大学出版社，p.133）

可见"在 NL＋VP"这一句式在初级汉语第一阶段就已作为单独的语法点被鲜明地提出，再加上对外汉语教师的再三强调，给学生留下深刻的印象。

这一类偏误大多集中在初级班的学生和来自欧美国家的学生。初级班的学生刚接触到这一语法点，还没有时间巩固，所以部分学生出错也是情有可原。从被调查学生的国籍来看，欧美学生的掌握情况比韩国、日本学生差，主要原因是由于受到母语语序的影响，从汉英对比中可知，英语中无论什么情况，处所词总是放在句末。如：

a. My father works at the company.（我爸爸在公司工作。）

b. I used Chinese at my meeting.（我在会上用中文。/在会上,我用中文。）
　　c. We should play outside.（我们应该在外面玩儿。）
　　d. I am lying on the bed.（我在床上躺着。）

　　这些句子中的处所词都放在句末（划线部分为处所）,有的表示动作发生的处所,有的表示事件发生的处所,有的表示状态呈现的处所,同样的意思用中文表达,处所结构都要放在动词前或主语前。欧美学生在学习这一语法点时常受到语际迁移的干扰,容易产生"我教英语在这个学校""我要下车在人民路"这样的偏误句（见表2"1、2"）。而在韩语和日语中,表示处所的词语虽然偶尔也可以放在动词后,但大部分都放在动词前,所以韩国和日本学生在这方面掌握得较好。

　　（二）甲式错用为乙式。如：
　　（3）我的书在桌子上放。[3]
　　（4）爷爷在椅子上坐。[4]
　　（5）他在医院里死。[6]
　　（6）我在桌子上放书。[8A]
　　（7）他在地上摔杯子。[9B]

　　这类偏误的错误率比较高,其中"他在医院里死"和"我在桌子上放书"分别达到55.4%和48.2%。学生出现这样的偏误主要是由于目前的对外汉语教材对乙式过分重视,而对甲式不够重视导致的。不少学生对乙式的语法规则记得较牢,以至于使用过度泛化。有的学生则以为汉语中"在NL"只能放在动词前（乙式）,而不知道"在NL"也可放在动词后（甲式）。"我放书在桌子上"（8B）这个句子不对,但加上一些附加成分以后,"我放了几本书在桌子上"（8C）就对了,前者有78.6%的学生认为不对,但后者也有55.4%的学生认为不对。前者的正确率如此高,并不是因为他们明白甲式的用法,而是因为其中大部分学生以为这个句子应该采用乙式"我在桌子上放书"（8A）,根据调查数据,有48.2%的学生认为8A是正确的。

　　目前很多对外汉语教材中都未谈及甲式,即使谈及,一般也不作为单独的语法点提出来。如《标准汉语教程 上册（三）（四）》中讲到结果补语和"把"字句时提了一下儿,但也只用了很少的笔墨（该教材把乙式作为单独的语法点提出来,详见上文）,而且没有用来区分甲、乙两式的练习,故学生对甲式在语义和句法上的特点以及甲、乙两式的区别及变换关系不是很清楚（详见林齐倩2003a）,导致大量偏误的出现。

　　另外,如"我住在北京"（10A）与"我在北京住"（10B）都可以说,但有44.6%的学生认为后者不对,可见,很多学生对甲、乙两式均可的情况不清楚。这也应该在对外汉语的教材中适当提及。

（三）乙式与丙式的混淆。如：

(8) 在朋友家他吃饭。[11B]

(9) 人们在英国主要过圣诞节。[11D]

(10) 营业员们在那个药店里正微笑着答对顾客。[7]

(11) 她在房里坐在椅子上，一边看电视一边吃饭。[12A]

(12) 我跟他在北京饭店住在一个房间里。[12B]

这类偏误错误率很高，都在50％以上。这是因为初级汉语阶段在课本上还未出现这类句式，到了中高级阶段才慢慢出现，但几乎没有一本教材将丙式作为单独的语法点提出来，也没有单独的练习来引导学生思考，故学生对丙式在语义和句法上的特点以及乙、丙两式的区别及变换关系不是很清楚。"在朋友家他吃饭"不对，但动词后带上一些附加成分，如"在朋友家他吃了两碗饭"就对了，但有13个学生认为这两句都不对，可见，很多留学生根本不知道有丙式的存在。

当句子表示在一个特定的范围内发生了某件事或出现某种情况时，"在NL"一般放在句首。因此例(9)和例(10)是不对的，"在英国"和"在那个药店里"都是整件事情的大背景、大环境，但分别有50％的学生认为是对的。

根据戴浩一的时间范围原则，当单句中有两个"在NL"，且两个"在NL"语义范围不同时，则将语义范围比较大的、开放的处所（一般是整个事件发生的处所）放在句首，将在该处所范围内的另一个较小的处所放在主语后（戴浩一，1988）。所以例(11)应该说"在房里，她坐在椅子上一边看电视一边吃饭"，例(12)则应该说"在北京饭店，我跟他住在一个房间里"。但大部分学生都对这一原则不清楚，错误率很高，分别达到64.3％和71.4％。

（四）甲式错用

(13) 爷爷坐着在椅子上。[13A]

(14) 爷爷坐下在椅子上。[5]

(15) 孩子们睡着在床上了。[13B]

(16) 他们住了一年在北京。[13C]

这类偏误的错误率较高，主要是因为学生对甲式句法上的特点不清楚，而这些便是目前的对外汉语教材所缺少的：如果动词本身是动补结构的双音节动词，或动词后面出现动态助词、各类补语（结果、趋向、时量、动量、可能、状态）时，由于这些成分与"在NL"不能同现于动词后，因此，在这种情况下，这些成分必须删除，或将"在NL"移至动词前，这是由句法结构的线性特征决定的。但也有例外，如果动补结构的双音节动词的第二个成分或动词后带的结果补语是"倒、死、翻、沉"，"在NL"就可以出现在其后面，这与充当补语的动词"倒、死、翻、沉"本身就常出现在"在 NL"之前有关。

（五）乙式错用

(17) 观众们必须在左边的门进去,在右边的门出来。[14A]

(18) 他在楼梯上跑下来。[14B]

(19) 明天早上五点在我家出发。[14C]

(20) 吃饭以后我们去卡拉 OK,这是我第一次在苏州去卡拉 OK。[14D]

这类偏误的错误率很高,尤其是例(18)和例(20),错误率都达到 58.9%。这同样是由于留学生们对乙式的句法特点不清楚而导致的。几乎没有一本对外汉语教材提到这一点:并不是所有的动词都能用在乙式中,表示动态和位移的趋向动词以及只能与动作行为的起点连用的动词和一些动趋结构一般都不能用于乙式。前三句中的"在"都应改为"从",例(20)应改为"吃饭以后我们去卡拉 OK,这是我来苏州以后第一次去卡拉 OK"。例(19)之所以错误率只有 25%,是因为教师在讲到"出发"这个词的时候常常会将"从……出发"这个固定搭配告诉学生。可见,目的语中一些规律性比较强的规则还是易于被学习者掌握的。

（六）"在"缺漏。如:

(21) 我爸爸公司工作。[15A]

(22) 他们一直我的旁边看着我。[15B]

(23) 我会电话里告诉你。[15C]

这类偏误大多出现在韩日学生的口语中,主要原因是受到母语的干扰,产生语际负迁移。在韩语和日语中,相当于汉语介词"在"的表处所的格助词都放在表示处所的名词后面。如"我爸爸在公司工作",按照韩语和日语的语序排列应该是"我爸爸公司在(에서/で)工作",韩日学生受母语的影响,先把处所说出来,由于说话时比较紧张,接着就急于把一句话的核心——动词说出来,而把对他们来说微不足道的介词"在"给抛之脑后了。时间长了,这种说法就形成习惯。

另外,还有部分句子"在"是可以省略的,如 16A、B、C、D,学生却以为是错的,错误率分别达到 46.4%、71.4%、48.2%、69.6%。可见留学生们对"在"何时该隐,何时须用,何时隐或现均可不太清楚,教师应在教学中对"在"的隐现规律说清楚(详见林齐倩 2003b)。

（七）"在"多余,如:

(24) 我很怕在路上的人和自行车。[17A]

(25) 她是在美国著名的女作家。[17C]

这类句子中国人是不会使用"在"的,一般说成"我很怕路上的人和自行车"、"她是美国著名的女作家"。但留学生由于受到母语的影响,习惯使用"在",尤其是例(25),错误率高达 58.9%。

英语中,处所做后置定语时必须有"at/in",例(27)按照英语的语序排列应该是:"她是著名的女作家在(in)美国"(17D)。所以欧美学生经常会说出像 17D 这样的句子,错误率达到 33.3%。

例(25)按照韩语和日语的语序排列有两种,一种是"她是美国的著名的女作家",另一种是"她是美国在(에서/で)著名的女作家",两种情况语义有差别,前者"她"一定是美国人;后者"她"不一定是美国人,只是强调"在美国"这个地方"她"很有名。这种情况,汉语的表达应该采用丙式,即"在美国,她是著名的女作家"。韩日学生容易将这两种语义混淆,导致偏误的产生。

(八) 句式杂糅。如:

(26) 他们在北京大学的汉语老师。[18A]

(27) 假如我运气好的话,明年我可以在北京进大学去。[18B]

(28) 在外国住在的人都很想自己的国家。[18C]

这类偏误是由于留学生对两种句式发生混淆而产生的。如例(26),留学生说的时候脑子里一定出现两个句子:"他们在北京大学教汉语"和"他们是汉语老师",由于教师再三强调处所前要加"在",所以学生就容易将这两个句子混杂在一起出现"他们在北京大学的汉语老师"这样的偏误句。特别在初级班留学生的口语中,这样的错误时有发生。例(27)是留学生将"假如我运气好的话,明年我可以在北京学习"和"假如我运气好的话,明年我可以进北京的大学去学习"这两个句子合二为一形成的。但上文已经提到用于乙式("在 NL+VP")的动词不能是表示动态和位移的趋向动词,两者合在一起"在北京进大学去"就错了,这个句子的错误率是这三句中最高的,达到 53.6%。例(28)是由于留学生受"在外国住"和"住在外国"这两个句式的干扰而产生的。在调查中,笔者发现韩国学生在这个句子上的出错率相对较高,达到 47.4%。因为韩语中,"住"后的"在"是一个词缀,表示进行时态,必须放在一起用,因此韩国学生常常会把表示介引处所的介词"在"和表示进行时态的副词"在"混淆起来。

二 对教学的启示

从以上的分析,我们可以看出,导致学生出现偏误的原因主要有两个:一个是留学生本身母语造成的语际负迁移;另一个是由于目前的一些对外汉语教材以及一部分对外汉语教师对与介词"在"有关的语法点的处理过于简单、笼统而且不够平衡:对乙式过分强调,对甲式蜻蜓点水,对丙式几乎不提。这直接造成了学生学习上的混乱,导致语法规则的过度泛化。前者需要靠学生自身的努力来改善,而后者是可以通过从事对外汉语教学的教师的共同努力来改善的。下面笔者对留学生"在 NL"教学提出一些建议。

（一）笔者认为,首先应将"在 NL"的三种句式分阶段、循序渐进地编进对外汉语教材,乙式应出现在初级汉语第一阶段,甲式应该出现在初级汉语第二阶段,丙式则应出现在中级汉语第一阶段。这三种句式在语义和句法上的特点都应说明讲解清楚。当然考虑到学生的接受能力,在学生刚开始接触到这一语法点时,不需要做到面面俱到,可以把一些易于学生接受的最基本的规律告诉他们。比如"'NP+在 NL+VP'表示动作在哪里发生或在哪里进行;'NP+VP+在 NL'则表示人或事物因为一个动作而发生位移,最后到达一个终点,有一个从动态到静态的过程;而'在 NL+NP+VP'表示整个事件发生的处所,包括施事主语在内"。至于三种句式中"在"的隐现规律,笔者认为放在中级阶段讲解比较适宜,因为隐现规律较复杂(林齐倩,2003b)。

（二）要注意三种句式的区别和对应变换关系。在初级阶段,教师最好不要用过多的语法术语来说明,而多用身体动作配以场景来说明甲、乙两式在语义上的区别。例如:教师讲到"书放在桌子上"和"书在桌子上放着"这两句的区别时,前者教师先把书拿在手上,然后边说边做出把书放在桌子上的动作,让学生理解书的位置发生了变化,通过"放"的动作"书"到达终点"桌子上",而后者教师可以让书较长时间地放在桌子上后,对学生说"书在桌子上放着",强调状态的持续。

另外,教师也可以以表格的形式,清楚直观地将两式的区别和对应变换关系呈现给学生,如下表:

表3

甲式 NP+VP+在 NL 强调动作位移的终点,突出动作性、结果性	乙式 NP+在 NL+VP+着/了 （动词后有时量补语时用"了"） 强调动作完成以后结果持续的状态,突出状态性
妈妈坐在椅子上。	妈妈在椅子上坐着。（*妈妈在椅子上坐）
爷爷躺在床上。	爷爷在床上躺着。/爷爷在床上躺了一会儿。
他站在门口。	他在门口站着。/他在门口站了两个小时了。
我走在回家的路上。	我在回家的路上走着。
书放在桌子上。	书在桌子上放着。（*书在桌子上放）
我放一本书在桌子上。	我在桌子上放了一本书。（*我在桌子上放一本书）

表 4

甲式 NP+VP+在 NL 强调动作位移的终点，突出动作性、结果性	乙式 NP+在 NL+VP(+着) 强调动作持续发生的处所，突出动作的持续性、状态性
字写在黑板上。	我在黑板上写字。（突出动作的持续性） 一个大大的"忍"字在黑板上写着。（突出状态性）
通知贴在墙上。	我在墙上贴通知。（突出动作的持续性） 通知在墙上贴着。（突出状态性）

在讲到丙式时，同样也要与乙式进行比较，教师也可采用表格的形式来归纳总结，如：

表 5 必须采用乙式或丙式的限制条件对比表

	乙式 NP+在 NL+VP	丙式 在 NL+NP+VP
语义内容	表示动作发生的处所 不包括施事 NP	表示整个事件发生的处所 包括施事 NP
句法特点	1. 动词可为简单式 2. 动词也可为复杂式	1. 动词必须是复杂式 2. 介词短语定语长、结构复杂
适用动词	表示属性、关系、心理状态的部分动词和表动态、位移的趋向动词及一些动趋结构不可	几乎所有动词

（三）要注意放在语篇中进行讲解。特别在中级阶段，不能只停留在语法和语义的层面，要结合语用和语篇。尤其是丙式，"在 NL"出现在句首有"引起话头"和篇章管界的作用，不少文学作品中"在 NL"都出现在始发句中，为将要叙述的故事提供背景信息。

（四）要注意练习的编写。目前对外汉语教材和一些辅导书中关于"在 NL"的练习少之又少，这也是导致学生偏误的一个原因。通过练习，学生可以对已学过的东西进行重现，加深学生的印象，特别在中级阶段，应有一些关于这三种句式的综合练习。

参考文献

戴浩一(1988)《时间顺序和汉语的语序》(黄河译)，《国外语言学》第 1 期。
丁安琪、沈兰(2001)《韩国留学生口语中使用介词"在"的调查分析》，《语言教学与研究》第 6 期。
林齐倩(2003)《"VP+在 L"和"在 L+VP"》，《暨南大学华文学院学报》第 3 期。
林齐倩(2003)《介引处所的介词"在"的隐现》，《中国文化论丛》，日本帝塚山学院大学文化研究会。
赵葵欣(2000)《留学生学习和使用汉语介词的调查》，《世界汉语教学》第 2 期。

(215021　江苏，苏州大学海外教育学院)

附 录
"在"字句调查问卷

一、按照汉语的顺序将下列词语组成句子。
  1. 我　学校　英语　在　教　这个
  2. 下车　人民路　我　在　要
  3. 放　桌子上　我的书　在
  4. 在　爷爷　椅子上　坐
  5. 在　下　爷爷　椅子上　坐
  6. 医院里　死　在　他
  7. 正微笑着答对顾客　那家药店里　营业员们　在

二、判断正误(对画○,错画×)。
  8. A. 我在桌子上放书。(　)
     B. 我放书在桌子上。(　)
     C. 我放了几本书在桌子上。(　)
  9. A. 他把杯子摔在地上。(　)
     B. 他在地上摔杯子。(　)
  10. A. 他们住在北京。(　)
      B. 他们在北京住。(　)
  11. A. 他在朋友家吃饭。(　)
      B. 在朋友家他吃饭。(　)
      C. 在朋友家他吃了两碗饭。(　)
      D. 人们在英国主要过圣诞节。(　)
      E. 在英国人们主要过圣诞节。(　)
  12. A. 她在房里坐在椅子上,一边看电视一边吃饭。(　)
      B. 我跟他在北京饭店住在一个房间里。(　)
  13. A. 爷爷坐着在椅子上。(　)
      B. 孩子们睡着在床上了。(　)
      C. 他们住了一年在北京。(　)
  14. A. 观众们必须在左边的门进去,在右边的门出来。(　)
      B. 他在楼梯上跑下来。(　)
      C. 明天早上五点在我家出发。(　)
      D. 吃饭以后我们去卡拉OK,这是我第一次在苏州去卡拉OK。(　)

15. A. 我爸爸公司工作。（　）
    B. 他们一直我的旁边看着我。（　）
    C. 我会电话里告诉你。（　）

16. A. 大家屋里坐吧。（　）
    B. 咱们电话里聊吧。（　）
    C. 明天咱们飞机场见。（　）
    D. 今晚我就住这儿了。（　）

17. A. 我很怕在路上的人和自行车。（　）
    B. 我很怕路上的人和自行车。（　）
    C. 她是在美国著名的女作家。（　）
    D. 她是著名的女作家在美国。（　）

18. A. 他在北京大学的汉语老师。（　）
    B. 假如我运气好的话，明年我可以在北京进大学去。（　）
    C. 在外国住在的人都很想自己的国家。（　）

助动词"要"的语义分化
及其主观化和语法化*

古 川 裕

摘 要:"你要吃东西"如果用做祈使句,表示"必要"义;如果用做疑问句,表示"意愿"义。本文从这点出发,主要讨论并指出如下几点:(一)助动词"要"的多义多功能不是词汇平面的现象,而是由两个不同语义指向(主语指向和说话人指向)引起的语用现象;(二)助动词"要"有两个否定形式"不要"和"不想"的原因及其分工;(三)除"要"字外,现代汉语还有"怕""不知道"等说话人指向的谓词性主观化成分;(四)从动词、助动词的"要"转为连词"要是""只要"的语法化动机及其趋势。

关键词:"要/不要/不想";"要是/只要";主语指向和说话人指向;主观化;语法化

一 "你要吃东西"

语言结构的歧义现象一般指句法平面上的由结构组织的不同而引起的多义现象,典型的例子如"咬死了猎人的狗"和"反对的是他"等。前者"咬死了猎人的狗"既可以分析为述宾结构(咬死了/猎人的狗)也可以分析为偏正结构(咬死了猎人的/狗);后者"反对的是他","他"的语义角色既可以理解为施事的角色(结构里潜在着"他反对"的语义结构关系)也可以理解为受事的角色(结构里潜在着"反对他"的语义结构关系)。关于这一类问题,前人已有不少精辟的研究成果,本文不再去讨论。

现代汉语的语言事实告诉我们,除了句法平面以外,语用平面上还存在着类似歧义现象的例子。举一个很简单的例子,如"你要吃东西"。这个句子语法结构非常简单,在句法以及语义平面上只能分析为一个结构:"你"是施事主语,助动词"要"带述宾结构"吃东西"当它的宾语,"东西"是"吃"的受事宾语。尽管如此,它却至少可以表达"必要"

---

* 本文是拙作《关于"要"类词的认知解释——论"要"字由动词到连词的语法化途径》(第八届国际汉语教学讨论会提交论文,2005年7月,北京)的基础上写成的。本文初稿在该讨论会上以及"第四届中日理论语言学研究会"(2005年10月,大阪)上发表的时候,得到多位先生的指点和宝贵的意见,谨在此一并致谢!

和"意愿"两个不同的意思：

(1)"你要吃东西"有两种语义功能：

(1-1)表示"必要"义：跟"你得吃东西/你应该吃东西"意思接近。翻成英文该是"You must eat something"，翻成日文该是"君は何か食べなさい"。

(1-2)表示"意愿"义：跟"你想吃东西/你愿意吃东西"意思接近。翻成英文该是"You want to eat something"，翻成日文该是"君は何か食べたい"。

"你要吃东西"这个句子有两个不同的意思，显然这是句中助动词"要"字起的作用。关于这一点，我们还可以从它的否定形式来加以认证。我们都知道"要"字根据两个不同的语义功能要用两个不同的否定形式："不要"和"不想"①。

(2)"你要吃东西"有两种否定形式：

(2-1)"必要"义的否定句：你不要吃东西

(2-2)"意愿"义的否定句：你不想吃东西

谈到这儿，我们自然会想到平时在对日汉语教学的实践上，经常会碰到这样一类的问题：比如，有些日本同学每次见到"要"字，可能是受到英语语法的干涉，往往把它看做是表示未来的助动词，结果译成很不自然的日文；又如，有不少日本同学不大好理解助动词"要"有两个否定形式的理由及其分工，往往会说出"＊吃得已经很饱了，我不要吃东西"之类的病句。②

对这些有趣的语言现象，我们至少可以采取两种不同的解释法。一个做法是，把"要"字看做是一个多义词，把该句的不同句义归到句中"要"字的多义性。这是一般词典或工具书所采用的释义法。比如，《现代汉语词典(第5版)》(商务印书馆，2005年)对助动词性的"要"字做如下的释义：

要(动)

④助动词。表示做某件事的意愿：他～学游泳。

---

① "不要"可以改用"别"，"不想"可以改用"不愿意"等同意或意思接近的词。为了避免不必要的混乱，本文一律用"不要"和"不想"来代表它们。

② 《现代汉语八百词》(增订本)(吕叔湘主编，商务印书馆，1999)第592页明确指出，助动词"要"表示意志时它的否定通常不说"不要"，说"不想"或"不愿意"。例如：

　　我不想进去(＊我不要进去)

对此问题，有一点很值得我们注意，那就是"吃得已经很饱了，我不要吃东西"这种说法在台湾国语里被看做是合乎语法的说法。例如《实用视听华语(1)》(台湾师范大学国语教学中心主编，正中书局，1999)第三课第37页有如下两个示范例句：

　　我(不)要买笔。I (do not) want to buy a pen.
　　你要不要看中文报？～谢谢，我不要。

虽然这是一个很有意思的语言事实，但是鉴于对外汉语教学的需要和实际情况，我们在本文里专门讨论普通话的情况，暂不讨论国语以及其他方言的变异情况。

⑤助动词。需要;应该:路很滑,大家～小心!/早点儿睡吧,明天还～起早呢!
⑦助动词。将要:我们～出国旅游了。/～下雨了。
⑧助动词。表示估计,用于比较:夏天屋子里太热,树荫底下～凉快得多。

这类归纳性释义法的缺点在于它只告诉我们"要"字有多种个别的语义,而不告诉我们各种语义之间的相互联系。这样的罗列式解释,分析得越深越细,学汉语的外国同学越感到头疼,光是死记硬背根本不好消化它。我们认为在课堂上最好不要跟同学们讲这种静态的罗列式归纳性解释。

另外一个做法是演绎性解释:认为"要"字不是简单的多义词。"要"还是一个"要",它本来只有一个意思,但其特点就在于"要"字有两个不同的语义指向,即"主语指向"(subject-oriented)和"说话人指向"(speaker-oriented)。这样,"你要吃东西"的不同语义表现可以归功于助动词"要"字语义指向的不同。我们可以根据这个看法来解释为什么"要"字呈现出如上两个不同的语义和功能。

我们相信后一种演绎性解释法比前一种归纳性解释法有更多的优越性。至于具体优点,我们至少可以指出如下几点:

(一)可以清楚地解释助动词"要"有"不要"和"不想"两个不同否定形式的原因及其分工。

(二)可以发现现代汉语语言事实里还有不少"主语＋说话人"双面指向的语言成分,如"怕"、"看"、"不知道"、"估计"等。

(三)可以分析和说明"要"字由实词(动词、助动词的"要")到虚词(连词"要是、只要"等)的语法化动机及其途径。

围绕这些问题,本文要对以"你要吃东西"里的"要"字为代表的语用歧义现象做一个统一的解释。要是能够合理地解释这个有趣的语言现象,我们相信不仅对现代汉语本体研究能够起到扩大视野的作用,还对对外汉语教学实践具有一定的应用价值。

二 助动词"要"的主语指向和说话人指向

如上所述,我们认为例句"你要吃东西"的多种意思不是词汇平面即"要"字的多义现象。我们认为这可以看做是一种言语行为(speech acts)或者语用(pragmatics)平面上的歧义现象。从言语行为的角度来看,让人感到有意思的是,如果把句中主语改为第一人称而说成"我要吃东西"的话,该句可以消除歧义,优先的语义解释应该是"意愿"义,如下例(3-1)。除非在特别的条件下,我们一般很难把它解释为表示"必要"义的句子。与此相反,如果把句中的宾语"东西"改为"药"或"能补身体的东西"等名词,该句也可以消除歧义,优先的语义应该是"必要"义而不是"意愿"义了,如(3-2)和(3-3)。另外,句中加上"多…点儿"等修饰成分也可以消除原有的歧义,只能理解为表示"必要"义,如(3-4)。如果在例句(3-1)的句末加语气词"了",该句倾向于表示"未来"义,如(3-5):

(3-1)我要吃东西(因为我饿了)

(3-2)你要吃药(因为你感冒了)

(3-3)你要吃能补身体的东西(因为你身体太虚弱)

(3-4)你要多吃点儿东西(因为你吃得太少)

(3-5)我要吃东西了(等吃完了再说吧)

更有意思的现象是,"你要吃东西"这句话根据它所被赋予的语用功能的不同完全可以消除其歧义。例如:

(4-1)祈使句:你最近好像越来越瘦了,你要吃东西!

(4-2)疑问句:(听到对方的肚子咕咕响)怎么,你饿了?你要吃东西?

由上可见,"你要吃东西"这个句子形式如果用做祈使句,我们可以确定该句表示的是"必要"义,如上例(4-1)以及(3-2)(3-3)(3-4);如果把它用做疑问句,我们可以确定该句表示的只能是"意愿"义,如上例(4-2)。

为什么句类不同就可以消除它原有的歧义呢?我们可以肯定地说,这是因为在言语行为上祈使句和疑问句两种句子类型的语用功能不同而引起的必然性结果。我们都知道祈使句是用来表达说话人对别人(典型情况下一般指听话人)所期望实现的行为的句子。拿例(4-1)来说,"你要吃东西!"说的是,说话人(即"我")对听话人(即该句主语"你")提出的要求或希望。换言之,"你要多吃东西"说的是"我〈=说话人〉要求你〈=听话人〉多吃东西"的意思。要注意,祈使句里的"要"字表示的不是主语的"意愿"而是说话人的"意愿"。为了讨论的方便,本文把这种表示说话人(speaker)意愿的"要"字用记号写做〈要 SPK〉。

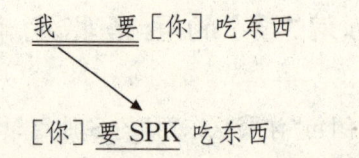

我　　要 [你] 吃东西

[你] 要 SPK 吃东西

我们还要附带说一下:说话人指向的〈要 SPK〉字,最典型的用法是在祈使句里表示说话人对听话人的命令。那么,反过来我们也可以明白,它的否定形式〈不要 SPK〉也会表示说话人对听话人的否定性命令,即表达"禁止"或"劝阻"。上例(2-1)"你不要吃东西"说的就是说话人对听话人的否定性命令,即"我要求你不吃东西"的意思。显然,"不要"就是说话人指向〈要 SPK〉的否定形式。

与祈使句不同,疑问句本质上就是说话人对别人(典型情况下一般指听话人)提出疑问的句子。拿例(4-2)来说,"你要吃东西?"问的是听话人(即"你")的"意愿"如何,而根本不是询问说话人的"意愿"如何。这个时候,我们可以说这里的"要"字所指向的是主语"你"的"意愿"。不管疑问句的主语是听话人(第二人称"你")还是第三人称的任何词,"要"字的语义指向应该都是主语的"意愿"。例如,下面两个问答句的疑问焦点都是主语"你"或"张老师"的"意愿",跟说话人的"意愿"没有任何关系。为了讨论的方便,我们还是把这种表示主语(subject)指向的"要"字用记号写做〈要 SBJ〉。例如:

(5)你〈要 SBJ〉吃东西吗?～我〈要 SBJ〉吃东西。

(6)张老师〈要 SBJ〉吃东西吗?～张老师〈要 SBJ〉吃东西。

在此可以顺便问一下,如果疑问句的主语是第一人称(即"我要吃东西吗?")的话,我们该怎么解释?我们都知道,在一般常理下,最了解自己的应该是说话人自己,说话人对自己知道的信息量肯定比听话人知道的要多,因此"我要吃东西吗?"一般不会被人理解为向听话人询问"我"的食欲如何。这说明"我要吃东西吗?"的"要"不是主语指向的〈要 SBJ〉,在这一点上主语为第一人称的问句和第二、三人称的问句很不一样。我们对"我要吃东西吗?"最容易接受的意思是"你说我有必要吃东西吗?"或"你说你要我吃东西吗?"的意思。这就表明句中"要"字所指向的对象是"你说"里的"你",也就是"说"这个行为的施事主体,即说话人。这样我们仍然可以认为"我要吃东西吗?"的"要"是说话人指向的〈要 SPK〉。

同时,我们还需要指出〈要 SBJ〉的否定形式是"不想"。比如我们从否定的角度来回答(5)(6)两个问句的话,答句都不能用"不要"而要用"不想"。如:

(5')你〈要 SBJ〉吃东西吗?～我不想吃东西。/＊我〈不要 SPK〉吃东西。

(6')张老师〈要 SBJ〉吃东西吗?～他不想吃东西。/＊他〈不要 SPK〉吃东西。

总而言之,我们对助动词"要"字能有既可以统一又可以分化的看法了。从统一的角度来说,"要"字表示的意思可以概括为一个意思,即"意愿";从分化的角度来说,"要"有两个不同的语义指向,一个是主语指向,即表示主语意愿的〈要 SBJ〉,还有一个是说话人指向,即表示说话人意愿的〈要 SPK〉。

那么,有了〈要 SBJ〉和〈要 SPK〉这两种说法,我们在教学上就可以很容易解释"要"字有两个否定形式的原因及其分工的问题。如上所示,因为助动词"要"有两个不同的语义指向,它的否定形式也该有两个不同的形式:主语指向〈要 SBJ〉的否定形式是"不想",而说话人指向〈要 SPK〉的否定形式是"不要"。这样下来,我们可以只教学生一个原则,那就是表示主语名词的否定性意愿时就用"不想",如下例(7)(8);而表示说话人对听话人的否定性意愿时才用"不要",如下例(9)。

〈要 SBJ〉的否定表现：

(7) 我〈要 SBJ〉吃东西 → 我不想吃东西

(8) 他〈要 SBJ〉吃东西 → 他不想吃东西

〈要 SPK〉的否定表现：

(9) 你〈要 SPK〉吃东西 → 你不要吃东西

上例(7)至(9)分别表示〈要 SBJ〉和〈要 SPK〉的典型情况。从这些例句我们还可以看得出主语名词的人称和助动词"要"的语义指向很有关系：如果主语是第二人称（即听话人）的话，陈述句里"要"的优先解释是〈要 SPK〉，表示说话人对听话人的意愿，问句里"要"的优先解释是〈要 SBJ〉，问听话人的意愿如何；如果主语不是第二人称的话，"要"的优先解释是〈要 SBJ〉，表示主语本人的意愿。下面我们通过实例来确认这一点：

〈要 SBJ〉

(10) 我掀开帘子，看见一个小姑娘……正在登上竹凳想去摘墙上的听话器，看见我似乎吃了一惊，把手缩了回来。我问她："你要打电话吗？"她一面爬下竹凳，一面点头说"我要找 XX 医院的胡大夫，我妈妈刚才吐了许多血！"（《小橘灯》）

(11) 我不能在这死亡之水中沉没。我要挣扎，我要反抗，我要留在人间。可我怎么那么累呢？我没有力气反抗，没有力气挣扎。我正在沉下去，沉下去……（《人到中年》）

(12) "我要离婚。"杨泊说。"你说什么？你是在说梦话还是开玩笑？""说正经的，我们离婚吧。"（《离婚指南》）

(13) 杨泊低着头，用脚步丈量纪念碑和天安门城楼间的距离，在一步一步的丈量中他想好了离婚的步骤：

一、要协议离婚，避免暴力和人身伤害；

二、要给予朱芸优越的条件，在财产分配和经济上要作出牺牲；

三、要提前找房子，作为新的栖身之地；

四、要为再婚作准备，这些需要同俞琼商量。

杨泊的思路到这里就堵塞了。（《离婚指南》）

〈要 SPK/不要 SPK〉

(14) 你还年轻，要乐观些。对待疾病嘛，既来之，则安之。（《人到中年》）

(15) 希望你不要辜负领导上对你的期望，要向上次给焦副部长做手术的那位大夫学习。当然我们也要向她学习。你说，是不是？（《人到中年》）

(16) "我们开始了。你不要紧张。先给你打麻药，这样，你的眼睛就没什么感觉。一会儿手术就做完了。"……陆文婷看着那只眼睛说："不要动，不要说话！我们开始了!"……"你不要动!"陆文婷一边说,一边已经很快地把切口的预置缝线结扎好了。……"不要说话!"陆文婷几乎是命令说,同时两手飞快地操作。等到手术完毕,为他缠上纱布时,才说了一句:"我是医生。"(《人到中年》)

(17) 结婚五年了,我辛辛苦苦持家,受了多少气,吃了多少苦,可我从来没有跟你吵过一次架。你要摸摸你的良心说话,你凭什么?(《离婚指南》)

三 具有"主语+说话人"双面指向的谓词性成分

在这一节,我们换个角度来看一下"要"字所具有的"主语+说话人"双面语义指向的语法特点。我们可以想想,这是不是"要"独有的特殊现象?现代汉语里有没有其他类似的情形?我们认为这不是一个个别的特殊现象,"要"字的语法特点在汉语语法系统里具有一定程度的普遍性。如果放开眼界仔细观察语言事实的话,我们可以发现还有不少相同或类似的语法现象。例如:

(18) 北京今年 怕 又有一个暖冬。(《钟鼓楼》) → 我怕 北京又有一个暖冬。
(19) 老张 不知道 去哪儿了。 → 我不知道 老张去哪儿了。
(20) 他们那些人 估计 也不来了。 → 我估计 他们那些人也不来了。
(21) 老孙 听说 已经当了局长。 → 我听说 老孙已经当了局长。
(22) 那个人 看(起)来 特别可疑。 → 我看 那个人特别可疑。

上面几个例句都明确表示箭头左右的句子意思基本相同。有意思的是,例(18)"北京今年怕又有一个暖冬"说的不会是"北京自己害怕又有一个暖冬"而偏偏是"我怕北京今年又有一个暖冬"的意思,这是因为这里的"怕"是说话人指向的〈怕 SPK〉,而不是主语指向的〈怕 SBJ〉的缘故①。其余类推。

需要注意的是,箭头右边的句子都是以"我"即说话人为主语的句子,到了箭头左边,说话人的影子都藏在〈说话人 SPK〉指向的成分里边去。这个现象可以看做是现代汉语主观化(subjectification)的一个体现。② 下图说明这里的情形:

(19a) 我 不知道 [老张] 去哪儿了

(19b) [老张] 不知道 SPK 去哪儿了

下面试比较一下两个例句。虽然这两个例句表面看起来非常相似,但句中谓词性成分

---

① 关于"怕"类词的语法语义特点,详见古川裕(2005b)。
② 关于主观化问题,参看沈家煊(2001)。

"不知道"所指向的方向完全不一样:

(19b)〈不知道 SPK〉:老王<u>不知道</u>去哪儿了。

(19c)〈不知道 SBJ〉:老王<u>不知道</u>该去哪儿。

(19c)"老王不知道该去哪儿"说的就是"老王他自己不知道自己该去哪儿"的意思,这是很平凡的主语指向谓语〈不知道 SBJ〉的例子,这没有什么值得讨论的地方。有意思的还是(19b)的情形。(19b)"老王不知道去哪儿了"说的不是"老王不知道自己去哪儿了"而恰恰是"我(即说话人)不知道老王去哪儿了"的意思。这是因为句中谓词性成分"不知道"的语义指向不是主语而是说话人的缘故,我们要承认这是一个典型的说话人指向的谓词性成分。总之,我们要承认〈不知道 SPK〉和〈不知道 SBJ〉的不同①。

这些有趣的语言事实告诉我们,现代汉语语法系统里确实有一系列"说话人(SPK)指向"的谓词性成分。这些说话人指向的句中成分在语义上不能跟主语名词搭配,正因为如此,过去有很多人主张像(19b)里的"不知道"是个"插入语"或"插入性成分"。我们不能同意这种肤浅的看法。按照本文的看法,我们认为这些例句表示的都是说话人指向的谓词性成分。如果不采取我们这种解释,我们就没法区别(19b)和(19c)的不同了②。

四 "要"由助动词到连词的语法化趋势

最后,我们还是回到本文开头举的那个例句:"你要吃东西"。通过这个例句,我们想看一下助动词"要"所具备的两条语法化趋势。

有一次我们在电视连续剧《还珠格格》里听到这么一句有意思的台词:

紫薇:小燕子,你要吃东西,先要背唐诗。

紫薇对小燕子说的这句台词是个复句,前后两个分句都有助动词"要",很明显这两个"要"的语义功能不一样。第一个分句"你要吃东西"的"要"是主语指向的助动词〈要 SBJ〉,表示主语"你"的意愿;第二个分句"(你)先要背唐诗"的"要"是说话人指向的助动词〈要 SPK〉,表示说话人紫薇对听话人小燕子的要求。我们利用这个例句要指出的是,如下图所示,例句中第一个助动词"要"有可能转变为表示假设义的连词"要是"。

---

① 关于"(不)知道"的语义指向和语法化问题,可参看陶红印(2003)和森宏子(2005)。

② 我们曾经对如下例句的"听来"等句中成分从中动语态(middle voice)的角度讨论过。关于中动语态的句法和词法问题,参看古川裕(2005a)。不过,现在本文的研究角度来看,我们还有可能从谓词性成分的语义指向以及主观化这个角度来重新进行新的研究。

对于失眠的杨泊来说,这种讨厌的噪音听来令人绝望。(《离婚指南》)

［要］你要吃东西，先要背唐诗。
↓
［要……的话］你要吃东西的话，先要背唐诗。
↓
(23)［要是……的话］你要是吃东西的话，先要背唐诗。

从这儿我们可以发现，助动词"要"跟连词"要是"有密切的内在联系。我们曾在另文较详细地讨论过这个问题，指出"要"类词的语义核心是表示"非现实性(irrealis)"，由这个语义核心"要"字能派生出各种变体的多种语义功能，如表示"意愿""必要""将来""假设"等①。上例(21)至(23)正好说明，在一定的语言环境里，"要"字的"非现实性"能够体现为"假设"，这样在语法功能上助动词"要"有充分的语法动机能转换为连词的"要是"。下面再补充两个实例。如：

(24) 李向阳真可爱！我爱这样的男人！你要见到那位扮演李向阳的演员，请你转告他，我是多么崇拜他！我要热烈地吻他！(《钟鼓楼》)

(24)有两个"要"字句，第一个"要"既不表示主语的意愿也不表示说话人的意愿，它表示的是假设，在语法功能上可以说已有相当程度地接近连词了；第二个"要"是本文所谓的〈要 SBJ〉，表示主语"我"的意愿。

(25) 自从她懂事以后，她就不断听父亲讲起城里的事，而且不是一般的城里，是首都北京！父亲经常这样开口讲话："这事要是到了北京呀……""这东西要搁到北京呀……""这干部要跟北京的干部比呀……""这个理要拿到北京去论呀……"使得郭杏儿在意识里不仅觉得北京的人和物非同一般，就是道理好像也另有一个，更神圣，更伟大。(《钟鼓楼》)

上例(25)中划下线的四句话分别都有"要"字，要注意的是只有头一个才是连词形式的"要是"。其余三个都是"要"，形式上它们还是助动词的形式，但是语义功能上这三个"要"跟"要是"没什么两样。通过这些例句，我们可以看到助动词"要"有向连词"要是"靠拢的语法化趋势。下例(26)至(28)也都支持这一看法：

(26) 理解一个人多么难哪！要有一把什么样的钥匙，才能打开他那种性格的锁呢？(《钟鼓楼》)

(27) 外面不算冷吧？北京今年怕又有一个暖冬……我这屋安的是所谓土暖气，我爱人、女儿她们张罗着弄的，好像效果还好。你要觉得热，就把短大衣脱掉吧。(《钟鼓楼》)

---

① 关于"要"字由实词到虚词的语法化途径，详见古川裕(2005c)。

(28)"这字剪得不匀称,衬底也不好看。今天晚上我帮你们另做一对,明天早上先给你们看看,<u>要觉着好</u>,我就帮你们换上。"……这时候荀磊手里提着两个剪贴得十分精美的黄底子的大红双喜字,满脸笑容地迎住薛大娘说:"大娘,您过过目,<u>要合适</u>,我这就贴去。"(《钟鼓楼》)

与此同时,我们还要指出"要"字的另外一条语法化途径,那就是由动词或助动词转为连词"只要"的趋势。我们都知道连词"只要"的构词结构不外乎是副词"只"修饰"要"的这么一个偏正结构,比如"不要别的,只要这个"里的"只要"。下例中的"只要"应该说还没完全虚化,至少没有词汇化,但可以说已开始往连词方向靠拢:

(29)什么时候再有半间房就好了。哪怕六平方米,五平方米也好,<u>只要能搁下一张桌子</u>。(《钟鼓楼》)

到了如下阶段,我们要承认这些复句中的"只要"已经完全虚化,成为单独的连词了:

(30)薛大娘还是那么个习惯,<u>只要媳妇一到</u>,她就不再弄菜烧饭。(《钟鼓楼》)

(31)他有一定的文化,嗜好是戴着老花镜,一字一句地读章回小说,不管是古人还是今人写的,<u>只要是章回体的</u>,他都爱读。(《钟鼓楼》)

我们相信,在课堂上教连词"要是"或"只要"的时候,完全可以利用这些连词跟动词或助动词"要"之间原有的内在联系。至于"要"字全面而广泛的语法化趋势,我们还需要对连词"要不是、要不然、要不、要么"以及副词"将要"等虚词的语法特点进行细致的讨论和研究。这些问题尚待研究,本文暂不讨论。

五 小结

本文主要讨论并指出了如下几个问题:

(一)助动词"要"的多义多功能不是词汇平面的现象,而可以看做是由两个不同语义指向引起的语用现象。"要"有主语指向的〈要 SBJ〉和说话人指向的〈要 SPK〉;

(二)"不要"是〈要 SPK〉的否定形式,"不想"是〈要 SBJ〉的否定形式;

(三)除"要"字外,现代汉语还有"怕""不知道""估计""听说""看"等说话人指向的谓词性成分。这些成分可以看做是现代汉语主观化的一个具体反映;

(四)最后指出从动词、助动词的"要"转为连词"要是""只要"的语法化动机及其趋势。

参考文献

方　梅(2005)《认证义谓宾动词的虚化——从谓宾动词到语用标记》,《中国语文》第6期。
高增霞(2003)《汉语的担心——认识情态词"怕""看"和"别"》,《语法研究和探索(十二)》,商务印书馆。
古川裕(2005a)《现代汉语的"中动语态句式"——语态变换的句法实现和词法实现》,《汉语学报》第2期。
古川裕(2005b)《"怕"类词的句法功能及其扩展机制——"怕""害怕""可怕""哪怕""恐怕""怕是"等词语的内在联系》。又见邵敬敏、陆镜光主编《汉语语法研究的新拓展(二)》,浙江教育出版社。
古川裕(2005c)《关于"要"类词的认知解释——论"要"字由动词到连词的语法化途径》,第八届国际汉语教学讨论会论文,北京。
谷　峰(2004)《[你说]变体的使用特征及[你说]的语法化》,《中国语文研究》第2期,香港中文大学。
柯理斯(2005)《汉语里标注惯常动作的形式》,《现代中国语研究》第7期,朋友书店,日本。
李　明(2003)《汉语表必要的情态词的两条主观化路线》,《语法研究和探索(十二)》,商务印书馆。
李人鉴(1961)《一种比较特殊的句子成分》,《中国语文》第3期。
李兴亚(1987)《"怀疑"的意义和宾语的类型》,《中国语文》第2期。
刘月华(1986)《对话中"说""想""看"的一种特殊用法》,《中国语文》第3期。
鲁晓琨(2004)《现代汉语基本助动词研究》,中国社会科学出版社。
吕叔湘主编(1999)《现代汉语八百词(增订本)》,商务印书馆。
森宏子(2005)《"不知道"の文法化现象について》,大阪市立大学中国学会《中国学志》第20号,日本。
沈家煊(2001)《语言的"主观性"和"主观化"》,《外语教学与研究》第4期。
陶红印(2003)《从语音、语法和话语特征看"知道"格式在谈话中的演化》,《中国语文》第4期。
王　伟(2000)《情态动词"能"在交际过程中的义项呈现》,《中国语文》第3期。
王健慈(1997)《汉语评判动词的语义类》,《中国语文》第6期。
张宝胜(2002)《再说"怀疑"》,《语法研究和探索(十一)》,商务印书馆。
张伯江(2001)《"怀疑"句式的语法化——语用动因和结构、语义变化》,首届汉语语法化问题国际学术讨论会论文,天津。

(日本,564-0063 大阪府吹田市江坂町 5-4-1,大阪外国语大学)

"以至"与"以致"
——兼论汉语近义虚词的中和倾向

张谊生

摘　要:"以至"与"以致"是一对音同、形近的连词,近年来,这一对连词正呈现出日益趋同的倾向,具体表现为:两者现在都可以连接词和短语,也都可以连接各种语义倾向的因果复句或句组,而且也都可以附加后缀"于"。尚存的细微差异在于:a."以至"充当组合连词和关联连词的概率相差不大,而"以致"还是以充当关联连词为主;b.表如意或中性义的因果关系时,"以至"明显多于"以致";c."以至"能够连接递进和连贯关系的复句,"以致"不能;d.承上启下的"以至于"可以独用,"以致于"没有这样的用法。

关键词:组合;关联;连接方式;表义倾向;虚化诱因;趋同中和

○　前　言

0.1　在现代汉语中,"以至"与"以致"是一对音同、形近的连词①,两者的功能和用法基本相同,也各有侧重。目前通行的虚词词典和业已发表的研究成果对这两个词的说明和辨析大致可以归纳为以下四点:a."以至"可以连接词或词组,表示时间、数量、程度、范围等方面的延伸,"以致"只能连接因果关系分句;b."以至"和"以致"都可以用在后分句的开头,以表示前述情况产生的结果,但"以至"含有"甚至"的意味,所引出的结果多为前所述情况程度加深所至,而"以致"所引出的结果多为前所述原因直接导致;c."以致"引出的结果都是不如意的、不希望发生的,"以至"则不受此限,可以是如意的,也可以是不如意的;d."以至"一般都可以说成"以至于","以

---

① 在现代汉语书面语中,"以至"还可以是动词,比如:物质寓精神,精神变物质,循环往复以至(≈从而达到)无穷(赵瑜《马家军调查》)。而"以致"则可能是连词"以"和动词"致"的非短语形式,比如:汉武通大宛安息,以致(≈因而得到)天马葡萄,大概当时是视为盛事,所以便取作什器的装饰(鲁迅《坟·看镜有感》)。这两种情况,现代都已很少出现,所以,本文不拟探讨。

致"没有这样的用法①。

0.2 那么,上面的归纳究竟是否符合汉语语言事实?换句话说,在当代汉语中,这两个词的功能和用法到底是什么样的?它们之间的相似和相异究竟表现在哪些方面?这是本文想要弄清楚的。另外,这两个连词是由于什么诱因和机制、通过什么样方式虚化而成的?在长期的使用过程中现在又出现了哪些值得注意的发展趋势,也是本文所关注的。

0.3 除了前言和结语,本文分为三个部分:首先描写"以至"与"以致"作为组合连词的连接功能及组配方式;然后描写"以至"与"以致"作为关联连词的关联功能及表义倾向;最后从发展的角度,探讨两词的虚化演变过程以及近年来的趋同中和现象,辨析两词在连接方式和表义倾向方面的侧重,进而提出我们对近义虚词中和趋同的看法。

0.4 为了便于分析和行文,本文将用于连接词和词组的"以至"与"以致"称之为组合连词,用于衔接分句和句子的"以至"与"以致"称之为关联连词。

一 组合功能

1.0 本节从四个角度分别描写和分析"以至"与"以致"的组合功能。

1.1 "以至"的组合功能。大致可以从以下四方面加以考察。首先,从被连接成分的句法单位看,可以是词也可以是短语;可以只有两三项,也可以多达七八项②。例如:

(1) 看来,用它观察霉毒绰绰有余,用它看杆菌、球菌,以至精细胞都可以,不过对于脱氧核糖核酸的内部结构就无能为力了。(石言《漆黑的羽毛》)

(2) 或篆、真,或行、隶,相配成对,而钱的铜质、大小、轻重、厚薄以至穿孔、轮廓的广狭、制作风格都完全相同。(阴法鲁、许树安《中国古代文化史》)

其次,从被连接成分的句法分布看,既可以是体词性的,也可以是谓词性的;"以至"前面通常较少停顿,但连接短语时大多要安排停顿。例如:

---

① 这些观点归纳自吕叔湘主编《现代汉语八百词》、侯学超编《现代汉语虚词词典》、张斌主编《现代汉语虚词词典》、北大中文系55、57级编《现代汉语虚词例释》等辞书。此外,一些中学语文教师对这一对连词也很感兴趣,一共发表了7篇相关的辨析文章,比如李琴的《"以至""以致"用法辨析》(《秘书之友》2001年7期;周维芳的《"以至"与"以致"》(《语文教学通讯》1997年8期);唐惠忠的《也谈"以至"与"以致"的辨析》(《语文教学通讯》1997年12期);王锡丽的《"以致"与"以至"新辨》(《河北青年管理干部学院学报》2003年3期)等等;可惜这些文章的观点全都大同小异,没有一篇超出上面归纳的4点。

② 少数情况下"以至"连接对象可以多达十几、二十多项。例如:它的主要表现和危害是:高高在上,滥用权力,脱离实际,脱离群众,好摆门面,好说空话,思想僵化,墨守陈规,机构臃肿,人浮于事,办事拖拉,不讲效率,不负责任,不守信用,公文旅行,互相推诿,以至官气十足,动辄训人,打击报复,压制民主,欺上瞒下,专横跋扈,徇私行贿,贪赃枉法,等等。(邓小平:党和国家领导制度的改革)

(3) 而在真实过程中,兴奋、刺激以至快感都是转瞬即逝的,一天中这样的时刻累积起来也不会超过十分钟,……。(王朔《许爷》)

(4) 成人嫌麻烦,图省事,以至事事包办代替是培养不出儿童的独立性的。(方富熹、方格《儿童的心理世界——论儿童的心理发展与教育》)

再次,从共现搭配和固定格式看,与"以至"搭配的主要有介词"从、自、由"。例如:

(5) 正如任何其他事物一样,从发生、发展到成熟,以至衰亡,有一个历史发展的过程。(郑人杰《实用软件工程》)

(6) 自商周以至明清,蚕神均列入国家祀典,而民间的奉祀更为虔诚。(阴法鲁、许树安《中国古代文化史》)

(7) 她在电台播音,由播音员成为节目主持人,以至成为电视节目的制作人。(叶永烈《庄则栋的台湾姐姐》)

最后,从被连接成分的语义类别看,大多是事物、现象,也可以是行为、性状等。例如:

(8) 几十年的考古发掘资料说明,在黄河、长江、珠江、黑龙江各流域,以至沿海各省和西北、西南等纯牧区,在六七千年前便都有了原始畜牧业。(阴法鲁、许树安《中国古代文化史》)

(9) 座谈会上的发言,对自己有所要求的人是常常不免经验到这种郁闷以至一种空虚感的。(曾卓《文学长短录》)

当然,也可以是一些直接表示时间和数量的词语。例如:

(10) 我在这繁响的拥抱中,也懒散而且舒适,从白天以至初夜的疑虑,全给祝福的空气一扫而空了。(鲁迅《祝福》)

(11) 而况国粹家很不少,意见又很统一,因此我的辩解也就很频繁,然而总无效,一回,两回,以至十回,十几回,连我自己也觉得无聊而且麻烦起来了。(鲁迅《坟·说胡须》)

从构词形式看,"以至"大都可以任意后附词缀"于"。作为组合连词"以至于"和"以至"在功能上没有什么区别,不过,在单音节词前面后缀"于"往往是必不可少的。例如:

(12) 衬了这背景,一个人身心的搅动也缩小以至于无(*以至无),只心里一团明天的希望,还未落入渺茫,在广漠澎湃的黑暗深处,一点萤火似的自照着。(鲁迅《白光》)

(13) 羊牛马驴骡猪骆驼以至于狗(?以至狗)等等,好像除了人的下水(这样说有点大不敬的味道),没有我不吃的。(张贤亮《羊杂碎》)

从上面的描写可以看出,同样是连接具有并列关系的词和短语,"以至"与常用的组合连词"和、跟、与、同"至少有四点不同:a.组合方式上,"以至"连接的成分更加多样化,体词性的或谓词性的都不受限制；b.语义特征上，被"以至"连接的各项通常不一定是并列的，而是具有一定的拓展、延续的特征；c.位置序列上，在多项并列成分中，"以至"不像"和、跟、与、同"必须位于最后两项之间，可以位于根据表达需要而安排位置；d搭配关系上，"以至"可以与源点介词配合共现，可以附加后缀"于"，前面可以安排停顿。

  1.2 "以致"的组合功能。迄今为止，几乎所有的论著都认为"以致"只具有关联功能，而没有组合功能①。但是，我们发现，实际情况并非如此。其实，在当代汉语中，"以致"不但可以连接词语，而且在组合关系和位置安排等各方面都与"以至"很接近。例如：

  （14）在这两段中间的岁月，去掉三分之一的睡眠时间，再去掉三分之一的娱乐、家务、闲谈、来往，以致疾病、忧愁的消磨，还能剩下多少真正可以用于干点事业的时间呢？（厦大语料库）

  （15）实际上，现实主义文学在那样伟大的程度，以致我们不间断的五千年文明史方面，都还没有令人十分信服的表现。（路遥《早晨从中午开始》）

同样，"以致"也可以连接谓词和谓词性短语，前面一般不加停顿，也可以有停顿。例如：

  （16）68日的新值，较为准确，从而结束了回归年长度测定精度长期徘徊以致倒退的局面，并开拓了后世该值研究的正确方向。（阴法鲁、许树安《中国古代文化史》）

  （17）她与比她大10岁、在南京银行供职、家境又不错的张国祥相识，以致相爱。（吴晓《陈独秀之女的坎坷人生》）

同样，表示组合关系的"以致（于）"，也可以与介词"从、由"等互相搭配。例如：

  （18）——从针线、纽扣、拉锁的供应，到衣料的采购，直到服装的制做，以致于最后的经销，都自成体系。（崔立《民工潮，一个跨世纪的难题》）

  （19）于是变得神不守舍起来，由心理上的失衡到丢掉共产党人的宗旨，以致走上犯罪的道路。（1995年《人民日报》）

至于组合成分之间的语义关系，也可以是表示情况、现象、行为、性状等。例如：

  （20）他的精神状态也不是那样单一的，因而，他的诗，在情调、格式以致在风格上，往往就有很大的差异。（曾卓《诗人的两翼》）

---

① 这些观点归纳自吕叔湘主编《现代汉语八百词》、侯学超编《现代汉语虚词词典》、张斌主编《现代汉语虚词词典》、北大中文系55、57编《现代汉语虚词例释》等辞书。此外，一些中学语文教师对这一对连词也很感兴趣，一共发表了7篇相关的辨析文章，比如李琴的"以至""以致"用法辨析《秘书之友》2001年7期；周维芳的"以至"与"以致"《语文教学通讯》1997年8期；唐惠忠的也谈"以至"与"以致"的辨析《语文教学通讯》1997年12期；王锡丽的"以致"与"以至"新辨，《河北青年管理干部学院学报》2003年3期等等；可惜这些文章的观点全都大同小异，没有一篇超出上面归纳的4点。

(21) 对这个老盯着她看、并且目光犀利又不动声色的外国人,感到十分神秘以致有些敬畏。(卢弘《张文秋的"红色间谍"生涯》)

而且,这些情况、现象或行为、性状等,内容也具有延展深化或发展强化的特征。例如:

(22) 我们在创作中,想象力常常贫薄可怜,而一到回忆时,不论是几天还是几十年前,是自己还是旁人的事,想象力忽然丰富得可惊可喜以致可怕。(钱钟书《写在人生边上·序》)

上面的语言事实表明:充当组合连词时,"以致"和"以至"几乎没有区别,通常认为"以致"只能后接结果分句、不能连接词和短语的说法显然是不符合当代汉语语言事实的。

二 关联功能

2.0 本节也从四个角度分别描写和分析"以至"与"以致"的关联功能。

2.1 "以至"的关联功能。首先,从衔接的语法单位看,关联连词"以至"一般多连接分句组成复句,但偶尔也可以衔接句子构成句组。例如:

(23) 当裴菊吟从惊恐中恢复过来以后,她脑子里总萦回着樊大妈那些古怪的报导:那少年的眉眼儿颇像邱宗舜!以至樊大妈起初只当他是邱宗舜的侄儿或外甥,但宗舜只有侄女而无外甥;那少年手举钢叉却并未向她进攻,嘴里嚷的是:"让我爸出来!还我爸!"(刘心武《一窗灯火》)

(24) 再好再结实的车轴总有磨细和颠断的时候,所以死人并不应该表现特别的悲哀;不过,白嘉轩对仙草的死亡还是深感悲哀。以至很长一段日子里总感觉缺了点什么;缺的肯定不单是她每晚小心地顺着他的脚腿伸溜下来的湿热的肉体,也有她在屋院里走路的那种沙沙的声音,散发到庭院炕头上的一种气息,或者是有别于影像声音气息的另一种无以名状的感觉,所有这些也都确凿不存在了。(陈忠实《白鹿原》)

其次,从关联的方式看,"以至"可以关联由于某种原因导致的逻辑性因果句,但更常见的是关联由于某种程度的加深而形成的致使性因果句。例如:

(25) 老实是做人的根本,但过分的老实,以至不能应付世变,显得那样迂腐、笨拙,就未必值得去赞美了。(李国文《危楼记事》)

(26) ……这些亲戚相貌之平庸、谈吐之乏味令人实在厌倦,以至当周瑶光鲜动人地蓦然出现时谁也不能视而不见——特别是一个曾暗生过钦慕远睹过其秀色,久为军营生活枯燥锁眉的正值青春期的年轻水兵。(王朔《我是"狼"》)

再次,从搭配的关系看,逻辑式因果句多跟连词或介词"因为、由于"等搭配。例如:

(27) 这当然不是幸福的婚姻,因为霍伊特是一个酒精瘾者,以至两人三次结婚三次离婚。(余凤高 菲茨杰拉德《堂堂作家 花花公子》)

(28) 声明说,由于英方节外生枝,单方面对香港的政制作出重大改变,以至"直通车"的安排受到破坏,香港最后一届立法局因此不能过渡成为特区的立法委员会。(1996年《人民日报》)

而程度式因果句多跟代词"这样、那样、这么、那么、如此"等配合使用。例如：

(29) 至于北京话呀,他说的是那么漂亮,以至使人认为他是这种高贵语言的创造者。(老舍《正红旗下》)

(30) 对于西方学术文化的介绍如此混乱,以至连一些在西方国家也认为低级庸俗或有害的书籍、电影、音乐、舞蹈以及录像、录音,这几年也输入不少。(邓小平《党在组织战线和思想战线上的迫切任务》)

最后,从表达的内容看,"以至"所引出的结果,可以是如意的,也可以是不如意的,当然更多是无所谓如意不如意、中性义的。例如：

(31) 贾政既然为一家之主,在置妾的姿色取向上有着非常充分的选择余地,他为什么竟收了赵姨娘,并且还显然对赵姨娘有着相当充分的嬖幸,以至生下了探春和贾环；赵姨娘究竟有什么可取之处呢？(刘心武《话说赵姨娘》)

(32) 以后,我感到诗歌这碗诱人的汤水不适合我的脾胃,就改行涂抹起了小说,但谷溪一直痴心不改,始终热恋着他的缪斯,以至今天有了这本凝聚着他几十年心血的诗集。(路遥《写在前面的话》)

值得注意的是,关联连词"以至"除了可以关联因果复句之外,还可以关联递进复句和连贯复句,而这一点是迄今为止所有辞书和语法书都未曾提及过的。表递进的"以至"大多表示事理上的延展,这个"以至"较接近于"甚至"、"甚而至于"。例如：

(33) 不,他们没有洗城,而要来与北平人作邻居；这使北平人头疼,恶心,烦闷,以至于盼望有朝一日把孤哀子都赶尽杀绝。(老舍《四世同堂》)

(34) 我们要恢复毛泽东思想,坚持毛泽东思想,以至还要发展毛泽东思想,在这些方面,他都提供了一个基础。(邓小平《对起草〈关于建国以来党的若干历史问题的决议〉的意见》)

表连贯的"以至"表示时间上的延续,这种用法的"以至"接近于"及至"。例如：

(35) 马道婆的魔法居然应验,宝玉、凤姐相继突发暴病,以至到了第四日早晨,贾母等正围着宝玉哭时,只见宝玉睁开眼说道："从今以后,我可不在你家了！"(刘心武《话说赵姨娘》)

(36) 他戴红花跨上红马,随着呜哇吹响的喇叭队出发迎亲的时候心跳如兔

蹦,以至看见岳丈老秀才斯文的举止,忽然想起了小娥父亲羞于见人的面孔,那也是一位识书达理的老秀才;(陈忠实《白鹿原》)

很显然,表示递进和连贯这两种关联方式,是组合连词"以至"的连接功能的进一步扩展和引申,重在加合关系的就发展为递进复句,重在顺序关系的就发展为连贯复句。

而且,与组合连词一样,表关联的"以至"也都可以换用带缀式的"以至于"。例如:

(37)他躲在别墅里,他对于队员们的沉痛反思并没有太多的察觉,队里竟然没有人像过去那样及时向他打小报告,以至于事到最后关头他还什么也不知道。(赵瑜《马家军》)

(38)才几个月,不算长,何况他们的缘分又是那么偶然、无意,以至于叫人到现在都要疑为梦中的故事,惴惴然不敢相信呢。(海岩《便衣警察》)

同样,"以至于"也可以关联递进关系的复句。例如:

(39)这当然仅仅是一种心理而已,然而流风所及,以至于(≈甚至于)对证据的厚此薄彼越来越"合法化",几乎在刑警队里形成了一种固有的偏见,徐五四觉得这就是"病"!(海岩《你的生命如此多情》)

2.2 "以致"的关联功能。首先,与"以至"一样,"以致"也是既可以关联分句组成复句,也可以衔接句子以构成句组。例如:

(40)心头那股热劲,连他自己也不明白从哪来的?仿佛刚出笼屉的馒头,塞在他胸膛里似的,那样实在,那样熨帖。以致他的保护人大清早在巷子里撞见以后,听他如何如何地讲了一通,立刻警告他的话:"那可是个无底洞!"他压根儿没往心里去。(李国文《危楼记事》)

(41)林星看他,她有很多话想在此刻对他说,可他行色匆匆。她已经很久没见到他如此精心地打扮自己了。以致让她无端地联想到他过去每晚都乐此不疲的那种要求,也有多日没再来过。(海岩《你的生命如此多情》)

由"以致"构成的复句还常常可以作为复句形式充当定语等句法成分。例如:

(42)去年入冬以来,她总是摆脱不了一种由于郁闷烦躁,以致想大喊大叫或痛骂什么人来发泄一下的心情,……(卢泓《发生在中南海的"反革命案"》)

(43)如果当主客观条件发生重大变化,以致必须重新确定目标时,那就必须进行追踪决策。(曾鹏飞《技术贸易实务》)

其次,"以致"表关联时也有逻辑式和程度式两种因果关系。例如:

(44)可惜王军霞的这段自白没有注明日期,又写在日记本的最后几页,以致我不好判断写作的时期,是在马家军出现经济纠纷以前呢,还是以后?(赵瑜《马家军调查》)

(45) 那天晚上的月亮特别的亮,以致月光能像太阳光一样,洒进车厢。(陈国军《不得不说的故事》)

在逻辑式中,与"以致"搭配的,也是连词或介词"因为、由于、因"等。例如:

(46) 因为随着年龄的增长,不但相貌更不好看,嗓子也失去原有的魅力,以致观众对她未免表现冷淡;但是屠格涅夫却坚持说她的表演比十年前更好了,是彼得堡的观众太无知,不会欣赏这么一位出色的女演员。(余凤高《屠格涅夫与维亚尔多夫人的爱情》)

(47) 由于宋文梅和王菊人的冒失张皇,以致十七路军兴师动众闹了大半夜,差点出了大乱子。(杨盛云《西安事变前的两场虚惊》)

(48) 不过,季米特洛夫这一电报发到保安时,却因密电码搞错了,以致译不出来。(叶永烈《西安事变:一页隐蔽的历史》)

在程度式中,"以致"也能跟"这么、那么、这样、那样、如此"搭配。例如:

(49) 他们跳得那样优美,以致原来准备起舞的几对都停了下来,大家远远地看他们俩跳。(汪曾祺《星期天》)

(50) 她对化妆的兴趣如此浓厚,几乎是天生的因素,以致她的朋友都以为她将来必是要开什么大规模的美容院。(西西《像我这样的一个女子》)

从"以致"句所表语义倾向看,迄今为止,近乎一致的观点都认为必须是"不如意"的。然而,经调查发现,尽管"以致"表不如意的频率确实要比"以至"高,但两者其实并没有实质性的区别,两词都可以表示如意不如意或中性义。下面是"以致"句表如意的例子:

(51) 整个旋律富有变化,极有活力,在尾音上还颤动不已,以致在尾音逐渐消失以后,使我觉得那最后一丝歌声尚飘浮在这苍茫大地的什么地方,蜿蜒在带着毛茸茸的茬口的稻根之间;曲调是优美的。(张贤亮《绿化树》)

(52) 我们也庆幸毕竟留下了一份正式的文件——《关于对马俊仁同志申请辞职一事处理情况的汇报材料》,以致对今天的读者和今后的历史都有了一个较可靠的答复。(赵瑜《马家军调查》)

所谓如意的情况,可以是说话人自己感觉到的,也可以是叙述人观察到的。例如:

(53) 他在外婆家过得很惬意,以致乐不思家。(陈思明《毛泽东的第三个名字》)

(54) 他家中充满这些动物,以致客人来到,总有令其流连的东西。(戴镏龄《回忆录》)

(55) (他的表演)把觉慧的反叛精神限定在一定的分寸内,火候掌握得恰到好

处,以致巴金先生和老演员们也都点头称许。(刘建凌《"三少爷"风采犹存》)

(56) 碰上特务搜查,他因回避不及,机智地抓毁自己的面容,化名王某,以致在监狱中一年多未被敌人认出。(方可、单木《中共情报首脑李克农》)

至于没有明显如意倾向的带有中性色彩的"以致"句,更是相当常见。例如:

(57) 突然动了一念:我应该去见见士光先生,这念头来得那样莫名而急切,以致我第二天就买好了海口去贵阳的机票。(洪声《何士光心中自有一个世界》)

(58) 黄土下,作为衬底的芦苇把子,龇出的两端参差不齐,几乎奉拉到结着一层泥皮的渠底,以致看起来桥面要比实际的宽度宽得多。(张贤亮《绿化树》)

此外,作为关联连词,无论如意与否,"以致"也可以附加后缀"于"。例如:

(59) 但仅是惊骇于事无补,解决问题的关键仍在于全体文官的互相合作,互相信赖,以致于精诚团结,众志成城。(王小波《黄金时代》)

(60) 此时儿童急于读出整个词或句子,对其中的字和词缺少分析以致于发生念错或不理解的情况。(方富熹、方格:《儿童的心理世界——论儿童的心理发展与教育》)

由此看来,作为关联连词,"以致"和"以至"的区别,并不是在语义情态方面,而是在关联方式上,"以至"除了表示因果关系外,还可以连接递进复句和连贯复句。

三 形成和发展

3.0 本节从历时和共时相结合的角度,分析"以至"与"以致"的生成、发展和变化。

3.1 "以至"的形成。在先秦,"以至"一开始并不是一个词,"以"是介词,"至"是动词。"以"和"至"可以分开,其后面常接介词"于"或"於"。例如:

(61) 监燎,水师监濯,膳宰致饔,廪人献饩,司马陈刍,工人展车,百官以物至,宾入如归。(《国语》)

(62) 羹食,自诸侯以下至於庶人无等。(《礼记》)

由于"以"的宾语经常省略或前置,"以"和"至"分界逐渐消失,凝固为一个词。试比较:

(63) 小夫死,以上至大夫,其官级一等,其墓树级一树。(《商君书》)

(64) 所谓壹刑者,刑无等级,自卿相、将军以( )至大夫、庶人,有不从王令、犯国禁、乱上制者,罪死不赦。(《商君书》)

(65) 自卿以下至于师长士,苟在朝者,无谓我老耄而舍我必恭恪于朝,朝夕以交。(《国语》)

(66) 自穆侯以( )至于今,乱兵不辍,民志不厌,祸败无已。(《国语》)

"以至"形成之初还只是一个表连接的动词,以后逐渐虚化成了一个组合连词。试比较:

(67) 自桓叔初封曲沃以至武公灭晋也,凡六十七岁,而卒代晋为诸侯。《史记》

(68) 自西陵以至江都,五千七百里。《三国志》裴注

(69) 但须去致极其知,因批理会得底,推之於理会不得底,自浅以至深,自近以至远。《朱子语类》

(70) 后来报至中都,自天子以至百官,无不惊骇道奇。《红楼梦》

至于关联连词"以至",大致从唐以后开始初露端倪。其产生的前提是,"以至"处于后分句开头。一旦前后分句之间隐含的因果逻辑关系被显化(protruding),并且被前后分句所吸收(absorb),那么,"以至"的关联功能就开始逐渐形成了。形成之初,"以至"句所表因果逻辑关系,其结果通常是不如意的情况。例如:

(71) 太宗曰:"饬兵备寇虽是要事,然朕唯欲卿等存心理道,务尽忠贞,使百姓安乐,便是朕之甲仗。隋炀帝岂为甲仗不足,以至灭亡?正由仁义不修,而群下怨叛故也。宜识此心。"《贞观政要·仁义第十三》

(72) (延祚)欲言璋阴事,璋许重赂,以塞其口,及免,延祚徵其赂,璋拒而不与,以至延祚诣台诉璋翻覆,复下御史台讯鞫。《旧五代史》

(73) 操泣曰:"因我欲平沙漠,使公远涉艰辛,以至染病,吾心何安!"《三国演义》

(74) 制度俱备,勾践自诸暨迁而居之,谓范蠡曰:"孤实不德,以至失国亡家,身为奴隶,苟非相国及诸大夫赞助,焉有今日?"《东周列国志》

(75) 他两个都不愿做仙人,愿做宰相,以至堕落。《拍案惊奇·金光洞主谈旧迹玉虚尊者悟前身》

值得注意的是,如果"以至"处于后分句开头,但前后分句之间没有隐含逻辑关系,那么,以事理为主的句子就会转向表示递进关系。这种用法至迟在南宋已经出现。例如:

(76) 做文章底,也只学做那不好底文章;做诗底,也不识好诗;以至说禅底,也不是他元来佛祖底禅;修养者,也非老庄之道,无有是者。《朱子语类》

(77) 事君便遇忠,事亲便遇孝,居处便恭,执事便敬,与人便忠,以至参前倚衡,无往而不见这个道理。《朱子语类》

(78) 有一县令使人,独不肯去,须责回书;左右谕之皆不听,以至呵逐亦不去。《梦溪笔谈》

至于表示时间关系衔接连贯复句的"以至",至迟在清末也已初露端倪。例如:

(79) 我从县丞过知县,同知过知府,以至现在升到道台,都沾的是吃大烟、头一个上衙门的光。(《官场现形记》)

3.2 "以致"的形成。与"以至"一样,"以致"一开始也不是一个词,不过,与"以至"不同的是,古代汉语中存在着两种不同的"以致"。一种介词"以"+动词"致"。"以"和"致"可以被介宾隔开,也可以因介宾省略或前置而相连。例如:

(80) 象曰:雷电皆至丰;君子以折狱致刑。(《周易·卷六》)

(81) 子夏曰:"百工居肆以成其事,君子学以致其道。"(《论语·子张》)①

再一种是连词"以"+动词"致",这个"以"接近于"而"。例如:

(82) 惜诵以致愍兮,发愤以抒情。(《楚辞·九章·惜诵》)

(83) 夫旷日离久,而周泽未渥,深计而不疑,引争而不罪,则明割利害以致其功,直指是非以饰其身,以此相持,此说之成也。(《韩非子·说难》)

这类"以"和"致"虽然连用,其实并没有直接关系。这种用法一直延续到魏晋。例如:

(84) 略观文士之疵:……文举傲诞以速诛,正平狂憨以致戮,仲宣轻脆以躁竞,孔璋偬恫以粗疏,丁仪贪婪以乞货;……(刘勰《文心雕龙》)

(85) 序曰:气之动物,物之感人,故摇荡性情,形诸舞咏。欲以照烛三才,晖丽万有。灵祇待之以致飨,幽微藉之以昭告。动天地,感鬼神,莫近于诗。(钟嵘《诗品》)

那么,这两种连用的"以致",哪一种才是"以致"虚化的源式呢?我们觉得,应该是前一种,因为作为连词的"以",如果后面是动词"致"其前项肯定也是动词而不能出现空位,可我们所查检到的相对虚化的"以致",一般都是位于后分句开头的。例如:

(86) 上开公利而塞私门,以致民力;私劳不显于国,私门不请于君。(《商君书·壹言第八》)

(87) 商王帝辛大恶于民,庶民不忍,欣载武王,以致戎于商牧。(《国语》)

这两例中的"以致"还没有完全词汇化,介词"以"和动词"致"还分别承担着自己的功用。随着"以"字宾语省略的经常化,"以"和"致"分界逐渐消失而最终融合凝固。例如:

(88) 越王苦会稽之耻,欲深得民心,以致必死于吴。(《吕氏春秋·顺民》)

(89) 诸侯恐惧,会盟而谋弱秦,不爱珍器重宝肥美之地,以致天下之士,合从缔交,相与为一。(《史记·秦始皇本纪》)

在古汉语中,介词"以"+动词"致"的非短语形式有时也可以出现在句中。例如:

(90) 贤者有小善以致大善,不肖者有小恶以致大恶。(《吕氏春秋·疑似》)

---

① 杨伯峻《论语译注》对"君子学以致其道"的翻译是"君子则用学习获得哪个道"。

但"以致"是由介词＋动词直接虚化为关联连词的,没有经过"以至"那样由组合连词过渡的阶段,因此,位于句中的"以致"不可能是"以致"虚化的源式。其实,正是因为"以致"经常位于后分句的句首,所以,在推理(inference)机制的作用下,本来隐含在前后分句间的逻辑义逐渐被吸收而独立固定,"以致"的因果关联功能才得以正式形成的。例如:

(91) 朕本性刚烈,若有抑挫,恐不胜忧愤,<u>以致</u>疾毙之危。(《贞观政要·上》)

(92) 贼臣乱政,属先帝疾笃,谋害秦王,迎立嗣君,自擅权柄,<u>以致</u>残害骨肉,摇动藩垣。(《旧五代史》)

(93) 自古以来,国家富强,将良卒精,因人主好战不已,<u>以致</u>危乱者多矣。(司马光《谏西征书》)

也正因为动词"致"本身含有"导致、致使、使得"等语义积淀,所以,虚化而来的连词"以致"所引导的句子,一般都带有不如意的语用倾向。例如:

(94) 诊毕脉,走出外边厅上,对西门庆说:"老夫人脉息,比前番甚加沉重,七情伤肝,肺火太旺,<u>以致</u>木旺土虚,血热妄行,犹如山崩而不能节制。"(《金瓶梅》)

(95) 骆龙问了多、林二人名姓,略谈两句,固向庸敖叹道:"吾儿宾王不听贤侄之言,轻举妄动,<u>以致</u>合家离散,孙儿跟在军前,存亡未卜。(《镜花缘》)

3.3 两者的中和。由于这两个词本身所含的语素不同,虚化的时间和诱因也不尽相同,所以,形成之初两者必然会存在一些差异。不过,两词的差异实际上也不像一般辞书所归纳的那样大,尤其是这些年来"以致"和"以至"的功能已经并且正在趋向于中和。

调查发现,这两个词的中和趋势,主要是"以致"向"以至"靠拢。由于受到"以至"的同化影响,近年来"以致"出现了三个方面的重要变化:一、从单一的因果关联用法扩展到并列组合用法;二、可以不受限制地连接中性义甚至如意的因果句;三、可以相对自由地附加后缀"于"。关于前两点,在前面1、2节已经作了比较详细的描写,这里不再展开进一步的论述,本节再着重分析一下"以致"带后缀"于"的情况。

从语源看,"至"表示某种现象发展到、延伸到某个程度,所以"以至"后面常常可以跟介词"于"所引出的相关情况。早在先秦,"以至"后接介词"于(於)"的现象就很常见。随着"以至"虚化为连词,"于"也虚化成了一个可有可无的后缀。试比较:

(96) 不但你我不能趁心,就连老太太,太太<u>以至</u>( )宝玉探丫头等人,无论事大事小,有理无理,其不能各遂其心者,同一理也,何况你我旅居客寄之人哉!(《红楼梦》)

(97) 因这事更比晴雯一人较甚,乃从袭人起<u>以至(于)</u>极小作粗活的小丫头

们,个个亲自看了一遍。(同上)

从另一方面看,"以致"后接介词"于X"的用例,早在先秦时期也已出现了。例如:

(98) 主妇答拜,受爵,酌<u>以致于</u>主人。主人筵上拜受爵,主妇北面于阼阶上答拜。(《仪礼·礼仪》)

(99) 故唐虞日孳孳<u>以致于</u>王,桀纣日快快<u>以致于</u>死,不知后世之讥己也。(《淮南子》)

不过,由于"以致"主要是表示由于某种动因或因素导致了某个结果,受其语义关系和使用频率的制约,直到元明,"以致于"的"于"也没有发展成为一个构词后缀。例如:

(100) 汝等轻退,<u>以致于</u>败,宜速斩以正军法!(《三国演义》)

(101) 宋兵死者甚众,其父母妻子,皆相讪于朝外,怨襄公不听司马之言,<u>以致于</u>败。(《东周列国志》)

然而,由于受"以至于"的类推作用的影响,大约从上世纪二、三十年代,关联连词"以致"的附缀用法开始逐步出现。例如:

(102) 只因为我们多有了灵明,既瞻前,又顾后,既问着,又答着;这样,<u>以致于</u>生命和趣味游离,悲啼掩住了笑,一切遍染上灰色。(俞平伯《跋〈灰色马〉译本》)

(103) 习俗相沿,不得不从那有限的民间传说与宗教史中选择名字,<u>以致于</u>到处碰见同名的人,那是多么厌烦的事!(张爱玲《必也正名乎》)

进入当代以来,"以致于"的使用频率呈现出进一步升高的趋势。例如:

(104) 在段莉娜的对面,康伟业唯一比较清醒的感觉就是他们之间的悬殊太大了,<u>以致于</u>康伟业怀疑李大夫对段莉娜隐瞒了他的真实情况。(池莉《来来往往》)

(105) 目前大陆社会还没有达到西方社会高度商业化、高度工业化的程度,<u>以致于</u>我们原先想把"海马"发展成制片公司的设想在短时间内无法实现,这需要全社会进行长时间的努力。(大夫《"海马"与〈广告人〉纠纷》)

(106) 他为什么偏偏就忘记了防备着徐邦呈呢,为什么要那么紧张,<u>以致于</u>脑子里只剩下了一根弦,只等着和从黑暗中上来的那群越境特务开打呢?(海岩《便衣警察》)

(107) 1983年的中国,"节目主持人"还是一个标准的"新鲜词儿",<u>以致于</u>她在作毕业论文的时候几乎无资料可查,只有虹云、徐蔓、沈力她们在前头摸索。(杨继红《敬一丹的屏幕风采》)

作为一个关联连词,"以致于"现在甚至还可以衔接句子构成句组。例如:

(108) 这条一万一千华里的砖石砌成的明长城,比起秦汉长城来,自然是牢固多了。然而,它也使明朝耗尽力量,元气大伤。等到女真人崛起于白山黑水之间,一代雄杰努尔哈赤挥戈南下的时候,这绵延数万里的砖石长城,只能再一次记录巨大的失败了。以致于后来的康熙皇帝说:修筑长城,实属无益。(苏晓康《河殇·寻梦》)

(109)对于老巴的好心,无论我怎么泼冷水,他依然是那么自信,以致于许多次他好心的劝说使我竟有些恼火了。面对这样"痴心不改"的好朋友,你又能怎么样呢?以致于每次看到他的时候,我竟然会产生错觉,好像做错的是我,是我对不起他。(陈国军《不得不说的故事》)

那么,导致两者最终走向三方面中和的原因又是什么呢?从客观的角度看,语言是在不断发生变化的,在长期的使用过程中,由于"以至"和"以致"本来就是一对功能和用法比较接近的连词,而且两个词在读音上完全一致,词形上相当接近,这样,在"以至"的类推作用,两词在长期使用过程中互相感染和互相影响,逐渐走向了趋同。从主观的角度看,一些人在使用中不求甚解想当然的语言态度,可能也是一种次要的诱发因素。比如,在有些作者的作品中,不管表达什么样的连接功能和语义倾向,从来就没有用过"以至"。

3.4 两者的微殊。那么,是不是两词的中和就意味着"以至"和"以致"变得完全相同了呢?答案显然也是否定的。我们发现,尽管前言中所提到的那四个方面的差别现在确实已经不存在了,但是这两个词在中和的大趋势下毕竟还是存留着些微的区别,主要是语用方面的选择性差异。也就是说,这两个词现在在表达中,大致还有以下四个方面的侧重。

A. 连接方式。首先,"以至"的主要功能是充当组合连词,次要功能是充当关联连词。而"以致"正好相反,主要功能是充当关联连词,次要功能是充当组合连词。据统计,即使加上递进关系,在"以至(于)"的两种功能中,关联功能还是处于相对弱势的地位。而"以致(于)"的情况正好相反,组合功能作为一种新兴的用法,目前还没有被广泛地接受,使用当然不广。其次,虽然两词都可以后附"于",但是由于"以致"后面的"于"主要是类推的结果,而"以至"后面的"于"不但具有一定的理据而且源远流长,所以,两者附加"于"的比率相差较大。而且,作为组合连词,"以致"连接体词性成分少于连接谓词性成分,像下面这样的用例还是不多见的。例如:

(110)(上述活动)均由其策划和参与,或因其庇护和支持,都是因为部门利益、地方利益以致个人私利而丧失原则。(1995年《人民日报》)

B. 关联功能。首先,同样是表示因果逻辑关系,"以至"表致使性因果时,往往重在由于程度的加深、变化的延展、事物的发展导致的因果关系,而"以致"表程度性因果时,往往重在由于前面的动作行为、情状情况直接导致的因果关系。试比较:

(111)我记得我们打扑克的过程中,套间里面一直有一男一女在低声说话,语焉不详,但叽叽喳喳之声始终未停,像寂静中的一种蜂鸣,微弱但毫不间断地骚扰的注意力使我既静不下来又集中不了精神,<u>以至</u>后来当回忆当时的情景时我总有那间屋很喧的印象。(王朔《玩的就是心跳》)

(112) 人人仰慕的大学教授的名门闺秀,沦落为人人不齿的五类分子子女,<u>以致</u>最后要嫁给一个身材矮小,一副病态的山村农民,对她来说,这是做梦也不会想到的事!(张平《姐姐》)

其次,"以至"还可以连接递进和连贯关系的复句,"以致"由于受自身语义的限制,没有引申出这样的用法。例如:

(113) 有一个时期,有少数同志认为,我们这个社会是不是社会主义社会,该不该或能不能实行社会主义,<u>以至(*以致)</u>我们党是不是无产阶级政党,都还是问题。(邓小平《党在组织战线和思想战线上的迫切任务》)

(114) 他手里拄着镢把儿瞅着躺在土壕里的孝文竟然没有惊奇,他庆贺他出生看着他长大看着他稳步走上白鹿村至尊的位置,成为一个既有学识又懂礼仪而且仪表堂堂的族长;又看着他一步步滑溜下来,先是踢地接着卖房随后拉上枣棍子沿门乞讨,<u>以至(?以致)</u>今天沦落到土壕里坐待野狗分尸。(陈忠实《白鹿原》)

C. 表义倾向。前面已经指出,在充当关联连词时,"以至"和"以致"在表义的倾向上都已经没有明显的限制,但总的说来,由于受语言表达习惯和各种辞书的影响,表如意的"以致"句毕竟要大大少于"以至"句,所以,下面这样表如意的"以致"句还不太常见:

(115) 我自幼背诵诗词,虽经数十载风雨磨洗,储于脑中的锦章绣句仍历历未忘,<u>以致</u>每在行文之时,词儿句子便活蹦乱跳争先恐后集结于笔尖待命,任由我派遣调度。(郭光豹《寻章摘句平常事》)

(116) 研究敦煌艺术的人士逐渐增多,研究队伍日益扩大,研究成果不断推出,<u>以致</u>在社会科学领域内,"敦煌学"已经形成为一种专门学科,并且现在已经成为世界范围内的一门学科。(李永翘《"怪物"与震惊世界的发现》)

即使没有明显倾向性的中性义"以致"句,所占比率也没有"以至"句高。例如:

(117) 即使在萨拉热窝那样的战区,废墟中修复最快的也是咖啡馆,<u>以致</u>在紧靠交火线的楼群中,竟也有消闲的去处,管弦之音与夺命的枪炮共存。(1995年《人民日报》)

(118) 他把支持尼克松进而推进中美关系放在了首位,<u>以致</u>后来出任尼克松的政治外交顾问和尼克松总统竞选总部主席之职。(张大富、甘远志《尼克松的对华政策谋士》)

同样,附缀式"以致于"表如意或中性义的用例,更是比较罕见。例如:

(119) 我第一次注意到这种鸟,它的叫声真的很好听,它的出现激发了我们的灵感,以致于我和刘晓庆的"接头暗号"就是——我用口哨吹《杜鹃圆舞曲》的头两句。(陈国军《不得不说的故事》)

(120) 这一爱好并没有因乐坛好歌连绵不断而改变,每听一遍,总觉得有新的发现,以致于现在《蒙娜丽莎》每天伴我晨起,伴我夜寐,成为我孤独时候唯一的亲人和朋友。(潘虹《潘虹独语·连载之六》)

总之,"以至"和"以致"都可以分别表示如意和不如意的语义倾向,但比较起来,"以至"在这方面可以说几乎没有任何限制,而"以致"尽管已经突破了以往的限制,但目前还是以表示不如意居多。据统计,在所调查的语料中,"以至"句表如意、中性和不如意的比率比较接近,大致为 5:3:3,而"以致"的比率则比较悬殊,大约为 1:1:18。

D. 在衔接分句和句子构成复句、句组时,"以至于"可以单独使用,承上启下。例如:

(121) 他的天性忠厚,他的为人随和,他的委曲求全,他的总爱替别人操心的习惯,全都是在无形中被她一点一点地感受到的;以至于,她自己都弄不清楚到底是从什么时候起,周志明的影子就开始勾留在她的心室一角了。(海岩《便衣警察》)

(122) 在有的场合,他从社会心理学的角度强调,每一个拥护改革的中国人,都必须以健全的心理承受改革所带来的种种压力,而在另一种场合,他悲天怜人,又说中国人的心理早已不堪重负,人和改革的关系,不是炒锅和豆子的关系。以至于,当他想把自己发表过的那些文章编成一个集子的时候,连他自己也认为,许多文章的观点是截然对立的。(梁晓声《冉之声》)

而"以致于"可能是受"致"所积淀的涉后语义的限制,迄今没有发现可以独用的例子。

四 结 语

4.1 从上面的描写可以看到,无论是充当组合连词还是关联连词,"以至"和"以致"之间已经并不真正存在一般所认为的那四个方面的区别。那么,为什么前人的描写和归纳会出现偏差呢?可能的原因大致有三个方面。首先,"以至"和"以致"的不少差异本来就是一种程度、频率的量的区别,而不是非此即彼的质的区别,在具体使用中往往体现为一种倾向性而非规律性,而以往的归纳和说明大都是在缺乏大规模实际语料调查和统计的情况下得出的;至于绝大多数辞书所持的类似的描写和表述,可能与相互之间辗转参照有关。其次,以往有些归纳和解释现在看来之所以不够确切,可能并不是当时的观察错了,而是"以致"在类推作用下发生了改变,已经逐渐向"以至"靠拢,而任何研究和分析都不可能时刻紧跟演进中的语言的一切变化。再次,由于读音的相似和用法、词形的相近,在具体使用中一些人常常不求甚解,从而自觉不自觉将这两个本来就差距不大的词语进一步混同了起来。

4.2 在现代汉语虚词中,由于形近、义同或音近,两个虚词在长期的使用中逐渐互相靠拢,慢慢趋向中和的情况并非只有"以至"和"以致"。据考察,有不少本来语义和功能不尽相同的虚词,比如"决不"与"绝不"、"素来"与"夙来"、"慢说"和"漫说"、"一起"与"一齐"、"从新"与"重新"、"越加"和"愈加"、"乘机"和"趁机"等等,由于音同或音近,而词形用法又较接近,再加上使用中的不求甚解,已经或正在趋于中和。这一对对虚词,在一些语法书和虚词词典中都明确地指出了相互间的细微区别,而且,这些差别也确实存在,然而,我们也发现了它们间正在趋于中和的许多实际用例。那么,应该怎样看待这类趋同现象呢?是仍然坚持一般语法书和虚词词典所说的确已过时的归纳和辨析,对各种业已发展变化的用例视而不见呢?还是承认这些虚词的中和趋同用法的合法地位,记录并指出这些新兴的发展变化呢?很显然,这个问题已经涉及到当前虚词使用和规范过程中的一个重要的原则:究竟应该采用规定性(prescriptive)的原则,还是应该采用描写性(descriptive)的原则。我们觉得,语言学工作者不但要关注和总结历史,全面揭示这些虚词的虚化诱因、机制和过程,而且更应该关注现实和未来,对已经发展变化的语言现象作出尽可能精确的描写,随时记录语言的发展变化,归纳和总结出相应的新现象和新规则,并且根据各种演化的规律,指出其可能发展的趋势。

参考文献

沈家煊(1994)《"语法化"研究综观》,《外语教学与研究》第4期。
沈家煊(2001)《语言的"主观性"和"主观化"》,《外语教学与研究》第4期。
孙朝奋(1994)《〈虚化论〉评介》,《国外语言学》第4期。
太田辰夫(1987)《中国话历史文法》(中译本),北京大学出版社。
赵元任(1979)(*A Grammar of CHINESE* 1968,吕叔湘译)《汉语口语语法》,商务印书馆。
Sweeter Eve (1990) *From etymology to pragmatics: Metaphorical and cultural aspects of semantic structure*. Cambridge University Press.
Heine Bernd, Ulrike Claudi, and Fruederike Uünnemeyer (1991) *Grammaticalization: A Conceptual Framework*. Chicago: The University of Chicago Press.
Hopper Paul, J. & Traugott Elizabeth, C. (1993) *Grammaticalization*. Cambridge: Cambridge University Press.
Joan Bybee, R. Perkins & W. Pagliuca (1994) *The Evolution of Grammar — Tense, Aspect, and Modality in the Languages of the World*. The University of Chicago Press.

(200234 上海,上海师范大学语言研究所)

从脑波实验来看大脑对语气的认知

孟子敏

摘　要：本文通过对功能变调的研究,利用事象关联电位测定的方法,对大脑认知祈使句和疑问句时产生的脑波是否存在差异,来进一步考察人类认知语气时所产生的脑波及其特征。实验结构表明:听发音相同,语气不同的句子刺激音时,出现的第二 N 波成分潜时,N 波成分明显不同。在听祈使句时,第二 N 波潜时较早;听疑问句时,第二 N 波潜时较晚。因此,可以推定,大脑对语气信息的认知不仅是敏感的,而且是独立于语音、语法、词汇独立进行的,并且大脑对一定语气的认知具有相应一定的认知模式。

关键词：脑波试验；认知；功能语气；潜时

一　引　言

大脑是如何认知语言的,语言学者对此抱有浓厚的兴趣。近些年来,在汉语学界特别是语法研究领域,从认知角度来进行语言研究的论文似乎有不断增加的趋势,认知语言学成为争相探讨的课题。不过,大脑是如何进行语言认知活动的,目前还缺乏足够的描写和说明。大脑在进行语言认知活动时,处于一种什么状态,会产生什么变化,我们了解得还并不充分。

现在,利用脑波实验,使得对脑内的言语认知活动的观察和描写成为现实。比如,在语音学领域,城生佰太郎(2002)曾经请中国人、日本人、韩国人做被试,使用事象关联

---

[*] 本实验研究得到了城生佰太郎先生的指导。实验和论文撰写过程中,筑波大学博士课程班的福盛贵弘、高惠祯、小山真希、高桥洋成、任图雅、池田晶、张静秋诸位积极协助,并提出意见。笔者曾先后在北京、台北、东京、济南等地以不同形式报告过此项研究的结果,并承蒙与会者提出意见。本文的日语版,得到了刘勋宁、方经民先生的帮助,得以在《现代中国语研究》(第 5 期)上发表。以上诸项,笔者谨在这里表示谢意。2005 年 8 月,笔者和增野仁先生访问上海师范大学对外汉语学院时,也曾就本研究结果作过报告,承蒙齐沪扬、陈昌来等先生以及对外汉语学院的硕士、博士研究生提出意见,在此谨表示感谢。我们还想说的话是,此次发表本研究结果的中文版,也是为了纪念我们的同行、同事和朋友方经民先生。

电位①的测定方法进行了脑波实验。实验的内容是让被试听日语的"パ"[p'a]这个音,测定三位被试听音时的脑波反应。结果发现,以日语为母语的被试和母语非日语的被试(中国人和韩国人)在听这个音的时候,至少 N1② 波、N2③ 波成分潜时④表现出明显的差异。结论还进一步明确指出:母语为日语的被试在短短的 130ms 前后就能分出母语非母语的差别,人的大脑中具有迅速捕捉来自母语的极其细微的特征的敏锐神经。这一结果,对于外语教学和学习来说,也具有积极的参考价值。福盛贵弘(2002)考察了语言声音和事象关联电位中的 N1 成分的相关性,认为大脑在接受语言声音刺激的情况下,除了受音响特征的影响外,还有其他方面因素的影响。所以,不能简单说 N1 成分是外因性的电位反应,这其中也有内因性的电位在起作用(福盛贵弘,2002)。这些成果,在研究大脑对人类语言声音的认知时,都是很有意义的探讨。

上述研究也发现了一下需要更进一步深究的问题。比如,如何利用有意义的语言声音作为实验用的刺激音,对研究大脑内进行的语言认知活动来说,就是一个十分重要的研究课题。但是,以语音学或者说语言学为目的的脑波实验研究,还有一定的困难(城生佰太郎,1997)。本研究试图在这方面进行一些探索。我们使用山东平邑方言中的功能变调(详见下文 3),利用事象关联电位测定的方法,来寻找认知语气时所产生的脑波及其特征。在认知语言学领域,这一研究尚属首次。

二 实验目的

本研究探索大脑在认知祈使句和疑问句的语气时所产生的脑波是否存在差异。

三 实验材料

本次实验所选用的材料来自平邑方言。详细理由如下。

---

① 事象关联电位(event related potentials),简称为 ERP。视觉、听觉、感觉等刺激通过神经经路,传到大脑。大脑在接受刺激后,就会对这些信息进行处理,比如加以注意、进行认知等一些心理或精神活动。在这一连串的心理、精神活动中,随着时间进展,在大脑内会产生一过性的电位变化。这种电位变化统称为事象关联电位。

② N1 是在潜时 90~150ms 附近上升起来的阴性波。N1 和 P2(潜时 170~260ms 附近上升起来的阳性波)一起,与被试的注意高度关联。

③ N2 是在潜时 250~300ms 附近上升起来的阴性波。

④ 从刺激开始的时点,到 N 波、P 波顶点的时间,称为潜时。

3.1 平邑方言

平邑方言分布在山东省南部,属于中原官话(声韵系统参见附录1)。我们这里只介绍平邑方言的声调情况。

平邑方言共有四个声调,具体如下:

第一声[214] 边砖三灯抽江村婚姻|笔麦出擦秃辣尺七骨月
第二声[53] 盘床才疼南龙神群娘云|拔白术服砸独舌局瘸学
第三声[44] 比马准草懂冷展紧古五|读
第四声[412] 变面撞放淡愣正醉厚暗|物祝陆

另外,还有一个轻声,用[3]来表示。

3.2 功能变调

平邑方言中,变调之后可以表达与原来声调不同的语气,我们称之为功能变调。比如,"你吃吧"这个句子,在祈使句中,说成"[ni^{44} tʂʰʅ^{214} pa^3]","吃"不变调;如果说成疑问句,就说成了"[ni^{44} tʂʰʅ$^{214-412}$① pa^3]","吧"之前的音节"吃"就由第一声变成了第四声。如果句子末尾没有"吧"的时候,则通过句子最末音节的变调,来表达疑问语气。

对于这种语言现象,笔者曾经做过详细的描写分析(孟子敏,2000a,b)。平山久雄先生通过这种功能变调现象探讨古代的声调,结论认为它反映了祖调值(平山久雄,2000)。

上述的功能变调规律如下:

祈使句		疑问句
第一声[214]	⟶	第四声[412]
第二声[53]	⟶	第三声[44]
第三声[44]	⟶	第一声[214]
第四声[412]	⟶	第二声[53]

从上述表中,可以发现以下现象:

第一声[214]	=	由第三声变调而来的[214]
第二声[53]	=	由第四声变调而来的[53]
第三声[44]	=	由第二声变调而来的[44]
第四声[412]	=	由第一声变调而来的[412]

由此可以看出,相同的声调担负了表达不同语气的功能。大脑在认知同样的调值

---

① 214-412,横线前表示原调,横线后表示变调。下同。

所表达出的不同语气时,脑波上会不会有差异呢？要研究这个问题,在实验初期,利用这种功能变调现象作为实验材料是可靠的。

3.3 被试

平邑方言为母语、P. MM　　出生地：中国・山东省・平邑县

生年：1964 年　　　　　　　性别：男性

右手优势

3.4 刺激音

我们先不涉及声调,刺激音就是以下的形式：

$$[\textrm{ȵi tɕʰi pa}]$$

将这一形式附加上声调,再加上功能变调,就形成了八个句子。这八个句子就是本次实验的刺激音。具体如下：

分类 基本句	未发生功能变调 （祈使句）		发生功能变调 （疑问句）
你漆吧	1a① ȵi^{44} tɕʰi^{214} pa^3	→	1b　ȵi^{44} tɕʰi$^{214-412}$ pa^3
你骑吧	2a　ȵi^{44} tɕʰi^{53} pa^3	→	2b　ȵi^{44} tɕʰi$^{53-44}$ pa^3
你起吧	3a　ȵi^{44} tɕʰi^{44} pa^3	→	3b　ȵi^{44} tɕʰi$^{44-214}$ pa^3
你去吧	4a　ȵi^{44} tɕʰi^{412} pa^3	→	4b　ȵi^{44} tɕʰi$^{412-53}$ pa^3

把这个表改变一下,就可以看出以下同音的句子。

分类 祈使句　疑问句		未发生功能变调 （祈使句）		发生功能变调 （疑问句）
1a 你漆吧	3b 你起吧	1a ȵi^{44} tɕʰi^{214} pa^3	=	3b ȵi^{44} tɕʰi$^{44-214}$ pa^3
2a 你骑吧	4b 你去吧	2a ȵi^{44} tɕʰi^{53} pa^3	=	4b ȵi^{44} tɕʰi$^{412-53}$ pa^3
3a 你起吧	2b 你骑吧	3a ȵi^{44} tɕʰi^{44} pa^3	=	2b ȵi^{44} tɕʰi$^{53-44}$ pa^3
4a 你去吧	1b 你漆吧	4a ȵi^{44} tɕʰi^{412} pa^3	=	1b ȵi^{44} tɕʰi$^{214-412}$ pa^3

四　实验设备及实验程序

4.1　实验设备

本实验研究在筑波大学人文社会学研究栋 B613 音声实验室进行。

---

① 1a 表示第一声未发生功能变调的句子,即祈使句；1b 表示第一声发生功能变调的句子,即疑问句。其他依此类推。

声源装置:为榊氏私人版 Winstim,在 IBM 公司生产的 PS/Vmodel2408 型电脑上、Windows 环境下运行。该电脑与 Technics 公司生产的 Stereo Power Amplifier Technics 60A 扩音器相连接,刺激音放音在电脑上操作,通过扩音器,由同公司生产的 2-Way Speaker SystemsecB-6000 型喇叭放出,让被试来听。为了即时记录脑波,由 Winstim 开始发出信号,由 PS/Vmodel2408 电脑通过生体放大器,与记录脑波的 PC9821 型电脑相连接。刺激音的放音音压为 65dBSL[①]。

脑波读取装置:为 NEC 公司生产的 BIOTOP 6R12 型生体放大器,该放大器与 PC9821 型电脑相连接。

读取脑波使用的是研究用诱发电位软件 EPLYZER Ver. 2.101,在 PC9821 电脑 MS-DOS 上运行。EPLYZER 上,设定抽样率为 500Hz,设定的前时间为-100msec,读取时间长度设定为-100～1945msec. 加算次数为 35 次[②]。

电极配置依据国际 10/20 法进行[③]。所用的电极器材是 ECI-2 型电子帽。该器材有 16 个孔,具体配置的位置如图 1 所示。图中省略号所表示的分别是:Fp:最前额部位(frontal pole);F:前额部位(frontal);C:中央部位(central);P:头顶部位(parietal);O:后头部位(occipital);T:侧头部位(temporal);A:耳部(auricular,作用相当于地线,不用于测定电压,只是为了避免交流障碍)。另外,需要说明的是,奇数表示左脑,偶数表示右脑,z 表示头部中央线。

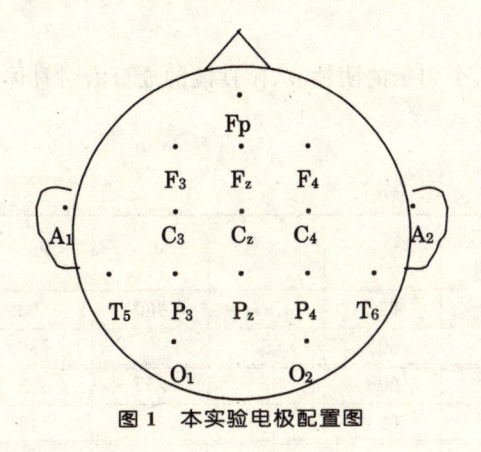

图 1　本实验电极配置图

[①] SL 表示可感范围。测量事象关联电位时的刺激音再生音压标准为 40～75dBSL(渡边千晴,1999)。

[②] 测定事象关联电位时加算次数 20～50 次为最佳方案(日本脑波·筋电图学会,1985)。利用加算法,可以将反应波和背景杂波分离开来,读取清晰的反应波。应该说,加算次数越多越好。但那样会使被试处于疲劳状态,反映出来的脑波波形反而会显得暧昧而不可靠。本实验采用 35 次加算的方式。

[③] 此方法是蒙特利尔大学的 Jasper, H. H.(1958)提出的,现在作为国际脑波学会的电极配置法的标准方式而广泛被采用。具体做法是,从鼻根至头后脑之间、左右两耳(耳孔)之间,按照 10%、20% 的比例分割开来,进行电极配置。

4.2 实验程序

首先请被试进入隔离室,坐在实验用的安乐椅上。将电子帽戴在被试头上,然后注入导电胶液。

请被试放松,以自然状态听反复放送的刺激音。刺激音的音量控制在 65dBSL。刺激音为单独连续播放。播放间隔为 4 秒。

听音过程中,让被试眼睛处于半闭状态,身体不要转动,也不许做任何小动作。

本次实验中,在听每一个刺激音之前,告知被试该刺激音所表示的语气。

4.3 解析方法

解析所用的软件是前文所说的 EPLYZER,在研究用 ATAMAP 项目上进行。本研究中,我们推定 N_{600} 以后的阴性波、阳性波跟意义、语气的判断相关联。在此假定下,我们以 N_{600} [1]、P_{700} [2] 以及在此之后的振幅较大的阴性波和阳性波为中心来进行解析。首先用眼睛判明 N_{600} 以后是否出现阴性波、阳性波。如果出现,再测定最高电压的成分潜时。

五 实验结果

我们测定的四对八个句子的阴性波、阳性波的成分潜时具体数据如表 1 所示。

表 1   单位:msec

潜时 刺激音	N_{600}	P_{700}	N_{800}	P_{800}	N_{900}	P_{900}
1a(MEIREI1)	652	724	**800**	852	928	964
1b(HENCHO1)	598	650		790	**858**	920
2a(MEIREI2)	608	690	**752**	818	858	912
2b(HENCHO2)	624	692		846	**890**	960
3a(MEIREI3)	630	692	**774**	810	890	920
3b(HENCHO3)	670	736		822	**928**	956
4a(MEIREI4)	604	730	**774**	802	828	916
4b(HENCHO4)	612	678		828	**854**	898

---

[1] N_{600} 为潜时 600ms 附近上升起来的阴性波。其他依此类推。
[2] P_{700} 为潜时 700ms 附近上升起来的阳性波。其他依此类推。

六 考察及讨论

6.1 发音不同的句子的潜时

这类句子即构成要素相通、结构相同、发生功能变调与否可以表达不同语气的句子。比如"你漆吧",未发生功能变调,表示祈使语气,说法为:1a [ȵi⁴⁴ tɕʰi²¹⁴ pa³];发生功能变调,表示疑问语气,说法为:1b [ȵi⁴⁴ tɕʰi²¹⁴⁻⁴¹² pa³]。

6.1.1 N_{600} 成分的潜时

祈使句和疑问句相比,没有明显的倾向性差异。如祈使句 1a(652 msec)与疑问句 1b(598 msec)相比,祈使句的 N_{600} 成分潜时要晚一些(参看表 1);祈使句 2a(608 msec)、3a(630 msec)、4a(604 msec)与疑问句 2b(624 msec)、3b(670 msec)、4b(612 msec)相比,祈使句的 N_{600} 成分潜时又早一些。

6.1.2 P_{700}、P_{800}、P_{900} 成分的潜时

祈使句和疑问句相比,也没有表现出明显的倾向性差异。

P_{700} 成分的潜时,祈使句 1a(724 msec)、4a(730 msec)晚于疑问句 1b(650 msec)、4b(678 msec);而祈使句 2a(690 msec)、3a(692 msec)又早于疑问句 2b(692 msec)、3b(736 msec)。

P_{800} 成分的潜时,祈使句 1a(852 msec)晚于疑问句 1b(790 msec);而祈使句 2a(818 msec)、3a(810 msec)、4a(802 msec)又早于疑问句 2b(846 msec)、3b(822 msec)、4b(828 msec)。

P_{900} 成分潜时,祈使句 1a(964 msec)、4a(916 msec)晚于疑问句 1b(920 msec)、4b(898 msec);而祈使句 2a(912 msec)、3a(920 msec)又早于疑问句 2b(960 msec)、3b(956 msec)。

6.1.3 N_{800}、N_{900} 成分的潜时

解析脑波的时候,最初我们是按照 N_{600}·P_{700}·N_{800}·P_{800}·N_{900}·P_{900} 的顺序逐个进行的。结果发现了非常有意义的现象。我们所寻找到的脑电位图[①]排列顺序耐人寻

---

① 图 2~9 中,所看到的浓淡分布不均的球形图,是从头部上方所观察到的样子。它所对应的是大脑内相应部位的反应强弱多寡。原图颜色鲜明,分为红、蓝两色。这种图称为"脑电位图"。在解析实践中,移动竖线尺,看到的颜色最浓的一点,即是处于最高电压位置上的潜时点。

味。祈使句中,脑电位图的排列顺序依次是红、蓝、红、蓝、红、蓝(参看附录2的图2、图4、图6、图8);疑问句中,排列出来的顺序则变成了红、蓝、蓝、蓝、红、蓝(参看附录2的图1、图3、图5、图7)。

从这一现象来看,疑问句中作为第二 N 波(N_{800})的成分潜时并没有形成。作为疑问句的第二 N 波出现的阴性波实际上是 N_{900}。在疑问句中,第二 N 波成分潜时分别是(单位:msec):

$$1b:858 \quad 2b:890 \quad 3b:928 \quad 4b:850$$

而在祈使句中,第二 N 波成分潜时分别是(单位:msec):

$$1a:800 \quad 2a:752 \quad 3a:774 \quad 4a:774$$

两相比较,疑问句明显晚于祈使句。当疑问句第二个 N 波成分潜时出现的时候,祈使句的第三个 N 波成分潜时都已经出现了(参见表1)。

上述分析是针对发音不同的句子而进行的。也许有人会提出疑问,发音不同,当然脑波也会不同,是由于不同的发音导致了这种差异的出现。那我们不妨再换个角度分析,来考察一下发音相同,发生功能变调与否可以表达不同语气的句子。比如说成 1a [ŋi⁴⁴ tɕʰi²¹⁴ pa³] 的句子,表示祈使语气;3a 发生变调后说成 3b [ŋi⁴⁴ tɕʰi⁴⁴⁻²¹⁴ pa³],表示疑问语气。这一考察在 6.2 中进行。

6.2 发音相同的句子的潜时

为了方便对比起见,我将表1的顺序改变成表2。在表2中,各对句子的发音相同,即:

$$1a=3b \quad 2a=4b \quad 3a=2b \quad 4a=1b$$

表 2   msec

刺激音 \ 潜时	N_{600}	P_{700}	N_{800}	P_{800}	N_{900}	P_{900}
1a(MEIREI1)	652	724	**800**	852	928	964
3b(HENCHO3)	670	736		822	**928**	956
2a(MEIREI2)	608	690	**752**	818	858	912
4b(HENCHO4)	612	678		828	**854**	898
3a(MEIREI3)	630	692	**774**	810	890	920
2b(HENCHO2)	624	692		846	**890**	960
4a(MEIREI4)	604	730	**774**	802	828	916
1b(HENCHO1)	598	650		790	**858**	920

这样排列以后,脑电位图仍然跟 6.1.3 中所说的情形一致。即,祈使句的排列顺序依次是红、蓝、红、蓝、红、蓝;疑问句排列出来的顺序则依次是红、蓝、蓝、蓝、红、蓝。

6.2.1 N$_{600}$ 成分的潜时

祈使句和疑问句相比,N$_{600}$ 成分的潜时没有表现出明显的倾向性差异。比如祈使句 1a(652msec)与疑问句 3b(670msec)相比,祈使句 2a(608msec)与疑问句 4b(612msec)相比,祈使句的 N$_{600}$ 成分潜时的出现要稍早一些;祈使句 3a(630msec)、4a(604msec)与疑问句 2b(624msec)、1b(598msec)相比,祈使句的 N$_{600}$ 成分潜时又稍晚了一些(参看表 2)。

6.2.2 P$_{700}$、P$_{800}$、P$_{900}$ 成分的潜时

祈使句和疑问句相比,也没有表现出明显的倾向性差异。

P$_{700}$ 成分的潜时,祈使句 1a(712msec)早于疑问句 3b(736msec);而祈使句 2a(690msec)、4a(730msec)又晚于疑问句 4b(678msec)、1b(650msec);祈使句 3a(692msec)则与疑问句 2b(692msec)相同。

P$_{800}$ 成分的潜时,祈使句 1a(852 msec)、4a(802 msec)晚于疑问句 3b(822msec)、1b(790msec);而祈使句 2a(818 msec)、3a(810 msec)又早于疑问句 4b(828 msec)、2b(846 msec)。

P$_{900}$ 成分潜时,祈使句 1a(964msec)、2a(912 msec)晚于疑问句 3b(956 msec)、4b(898 msec);而祈使句 3a(920msec)、4a(916msec)又早于疑问句 2b(960sec)、1b(920msec)。

6.2.3 N$_{800}$、N$_{900}$ 成分的潜时

同 6.1.3 中的分析一样,疑问句中作为第二 N 波出现的潜时明显晚于祈使句的第二 N 波。具体对比如下(单位:msec):

    1a:800 2a:752 3a:774 4a:774
    3b:928 4b:850 2b:890 1b:858

6.3 第二 N 波成分潜时对比图及 N 波成分图

我们将 6.1.3 和 6.2.3 综合起来,可以得到祈使句和疑问句的以下几张图(参看图 10、图 11、图 12)。

6.3.1 第二 N 波成分潜时对比图

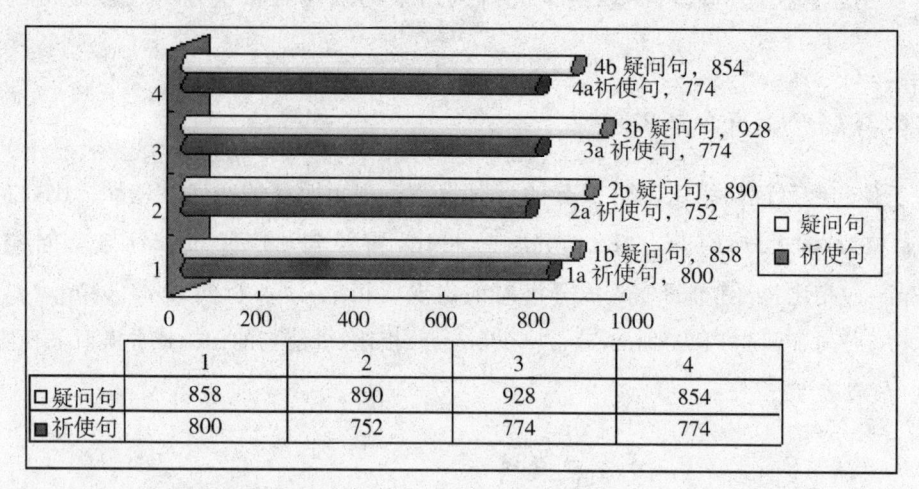

图 10 祈使句和疑问句的第二 N 波成分潜时对比图 单位:msec

	1	2	3	4
疑问句	858	890	928	854
祈使句	800	752	774	774

6.3.2 N 波图

在听祈使句时,N_{600}之后,出现了三个 N 波(N_{600}、N_{800}、N_{900}),我们用图 11 来表示。在听疑问句时,则出现了两个 N 波(N_{600}、N_{900}),我们用图 12 来表示。图 11 和图 12 均以 C3 电极位置的电压为基准。

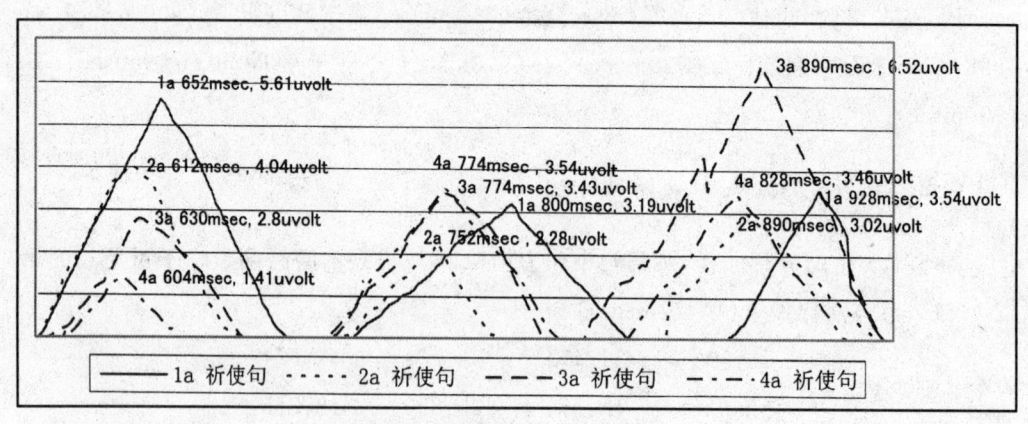

图 11 祈使句的 N 波示意图

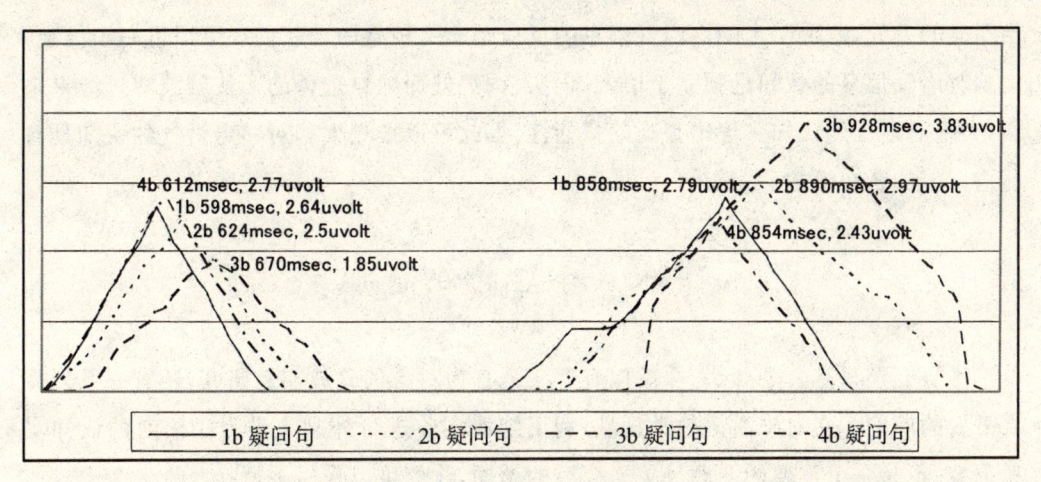

图 12　疑问句的 N 波示意图

从这两张图中的形状来看,我们可以称祈使句的 N 波为"山"字型;疑问句的 N 波,可以称为猫耳型。

七　结　论

实验和解析结果表明,在听发音相同,语气不同的句子刺激音时,所出现的第二 N 波成分潜时、N 波成分明显不同。在听祈使句时,第二 N 波潜时较早;听疑问句时,第二 N 波潜时则较晚。N_{600} 之后,祈使句出现了三个 N 波(N_{600}、N_{800}、N_{900}),疑问句出现了两个 N 波(N_{600}、N_{900})。祈使句和疑问句表达语气的 N 波成分,本文进一步概括为图 13 和图 14,分别称之为"山"字型和猫耳型。

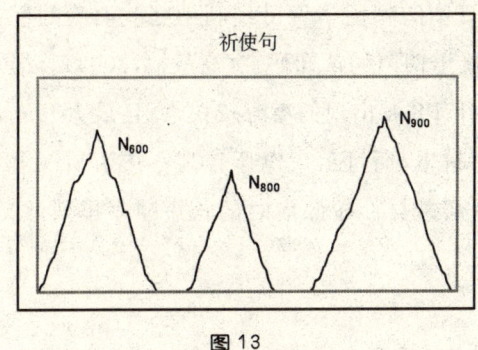

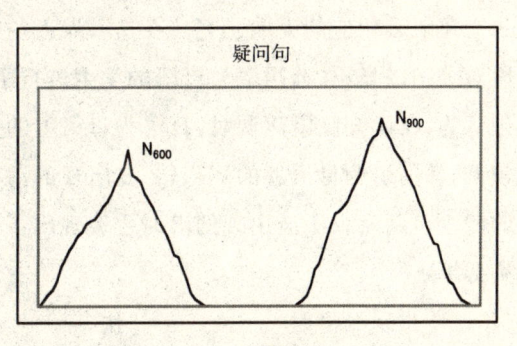

图 13　　　　　　　　　图 14

为什么会出现这种脑波反应,我们的解释是:在听祈使语气时,必须马上对所传达的内容做出语言或行动上的反应,所以,第二 N 波出现较早,形成了三个 N 波;而在听疑问句时,首先要对疑问内容进行思考,这当然就需要更长的时间,所以,第二 N 波就出现得较晚,形成了两个 N 波。语气不同的句子,即使是语音相同,脑波波形也会呈现出明显的差异,这说明大脑对语气信息的反应是非常敏感的。我们还可以进一步推定,大脑对语气信息的认知是独立于语音、语法、词汇外而独自进行的。从脑波解析结果来看,大脑对语气的认知呈现出很高的概括性,据此可以推测大脑对一定语气的认知具有相应一定的认知模式。

八 今后的课题

本研究还只是一个开头,今后以有意义语言为对象的脑波实验研究,还有一系列需要开发的课题。在对外汉语教学领域,利用脑波实验进行外国人学习汉语时的认知实验研究,也是一个重要的课题。关于今后的课题,我们可以作以下概括。

1. 本课题所说的语气认知实验是利用典型的语音形式相同而语气不同的材料而进行的,所得出的关于祈使和疑问语气认知的结论,目前还只能说是限制在这一实验的范围内。这一结论,是否具有普遍意义,还需要进一步考察。比如,选择北京话的祈使和疑问语气,甚至选择日语或英语的祈使和疑问语气来作为实验材料,会出现什么样的结果呢?

2. 近些年来,对外汉语教学研究成为汉语学界关注的领域。随着教学规模的扩大和学科队伍的充实,对外汉语教学研究已经取得了不少成果(赵金铭,2005)。但是,我们必须认识到,在对外汉语教学领域,实验、实证、实用研究一直是对外汉语教学的薄弱环节,有些实验研究甚至还是空白,而且这一现象目前还看不到明显改观的迹象。比如,汉语声调是对外汉语教学的重要一环,不同母语背景的留学生对声调的认知如何,我们还缺乏相应的尖端研究。在这一点上,在日本的韩国学者已经利用脑波实验的手段对分别以日语、韩国语为母语的学生进行了汉语四声的认知研究(高慧祯,2003)。结论认为,在认知汉语声调时,日语为母语者的 N1、P2 波出现的潜时较快,而且最大电压较低;韩国语为母语者的 N1、P2 波出现的潜时较慢,而且最大电压较高。在认知汉语的四个声调时,N1 波出现的潜时也表现出了明显差异。按照潜时的长短顺序排列,结果如下:

N1 出现的潜时　　　　　　快　　　　　　　慢
日语为母语者:　　　　　第4声 ＜ 第2声 ＜ 第1声 ＜ 第3声
韩国语为母语者:　　　　第4声 ＜ 第2声 ＜ 第1声 ＝ 第3声

这一研究对于对外汉语声调教学和研究来说,应该说具有重要的启发意义。

声调只是留学生习得汉语时的一个重要方面,留学生习得汉语语气时表现出来的所谓"洋腔洋调",是否跟他们对汉语的语气认知有关呢,通过脑波实验对留学生的汉语语气的认知加以考察,也是一个很有意义的课题。

综上所述,在对外汉语教学领域,应该有效地进行实验、实证、实用研究,这样才能树立起完美的对外汉语教学的学科形象。研究成果的数量多仅仅是一个学科繁荣的一个方面,而保持研究方法、研究课题、研究理念等的先进性才是一个学科在国际上得以立足的根本所在。

参考文献

城生佰太郎(1997)《実験音声学研究》,日本 勉诚社,东京。

城生佰太郎(2002)《世界の言語から見た日本語音声の特色》,《現代日本語講座》第 3 卷《発音》,飞田良文 佐藤武义 编,明治书院,东京。

渡辺千晴編(1999)《脳誘発電位測定ハンドブック》,メディカルシステム研修所。

福盛貴弘(2002)《言語音の認知とERPにおけるN1成分との相関性》,冈山大学,《言語学論叢》,第 9 号,冈山。

高慧禎(2003)《韓日両言語母語話者におけるアクセント知覚—音発学的アクセントの違いによる脳波実験を通して—》,《日本学報》別冊,第 54 輯,韓国日本学会。

孟子敏(2000a)《平邑话的功能变调》,《首届官话方言国际学术讨论会论文集》,青岛出版社。

孟子敏(2000b)《平邑话的变调——兼论变调的类型》,《中国語学研究・開篇》,Vol. 20,东京。

平山久雄(2000)《两点心得——首届官话方言国际学术讨论会上所感》,《首届官话方言国际学术讨论会论文集》,青岛出版社。

日本脑波・筋电图学会(1985)《日本脑波・筋电图学会诱发电位测定指针(案)》,《脳波と筋電圖》,13。

赵金铭(2005)《"十五"期间对外汉语学科建设研究》,《对外汉语研究》第 1 期,商务印书馆。

Jasper, H. H. (1958) The ten twenty electrode system of the international federation. *Electroencephalography and Clinical Neurophysiology*. 10.

(日本松山大学人文学部)

附录 1

平邑方言的声母、韵母系统。

1. 声母，共计 27 个。

p 帮傍	pʰ 趴旁	m 马忙		
pf 猪庄	pfʰ 出床		f 发双	v 如软
tθ 脏自	tθʰ 曹菜		θ 散嫂	
t 刀道	tʰ 天田	n 拿奴	l 来绿	
tʃ 照直	tʃʰ 昌柴		ʃ 沙生	ʒ 然人
		ɭ 儿二		
tɕ 精经组	tɕʰ 牵钱粗	ȵ 年女	ɕ 先县俗喊	
k 公共	kʰ 康狂		x 汗话	ɣ 安饿

2. 韵母，共计 39 个。

ɿ 资寺	i 皮飞	u 补毒绿	y 举醋
ʅ 知石			
ə 婆革说	iə 贴姐	uə 朵国	yə 月药坐
ɛ 摆改拽	iɛ 街鞋	uɛ 怪外	yɛ 圈两圈院花园
a 八他抓	ia 家匣	ua 瓜瓦	
ɔ 包赵	iɔ 表教		
əi 德黑吹	iəi 巾系名词	uəi 腿魂	yəi 堆碎
əu 头狗	iəu 六就		
ā 班喊穿	iā 鞭咸	uā 短宽	yā 劝酸
ə̄ 本麦春	iə̄ 贫亲	uə̄ 蹲滚	yə̄ 军孙
aŋ 绑纲双	iaŋ 亮姜	uaŋ 光荒	
əŋ 碰坑中	iəŋ 病青		
		uŋ 东红	yuŋ 穷松

附录 2

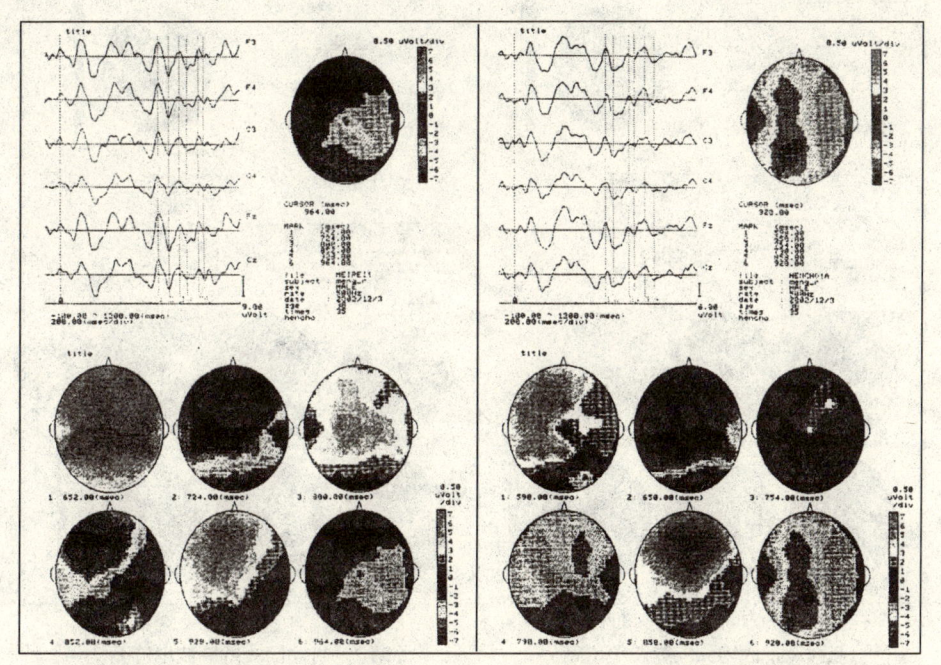

1 红、2 蓝、3 红、4 蓝、5 红、6 蓝
图 2　祈使句 1a 的脑波电位图

1 红、2 蓝、3 蓝、4 蓝、5 红、6 蓝
图 3　祈使句 1b 的脑波电位图

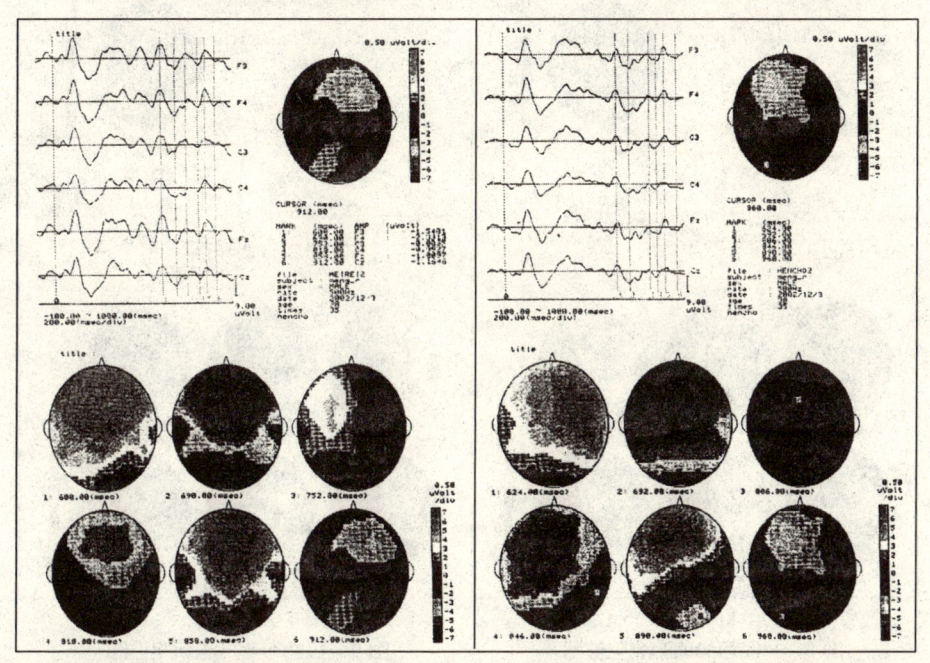

1 红、2 蓝、3 红、4 蓝、5 红、6 蓝
图 4　祈使句 2a 的脑波电位图

1 红、2 蓝、3 蓝、4 蓝、5 红、6 蓝
图 5　祈使句 2b 的脑波电位图

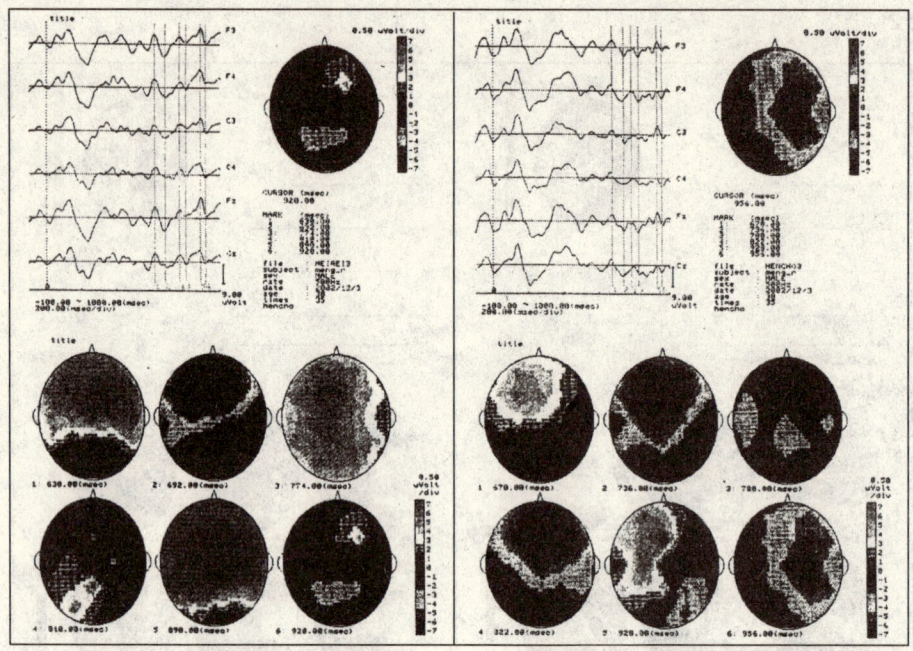

1 红、2 蓝、3 红、4 蓝、5 红、6 蓝
图 6　祈使句3a的脑波电位图

1 红、2 蓝、3 蓝、4 蓝、5 红、6 蓝
图 7　祈使句3b的脑波电位图

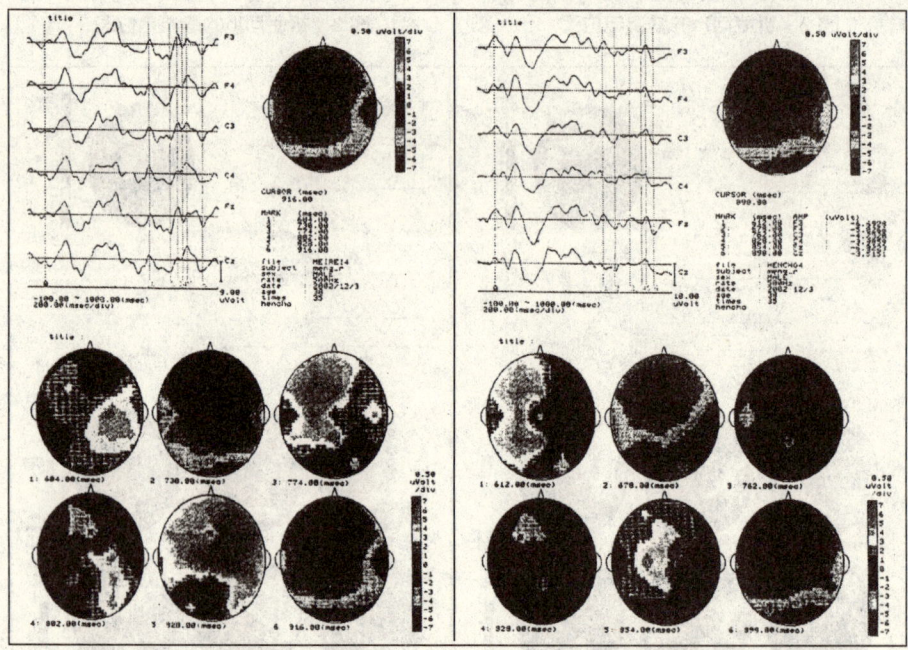

1 红、2 蓝、3 红、4 蓝、5 红、6 蓝
图 8　祈使句4a的脑波电位图

1 红、2 蓝、3 蓝、4 蓝、5 红、6 蓝
图 9　祈使句4b的脑波电位图

单音形容词重叠的形式和语法意义

李 泉

摘 要：本文认为，单音形容词重叠是句法层面上的重叠，重叠形式只有一种基本形式，即 AA 式。"AA 儿 de、AAde、AA、AA 儿"是重叠式 AA 入句的四种变体。"de、儿"等是入句的辅助成分。重叠式语法意义表示"量的增加"，正向形容词的重叠表示正向增量，反向形容词的重叠表示反向增量。文章还对目前流行的重叠式既可"指大"，也可"指小"，以及在不同句法位置上表示的意义轻重不同等观点提出了质疑，并运用认知语言学等理论分析了产生这些观点的原因。

关键词：重叠式；语法意义；正向形容词；反向形容词

一 单音形容词重叠的形式

1.1 关于单音形容词重叠的形式，前人做了不少很好的研究。代表性的看法有：

(1) 朱德熙(1956)：单音节形容词 A 按照 AA 的格式重叠。第二个音节读高平调，同时儿化。重音也在这个音节上。例如"小小儿"、"远远儿"。在《语法讲义》(1982:26)中朱先生更加明确地指出，基式是单音节形容词(A)重叠式是"AA 儿的"。不管基式原来是什么字调，重叠以后第二个音节一律读阴平。例如"小小儿的、好好儿的"。刘月华等(2001:201)赞同上述说法，但补充"在庄重正式的场合或朗诵非口语化的文学作品时，重叠的音节不儿化，也不变调"。

(2) 吕叔湘(1965)：根据对实际材料《海市》的考察，指出单音形容词的重叠式为 AA 式，如"小小的野餐"、"高高的屋顶"。强调重叠式一般都带 de，不带是例外，至少修饰名词的时候是这样。郭锐(2002:198)：单音节形容词的重叠形式是 AA，如"红红、胖胖"。单音节形容词重叠形式通常要加"的"才能用。

1.2 上述关于单音节形容词重叠式的说法，概括地说就是"AA 儿的"和"AA 的"。这两种形式反映了单音形容词重叠式的主要用法，但是还不够全面，跟实际情况还有不少出入。根据我们的调查，单音形容词重叠式的实际使用情况可以分为以下几种情况：

(1)"AA 儿 de",第二个音节读阴平:满满儿的一杯白酒、热热儿的一锅姜汤(做定语),快快儿地长、乖乖儿地跟我走(做状语),长高高儿的、吃饱饱儿的、切得薄薄儿的、剪得短短儿的、听得真真儿的、擦得亮亮儿的(做补语),两头尖尖儿的、个儿高高儿的、身体好好儿的(做谓语)。

(2)"AAde",第二个音节读原调,不读阴平:小小的疑问、宽宽的马路、浓浓的乡情、细细的黄沙、厚厚的积雪(做定语),乖乖地跟我走、呆呆地站在那里、细细地研读、酽酽地沏一壶热茶(做状语),秧苗插得密密的、吃得饱饱的、切得粗粗的、涂得白白的、肚子饿得瘪瘪的、肚子胀得鼓鼓的、说好好的、听真真的(做补语),眉毛细细的、辫子粗粗的、个子高高的、眼睛大大的、头发黑黑的、盒子扁扁的(做谓语)。

(3)"AA",第二个音节读原调,不读阴平:迟迟不交、呆呆望着我、远远望去、多多关照、粗粗看了一遍、狠狠打击盗猎分子、活活气死、苦苦相劝、紧紧抓住、久久不能平静、重重打了一拳、高高举起、他早早来到了车站(做状语),厚厚一层积雪、薄薄一层冰、整整三年、短短一年时间、小小一个娃娃能知道什么(做定语),松松腰带、圆圆场、壮壮门面、暖暖身子、定定神儿、路途遥遥、月儿弯弯、身上痒痒(做谓语)。

(4)"AA 儿",第二个音节读阴平:明儿我一定早早儿来、好好儿学、快快儿跑、狠狠儿打、慢慢儿吃、碎碎儿剁、细细儿切、乖乖儿投降、高高儿挂起来、短短儿剃(做状语),走得远远儿才好呢(做补语)。

其中,用法(1)和(2)可以充当定语、状语、补语和谓语四种句法成分,用法(3)可以充当状语、定语和谓语三种句法成分,用法(4)主要充当状语,个别可以充当补语。四种不同的用法充当句法成分的能力大体是:

(1)"AA 儿 de"和(2)"AAde">(3)"AA">(4)"AA 儿"。

显然,把单音形容词重叠后的实际情况仅仅概括成"AA 儿的"或"AA 的"两种形式是不够全面的。认为"不管基式原来是什么字调,重叠以后第二个音节一律读阴平",以及"重叠式一般都带 de,不带是例外,至少修饰名词的时候是这样"等看法都过于绝对化。因为有的重叠式不一定非得儿化,有的不一定非得加"的"(包括修饰名词),有的第二个音节也不一定非得读阴平。但是,我们也看到,在能重叠的单音形容词中,重叠后不论充当哪种句法成分,对"de(的/地)"的需求都是积极的,有时是强制性的,如做定语;同时做补语时重叠式前要有"得"也是一种强烈的需求。那些可以不带"de(的/地)"或做补语时前面不出现"得(de)"的重叠式,如果需要或说话人愿意,都可以带上"de(的/地)"或出现"得(de)",这说明单音形容词重叠式入句时对后辅助成分"de(的/地)"或补语标志"得(de)"的需求是积极的、甚至是强制性的。相反,对第二个音节儿化的要求则不是那么强烈的,多数时候可以儿化也可以不儿化。

造成重叠式入句形式多样化的原因主要有以下几个因素：(1)跟重叠式充当的句子成分有关，如做状语有时可以不带"de"（高高举起、慢慢说），做定语有时可以甚至根本不能儿化(＊小小儿的疑问、＊辫子粗粗儿的)；(2)跟具体的重叠词语及其修饰成分有关(＊迟迟地不交、＊细细黄沙)；(3)跟具体的句法结构有关(松松腰带≠松松的腰带)；(4)跟语体、语境有关，比如，儿化的重叠式都用于生活口语，庄重正式场合都不儿化、不变调；(5)跟使用者个人的语感和使用习惯有关，比如，对于"剪得短短儿的、剪得短短的、剪短短儿的、剪短短的、短短地剪、短短儿地剪、短短儿剪"各种说法就不是所有的人都认为是可以接受的。

1.3 根据以上考察和分析，我们认为，单音形容词(A)的重叠式只有一种，即 AA 式。我们可以把 AA 式看成是单音形容词重叠式的基本形式，或者称作原型。它是从上述四种入句形式中概括出来的，[①]"AA 儿 de"、"AAde"、"AA"、"AA 儿"的四种入句形式可以看做是 AA 的变体。带 de、儿化等都是重叠式入句的辅助成分，是入句时加上去的，是完句的需要而不是成词的需要，因为许多时候可以不带 de、可以不儿化、可以不用"得(de)"来标志。如果把"de、儿"等看成是附加在重叠式后边的后缀(朱德熙 1982:27)，那么不加"de、儿"的时候怎么处理？同时我们无论如何也不能把重叠式前面的"得(de)"看成是前缀，而从性质和作用上看，"得(de)"跟"de、儿"是相同的。

本文把单音形容词的重叠看成是句法层面上的重叠；重叠的基本形式是 AA；"de、儿"等是重叠式入句的辅助成分、完句成分；"AA 儿 de"、"AAde"、"AA"、"AA 儿"是重叠式 AA 入句的四种变体，选择哪种形式是由语言结构本身、句法位置、语体语境和说话人的语言习惯等多种因素决定的。这就是说，句法重叠是语言单位在句子中发生的变化，不是入句前的构词变化，入句后发生变化可以看做是重叠式在不同句法位置上的条件变体。不能把入句时的需求和表现看成是入句前的构成形式。[②] 语言单位"在句法层面上可以产生词汇层面未规定的属性，这种性质就是语法的动态性"(郭锐，2004)。做这样的处理，不仅区分和确立了重叠式的原型形式和四种常用入句变体形式，也符合重叠的基本含义——重复某个语言形式。"de、儿"等不是基式的原本成分，也没有参与重叠，所以把"AA 儿的"或"AA 的"看成是单音形容词的重叠式本身是不符合重叠的本意的。更重要的是，这样处理，可以对单音形容词的重叠及其入句形式做出统一的、更加符合语言事实的解释。

---

① 如果加上做补语多数要"得(de)"引领的情况就至少有五种入句条件。
② 举个简单的例子，单音形容词"迟"的重叠式"迟迟"在实际运用中要求跟否定词同现，即以"～～不/没(有)"的形式出现，例如：～～不肯交出、～～不来、～～不动、～～没有音讯、～～没有答复。但是，显然我们不能说"迟"的重叠式是"迟迟不"。单音形容词重叠式与"de、儿"的关系跟"迟迟"与"不"的关系性质是一样的。

二 单音形容词重叠式的语法意义

2.1 关于单音形容词重叠式的语法意义,前人作出了不少非常有价值的研究。代表性的成果例如:

(1) 朱德熙(1956):重叠式"表示的属性都跟一种量的观念或是说话人对于这种属性的主观估价作用发生联系"。"形容词重叠式跟原式的词汇意义是一样的,区别在于原式单纯表示属性,重叠式同时还表示说话的人对于这种属性的主观估价。"单音形容词重叠式在状语和补语位置上"往往带着加重、强调的意味",在定语和谓语的位置上"不但没有加重、强调的意味,反而表示一种轻微的程度"。

(2) 邢福义(1996:176):单音形容词重叠式(红红、黑黑)"强调度量"。所谓强调度量,指的是强调出"很、相当"之类的意思,或者强调出一种"特别"的语气。李宇明(2000:331,362):复叠是一种表达量变化的语法手段,"调量"是复叠的最基本的语法意义。形容词的复叠也是向加强度量和减弱度量两个维度上调整。

(3) 吕叔湘(1999:18,716):单音形容词的重叠是"形容词生动形式",即重叠的作用是使形容词生动化。

(4) 石毓智(1996):从所有可重叠的词类中归纳出重叠的共同语法意义是"使基式的意义定量化"。定量化是指"词语通过某种语法手段赋予其概念意义以数量特征"。形容词重叠式确立一个"程度",这个"程度"是一个具有伸缩性的模糊量,有时表示一个很高的量,如"写得大大的"、"挂得高高的",而有时似乎是一个比较弱的量,如"大大的眼睛"、"短短的头发"。张敏(1997):形容词重叠式表达的意义一般是"程度的加强,也有表减弱的"。陆镜光(2000):形容词的重叠式既能表示程度的加强,也能表示程度的减弱。

(5) 马庆株(2000):当重叠部分轻读时,语言片段的时长的缩短表示较小的客观量、程度轻或者表示随便的语气;后面重读时不表示程度轻,语言片段的时长的加大表示较大的客观量,表示重复。

(6) 朱景松(2003):形容词重叠式的语法意义有三点:第一,形成特定状态;第二,表示性质达到适度的、足够的量;第三,激发主体的能动作用。

(7) 王国栓(2004):确定形容词 AA 重叠式所表示的量关键是看跟谁比,我们认为不存在一个稳定的比较对象和一致的标准,而应根据具体情况确定比较对象,并认为参照量和变量都是模糊量。

以上对形容词重叠式语法意义的概括,角度不尽相同、说法不尽相同,但关于重叠式表达的意义跟量的观念有关的观点基本上成为共识。并且多数学者认为形容词重叠式表示的量可以是"大量",也可以是"小量",尽管表述的角度和方式不完全相同。但是,关于形容词重叠式在不同句法位置上表示程度加强和程度减弱两种不同的语法意义,则存在争议。例如,马清华(1997)认为,普通话中"红红 de"用在谓语和定语位置上一般表示程度的减弱,用在补语和状语位置上一般表示程度加深,"这些观点大致正确",并进行了补充论证。朱景松(2003)则认为,"断言一个重叠形式会因为句法位置不同而表现出或重或轻两种方向相反的语法意义,这个意见尚可进一步推敲"。可见,有关形容词重叠式的语法意义问题还有进一步讨论的余地。

2.2 毫无疑问,上述有关形容词重叠式语法意义的研究成果都是十分宝贵的,值得我们重视。存在分歧既表明研究的深入,同时也为进一步研究提供了有价值的参考。我们认为,重叠式表达的意义跟量的观念有关的观点符合语言事实。但是,认为形容词重叠式表示的量既可以是"指大"也可以是"指小",甚至同一个重叠式在不同句法位置上可以表达"强量"和"弱量"两个方向相反的语法意义,这些观点的确是可以"进一步推敲"的。而把形容词重叠式的语法意义概括为"表状态"、"表量"、"能动作用"三种不同的语法意义,以及认为重叠式"不存在一个稳定的比较对象和一致的标准"的观点,也是值得"进一步推敲"的。显然,存在的分歧已经不仅限于对具体语言现象的认识不同,更有对研究重叠式意义的原则和策略上的分歧。我们认为:

(1) 考察单音形容词重叠式(AA)的语法意义,要以重叠的基式(A)为参照项,这既是应该的,也是必须的。重叠式跟其他语言单位的不同之处正在于它有一个稳定的比较对象——基式。既然重叠式是相对于基式而言的,是基式按照一定的重叠方式构成的,因此它的意义顺理成章地就应该通过跟基式的对比来加以观察和概括。这样才能看出重叠后形式的变化是否带来意义上的变化、带来什么样的意义变化。

(2) 考察单音形容词重叠式的语法意义,应以重叠式的基本形式(即 AA 式)为统一的、唯一的基准。换言之,不能脱离与基式的对比,而根据具体句子来确定比较对象;不能根据句子中重叠式修饰或陈述的具体事物的特点来确定重叠式的意义;不能把没有参与重叠的"de"、"儿"等入句的辅助成分、完句成分或语用成分包括在内,即不能把"AA 儿 de"等形式的意义说成是单音形容词重叠式的意义。否则就不可能准确地概括出单音形容词重叠式的语法意义。

(3) 考察单音形容词重叠式的语法意义,需要系统地对比重叠式(AA)跟基式(A)概括意义上的变化,进而概括出重叠式的基本语法意义。"系统地对比"意味着不是一词一例的对比,也不是一个句法位置跟另一个句法位置意义上的对比;"概括意义上的变化"意味着不是一个一个单音形容词具体的词汇意义上的变化,更不是具体的单音形容词的褒贬等情感色彩意义上的变化。所谓重叠式的语法意义,是重叠式相对于基式的抽象的类义,相当于名词表示"事物的名称"或形容词表示"事物的性质"之类的概括义。

(4) 基于以上认识,可以把单音形容词重叠式的语法意义概括为,表示某种性质在程度上的加深。从量范畴来看,"程度上的加深"就是"量的增加"。这样,就可以把单音形容词重叠式共同的语法意义概括为表示"量的增加"。具体来说,单音形容词重叠式在它所出现的各主要句法位置上都表示这一语法意义。

	做定语	做谓语	做状语	做补语
基式	高个子	嗓子尖	早出车	长得黑
重叠式	高高的个子	嗓子尖尖的	早早出车	长得黑黑的

把表格中的重叠式跟基式比较起来,不难看出,在各种句法位置上重叠式比基式所表示的某种性质的程度都要深。换句话说,重叠式表示的都是"量的增加"。例如,把"小王高高的个子"跟"小王高个子"比较来看,说前一句话时小王更高;"他天天早早出车,很晚才收车"比"他天天早出车,晚收车"出车的时间更早。比较可以重叠的单音形容词的基式(A)和重叠式(AA),可以看到,所有重叠式都比基式"程度深"、"量多"。这是从结构形式的对比得出的结论。从认知语言学的角度来看,还可以得到另外一种解释:重叠式的形式和意义之间存在相似性(iconicty)或称临摹性关系,即"用词语的量来表达实体的量","用表达的量来临摹内容的量"(程琪龙,2001:99)。认知语言学家 Lakoff and Johnson 的研究发现,语言里存在着这样一种现象"形式越多,内容越多"。应用到重叠形式上,就可以得出重叠形式表示数量的增加(名词)、动作的重复或延续(动词)、程度的加强(形容词)等意义(陆镜光,2000)。单音形容词的重叠就是通过"形式的增量"来实现"意义的增量",因此,单音形容词重叠形式和意义之间是一种典型的量的临摹关系,也即可用"形式越多,内容越多"来加以解释。重叠的语义动因是单音形容词潜在的隐性量被激活,利用重叠这种语法化手段使单音形容词的隐含量得以扩张和凸显,通过形式的增加来实现表达"量"的增加的目的。

2.3 但是,目前具有相当普遍性的看法是,形容词重叠式表示的量既可以"指大"、"表示程度的加强",也可以"指小"、"表示程度的减弱"。或者明确地表述为,重叠式在状语和补语两种位置上带有"加重、强调的意味",例如,"重重地给我一拳"、"大大地夸奖过你"、"走得远远的"、"抱得紧紧的";而在定语和谓语两种位置上,重叠式不但没有加重、强调的意味,"反而表示一种轻微的程度",例如,"短短的头发"、"高高的个子"、"眼睛大大的"、"个子高高的"。

我们认为,上面这样一些看法是可以质疑的。说一种语法形式既可以指"大量",也可以指"小量"这本身就值得怀疑,因为一般来说形式和意义总是相互对应的,一种形式本身可以同时表达两种完全相反的意义,这种现象也许不能说没有,但至少是不多见的。上面的一些具体说法实际上是难以站得住脚的,因为根据其证明方法,我们同样也可以举出反例来证明:在状语和补语位置上的重叠式不带有"加重、强调的意味",例如,"轻轻地推开门"、"悄悄地离开了人群"、"河水静静地流淌"、"走得慢慢的"、"用麻绳捆得松松的";而在定语和谓语两种位置上,重叠式则有加重、强调的意味,而不表示一种轻微的程度,例如,"长长的海底隧道"、"高高的大顶子山"、"深深的一段情"、"房顶的积雪厚厚的"、"成绩是大大的,困难是暂时的"。这些例子中的重叠式很难说是表示"轻微的程度"。可见,根据句法位置——实际上是根据单音形容词的词汇意义来分析和概括单音形容词重叠式的意义,是很不可靠的,往往出现就事论事的情形,从而把单音形容词或其重叠式本身的词汇意义,乃至句子整体表达的语义加在"重叠式"上头。因此,要注意把重叠式所表示的语法意义跟重叠式修饰或陈述的内容区别开来。

2.4 然而,也应该看到,前人关于重叠可以"指大或指小"、"加重或轻微"的看法[①]是有一定客观依据和语感基础的。比如,"小小的愿望"、"短短的头发"、"矮矮的围墙"的确"不大";"大大的眼睛"、"高高的个儿"确实"不小";"圆圆的小脸儿"、"弯弯的眉毛"、"红红的嘴唇"确有"可爱"之意在里面。那么如何来解释这些现象呢?我们试着从以下几个方面来加以说明:

(1)就汉语单音形容词来说,其重叠式表示"量的增多"是跟重叠式的统一形式(AA)相对应的统一的意义。也就是说,凡是重叠式都表示程度的加深、量的增多。具有[+空间大]、[+距离远]、[+时间早]、[+长度长]、[+数量多]、[+速度快]、[+力度强]、[+品质好]等语义特征的单音形容词(本文称正向形容词)重叠式如此,如,大大、粗粗、厚厚、肥肥、胖胖、鼓鼓、宽宽、高高、远远、遥遥、早早、久久、长长、多多、快快、重重、满满;而具有[+空间小]、[+时间晚]、[+长度短]、[+数量少]、[+速度慢]、[+力度弱]、[+品质差]等语义特征的单音形容词(本文称反向形容词)重叠式也是如此,如,小小、细细、薄薄、瘦瘦、癟癟、扁扁、窄窄、迟迟、矮矮、低低、短短、稀稀、慢慢、轻轻、稳稳、浅浅、松松、软软。

从认知上看,正向形容词性状的凸显性强,具有认知上的"显著性"(salience),容易引起人的注意,其重叠式表示的量性特征"趋向更加显著",程度的加深使得量的增多向着更加显性化方向发展,因此容易被理解为"指大"。而反向形容词由于性状的凸显性

[①] 国外也有学者持类似的看法,如 Abbi(1992)考察了33种南亚语言,将重叠形式负载的语义分为21种类型,其中形容词重叠式表强调,程度增加、程度减弱等意义(张敏,1997)。Kiyomi(1995)考察了30种马来-玻利尼西亚语言,发现这些语言中重叠式的形式和意义之间也有表"强化"和"指小"的(陆镜光,2000)。

弱,认知上的显著性低,不容易引起人的注意,其重叠式表示的量性特征"趋向更加不明显",程度的加深使得量的增多向着更加隐性化方向发展,因此容易被理解为"指小"。这可能就是"指小"说的由来。然而,所谓的指小,实际上是重叠式向着"小"的方向程度加深,但这仍然是"量的增加",只是增加的方向与正向形容词重叠式的增量方向相反而已。因此,严格地说,所谓"指小"是不存在的。

(2)进一步,还可以从语言标记理论来解释单音形容词重叠式"指大"和"指小"的问题。对比正向和反向形容词,不难看出:正向形容词的使用频率比反向形容词高;可以出现的句法环境比反相形容词多;其重叠式表示的语法含义宽泛,既可以包括所谓"指大",如"高高的大顶子山"、"满满两车厢哈密瓜",也可以包括所谓"指小",如"高高的围墙"、"满满的一大包书"。根据这些标准来看,单音形容词重叠式语法意义表示"增量",即所谓的"指大",应该是无标记项,所谓的"指小"应该是有标记项,因为"有标记项的意义包含在无标记项之中","从认知上讲,有标记项的理解比无标记项来得复杂"。(沈家煊,1999:33)总起来说,正向形容词的"增量"是无标记项,可以用来解释所有单音形容词重叠现象,反相形容词的"增量"是有标记项,只能解释反向增量,并且理解起来比有标记项要复杂。

(3)不少学者认为,性质形容词的重叠表示"程度的减弱"、"程度的轻微"或带有"加重、强调的意味"、"含有爱抚、亲热的意味"等(如朱德熙,1956)。我们认为这样一些含义并非重叠式本身的意义,所谓"加重、强调"或"减弱、淡化"的语气,乃至附加了说话人的"好感"或"恶感",不仅不是普遍性的,而且是有条件的,跟形容词重叠式所修饰或陈述的具体事物本身是"好"是"坏"有关,也跟说话人的情感态度有关。"圆圆的小脸儿"(小脸儿圆圆的)、"弯弯的眉毛"(眉毛弯弯的)、"红红的嘴唇"(嘴唇红红的)也许确有"可爱"之意在里面,但这并非形容词重叠式本身带来的,而是"AA的+名"(或:名+AA的)结构体现出来的,是形容词重叠式及其所修饰或陈述的事物本身就"可爱"。同样的重叠式,同样的结构方式,换了一种修饰对象,这种"可爱"之意就可能不复存在了,如"圆圆的脑袋"、"弯弯的扁担"、"红红的眼圈"就没什么可爱的。而"厚厚的灰尘"、"细细的皱纹"、"密密的麻子"、"尖尖的下巴"、"高高的牌坊"则无论如何也难以跟"可爱"联系起来。可见"可爱"与否关键还是取决于事物本身,取决于"AA的+名"或"名+AA的"整个结构所表达的事物是否可爱,跟形容词的重叠式没有直接的关系。

(4)对重叠式实际意义的理解,要受到客观事理和人们的认知经验的制约。"大大的眼睛",大不过牛的眼睛;"小小的眼睛",不会小如老鼠的眼睛;"高高的个儿",也不会有球星姚明那么高(按:在一般人的认知经验中,姚明的个儿不能描写为"高高的个儿"

或"个头高高的"。球星们的个儿都是超常规的)。然而,"大大的眼睛"总归是眼睛不小,"小小的眼睛"终归眼睛不大,"高高的个儿"肯定是个子不矮,换言之,重叠总归是表"增量",或正向增量(大、高),或反向增量(小、矮)。因此,不能因为重叠式有时表达的增量受到客观实际和逻辑事理的限制,就否认重叠式表示"量的增加"这一基本意义,或认为重叠既可以表示"量大",也可以表示"量小"。

"增量"到什么程度,要受到客观事理和人的认知经验的制约,而"增量"是"好"还是"坏",情感上的反应是"愉悦的"还是"厌烦的",或是根本没有什么反应,主要是由客观事物本身决定的。例如:

浓浓的乡情、浓浓的乡音、浓浓的亲情、浓浓的乡愁、浓浓的春意、浓浓的节日气氛、浓浓的中国情、浓浓的人情味、浓浓的咖啡、浓浓的酒香、浓浓的醇香、浓浓的烟味、浓浓的火药味、浓浓的黑烟、浓浓的怪味、浓浓的腥味、浓浓的寒意、浓浓的夜色、浓浓的文化氛围、浓浓的商业气息

当然,这其中人的主观倾向也起着重要作用,而且在同一个语言文化背景下,人的主观倾向有相同的一面,这种共同的主观性倾向在语义—语用的过程中,可以固定化、主观化乃至语法化。比如汉语里"大大的眼睛"、"高高的鼻梁"、"弯弯的柳叶眉"、"红红的面颊",对于以汉语为母语的人来说是美的,是令人愉悦的,但对于一个学汉语的西方人来说就未必会有这样的主观倾向。这说明这些重叠式与相关名词的组合在汉语里已趋于主观化、语法化。但是,人的主观倾向是有很大差异的,往往因人因事而异,比如,"梅兰高高的个头,留着齐耳的金褐色秀发,举止端庄大方,待人热情和蔼。""麦卡锡作为世乒赛组委会的负责人,高高的个子,身上揣着好几部大哥大,腰上的 BP 机不停地响着。"这两例均取自北京大学汉语言研究中心《现代汉语语料库》,其中"高高的个头(个子)"在前一句可能被认为是褒义的,在后一句中就很难说是"褒"还是"贬",也许"褒"、"贬"皆无。又比如,"浓浓的眉毛",有人可能觉得可爱(描写男人),有人则可能不喜欢(描写女人)。因此,不能因为个别情况下含有重叠式的结构可以附加某些情感色彩,就认为重叠式本身就含有"可爱、亲热"等色彩。

参考文献

程琪龙(2001)《认知语言学概论》,外语教学与研究出版社。
郭　锐(2002)《现代汉语词类研究》,商务印书馆。
郭　锐(2004)《语法的动态性和动态的语法观》,商务印书馆编辑部《21世纪的中国语言学》,商务印书馆。
李　泉(2001)《同义单双音节形容词对比研究》,《世界汉语教学》第 4 期。
李宇明(2000)《汉语量范畴研究》,华中师范大学出版社。

刘丹青(1988)《汉藏语系重叠形式的分析模式》,《语言研究》第1期。
刘月华等(2001)《实用现代汉语语法》(增订本),商务印书馆。
陆镜光(2000)《重叠·指大·指小——汉语重叠式既能指大又能指小现象试析》,《汉语学报》第1期。
吕叔湘(1965)《形容词使用情况的一个考察》,《中国语文》第6期。又见《吕叔湘文集》第二卷,北京:商务印书馆,1990。
吕叔湘(1966)《单音形容词用法研究》,《中国语文》第2期。又见《吕叔湘文集》第二卷,商务印书馆,1990年。
吕叔湘主编(1999)《现代汉语八百词》(增订本),商务印书馆。
马清华(1997)《汉语单音形容词二叠式程度意义的制约分析》,《语言研究》第1期。
马庆株(2000)《关于重叠的若干问题:重叠(含叠用)、层次与隐喻》,《汉语学报》第1期。
齐沪扬、王爱红(2001)《形容词性短语与形容词的功能比较》,《汉语学习》第2期。
沈家煊(1999)《不对称和标记论》,江西教育出版社。
沈家煊(2001)《语言的"主观性"和"主观化"》,《外语教学与研究》第4期。
石　锓(2004)《汉语形容词重叠形式的历史发展》,中国社会科学院研究生院博士学位论文。
石毓智(1996)《论汉语的句法重叠》,《语言研究》第2期。
石毓智(2004)《论汉语的构词法与句法之关系》,《汉语学报》第1期。
王国栓(2004)《汉语虚词AA式重叠与量范畴》,《汉语学习》第4期。
邢福义(1996)《汉语语法学》,东北师范大学出版社。
俞士汶等(1998)《现代汉语语法信息词典详解》,清华大学出版社。
张　敏(1997)《从类型学和认知语法的角度看汉语重叠现象》,《国外语言学》第2期。
郑怀德、孟庆海(1991)《形容词用法词典》,湖南出版社。《汉语形容词用法词典》修订本,商务印书馆,2003。
朱德熙(1982)《语法讲义》,商务印书馆。又见《朱德熙文集》第一卷,商务印书馆,1999年。
朱德熙(1956)《现代汉语形容词研究》,《语言研究》第1期;又见《朱德熙文集》第二卷,商务印书馆,1999年。
朱景松(2003)《形容词重叠式的语法意义》,《语文研究》第3期。

(100872　北京,中国人民大学对外语言文化学院)

"在 L＋V"与"V＋在 L"的意象图式分析

赵 微

摘　要：以往的学者对于"在 L＋V"与"V＋在 L"结构从不同角度进行了研究，也给出了各自的解释。本文拟先从所表达的意象图式的角度对其进行描写，进而给出它们在深层的认知图式上的差别。

关键词：意象图式；显著度；关注度

一　"在 L＋V"与"V＋在 L"[①]结构研究概况

现代汉语中表达方位关系的方位短语与动词组合的方式有两种："在 L＋V"与"V＋在 L"。这两种结构在语序上有着相反的顺序，所表达的语义也不同，以往的学者对这种现象从不同的角度进行了解释。传统语法将前面一个结构归为状中结构，后面一个归为动补结构。很长一段时间以内，人们只关注这两个结构语法类型的不同，但是对于其中的原因并没有进一步讨论。但是这一分析显然对我们理解、解释这些结构是远远不够的。因此就有了更进一步的区分，将"在＋L"在动词前或后表达的语义分为两类：在动词前，表示动作发生、进行的场所，在动作后表示动作结束的地点。这一分析显然比前者更进了一层，也更细致了（James H-Y Tai,1985）。此外崔希亮先生也从动词的语义、配价及论元之间的关系对这两种结构进行了比较细致的分析（崔希亮,1996）。但是现在我们所感兴趣的是两者的表层结构差异是否反映了其在深层的认知结构上也有不同。因此我们试图从认知图式的角度对这一问题进行新的探讨。

---

①　本文研究对象中的动词 V 不包括心理活动动词"爱"、"恨"等。因为包含了心理活动动词和动作动词的小句的认知图式差异太大，将专文讨论。

二 方法及相关术语介绍

2.1 认知语言学的哲学基础

认知语言学的哲学基础既非客观主义的,也非主观主义的,而是界于两者之间将两者充分结合的经验主义。在此立场上,它声称:我们的概念系统来自于经验,经验一方面植根于客观现实世界(这决定了我们经验的客观性),另一方面经验是人的经验(因而不可避免地带有主观性)。

2.2 显著度(prominence)和关注度(attention)

基于其哲学基础,认知语言学认为:一个客观的事件可以包括很多参与者,但是由于我们自身的能力限制或主观的意愿,我们通常给予其中不同的参与者以不同程度的关注,从而使其拥有不同的显著度。就一个涉及到施事与受事的行为事件来说,一般的情况是施事的显著度最高,受事的则次之。但一些特殊的情况,可能会有变化,比如在施事为显而易见的事物或无须提及的时候,受事就会通过给予较高的关注度而提升了其显著度。

2.3 能量流隐喻

认知语言学中一个重要的理论就是 Langacker 提出来的与行为链(action chain)有关的能量流隐喻(参见 F. Ungerer 和 H. J. Schmid,2001):一个实体充满能量,它是能量的源头;这第一个实体与第二个实体(可能通过工具)接触;能量被传递到第二个实体,并被吸收。这就如同一条流动的能量河流,处于能量流开始部分的第一个实体(通常是施事)具有最高的显著度,在句中一般表现为主语;处于能量流终点部分的第二个实体(通常是受事)次之,一般表现为宾语;工具成分通常处于能量流之中,其显著度最次。如下图所示(图中用线的粗细分辨显著度的高低:粗的表示显著度高,细的表示显著度低):

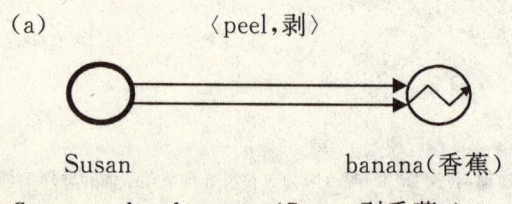

(a) ⟨peel,剥⟩

Susan   banana(香蕉)

Susan peels a banana.(Susan 剥香蕉。)

(b)　　　　　　　〈use,用〉　　　　　　　〈break,打碎〉

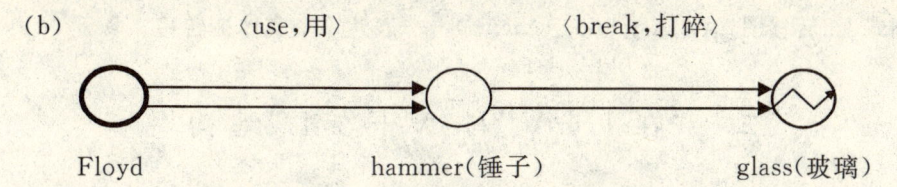

Floyd　　　　　　　hammer(锤子)　　　　　　glass(玻璃)

Floyd broke the glass with a hammer.（Floyd 用锤子打碎了玻璃。）

(c)

主语　　　　　　　　　　　　　宾语

The hammer broke the glass.（锤子打碎了玻璃。）

图1

从以上的图式可以看出,能量流与行为链有关:"行为链的显著特点是有一个能量源——作为能量源头的生物或非生物,从这一源头开始,能量向第二个实体传递,这样继续下去直到最后一个实体,这一实体只消耗了剩余的能量而不发散能量,被称为行为链的末尾。"(参见 F. Ungerer 和 H. J. Schmid,2001)含有不表现行为链的动词(如:跑、走、睡等动词)的句子是不能用此隐喻来解释的。

2.4　认知图式

我们用语言来描述外部世界所发生的事件的时候,通常不会涉及所有与此事件有关的事物,而是挑选其中与我们相似的、具有显著性的事物,把它们转换成相应的语义角色,形成一种图式框架,然后借助于一定的语法规则把语义角色体现为结构成分,再和相应的动词一起组成一个语法结构。因此,图式(也称"认知图式"、"意象图式")对我们来说,是"将一种行为或状态和在其中具有不同角色的最显著的参与者结合起来"的一种框架。一般说来,认知图式有以下一些(图式的定义及分类可以参看 René Dirven 和 Marjolijn Verspoor,1998):

图式一:判断图式(being schema)——表达一个实体是什么、像什么样或处于什么场所。

图式二:发生图式(happening schema)——表达发生了什么事件。

图式三:行为图式(doing schema)——表达某人或某物的所作所为。

图式四:经验图式(experiencing schema)——表达某人感到或看到了什么。

图式五:拥有图式(having schema)——表达一个实体拥有什么。

图式六:移动图式(moving schema)——表达一个实体的移动。

图式七:转移图式(transferring schema)——表达一个实体被转移。

三 "在L+V"与"V+在L"结构①

根据我们调查的情况,可以把以上两个格式进一步分为以下几种:
(1) A+在L+V(着):他在床上睡着//她在街上逛//我在家休息
(2) P+在L+V着:书在桌上放着//字在黑板上写着//手续在海关卡着
(3) A+V+在(了)L:小猴子跳在了马背上//狗死在街上//小牛隐藏在敌人内部
(4) P+V+在(了)L:衣服挂在树上//车横在路上//球扣在场内

接下来我们将逐个描写以上各类的认知图式。

四 认知图式差别

(一) A+在L+V(着)

此格式中的V为不及物动词,因此不涉及行为链,施事也不向外传递能量,这个施事可能是运动的(如:他在操场上跑步),但是这个运动既不涉及其他事物、不传递能量(因此也就不能用能量流隐喻来解释),也没有使A脱离处所L。② 因此我们认为这个格式表达的是一种行为图式,即某人或某物在某处做某事:

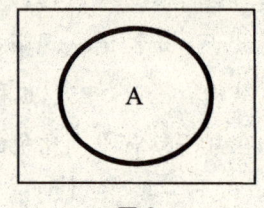

图2

---

① 这里我们将讨论对象限定为含有较为简单形式的动词V的句式,原因如下:把字句和被字句比较特殊,不宜放在一起讨论;动词是否带有宾语及宾语的形式(一个名词还是带有定语的名词性短语)也会对句型产生影响,比如一般来说"我写字在黑板上"是很少说的,而"我写了几个字在黑板上"的合格度就高一些,又如"我炒菜在家"和"我炒了几个菜在家",因此应该撰文另述。我们用A表示施事,P表示受事。
② 在这里我们应该区分运动和移动两个概念:运动是一种行为,客观上它可以使某物在一定空间范围之内发生方位的变化,但是这种变化对于人的主观认识来说是意义不大的,也就是说人们不会给予其较大的显著度。而移动会产生显著度较高的方位变化。

(二) P+在 L+V 着

此格式中的 V 为及物动词,图式涉及了行为链,但是人们只给了受事较高的显著度,行为链中的其他元素并未出现(我们用黑粗圈表示显著度较高的受事):

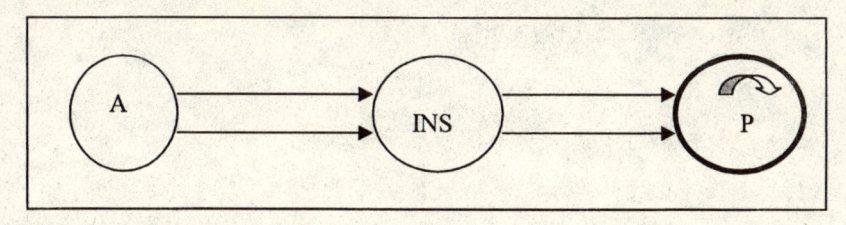

图 3

受事也不向外传递能量,不产生位移。从上图我们可以看出,不仅受事之前的施事及工具元素都被忽略了,同时连接这几个元素的行为动作也不是关注的焦点,动作只是作为受事处于此方位的原因或状态而顺便被提及。因此我们认为这个句式凸显的是某人或某物的方位,因而表达的是一种判断图式,即某人或某物以某种状态或方式处于某处。

(三) A+V+在(了)L

此格式中有一个施事,V 是不及物动词,因此不涉及行为链,但是由于其中动词 V 的不同性质,这个句式表达的内容有两种可能:

可能一:A 不因为这个动作而产生处所变化(图释同图 2)。如以下几个例句:

(5) 我睡在上铺。
(6) 他住在北京。
(7) 它死在街上。

可能二:A 因为这个动作而产生了处所的变化,诸如"小猴子跳在马背上。"之类:

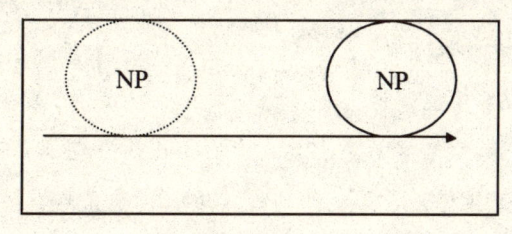

图 4

对于后者,我们认为表达的是一种移动图式,即某人或某物因一个动作而产生处所的变化。前者由于其中有些例句与格式一存在着自由的变换关系,因此一直以来很多学者认为两者的语义价值是等同的。但是我们认为根据语言自身的规则,语言中不应该存在严格的同义现象,语法结构也是如此,两个所谓的"同义结构"一定在语义的某一

个方面有所不同,两者才有可能长期共存于一个语言系统中。从以上这个原则出发,我们对比了这两个结构,发现的现象有二:

一是有一些"A+在 L+V"结构和"A+V+在 L"结构是不能互相自由变换的:

(8) 他在家休息——*他休息在家

(9) 他在家工作——*他工作在家

(10) 她在街上逛——*她逛在街上

(11) 厂长在车间干活——*厂长干活在车间

(12) 小孩扑在我怀里——*小孩在我怀里扑

(13) 飞蛾撞在脸上——*飞蛾在脸上撞

(14) 它死在街上——*它在街上死

二是绝大多数的"A+在 L+V"结构中的 V 都可以带有时态助词"着",不能带有时态助词"了";而"A+V+在 L"结构的情况正好相反,绝大多数的"V 在"后可以带有"了","着"则很少出现在这个结构中,甚至是如果出现就会造成不合法的句子①:

(15) a. 我在上铺睡着　　　　　(16) a. 他在饭店住着
　　　b.？我在上铺睡了　　　　　　　b.？他在饭店住了
　　　c. 我睡在了上铺　　　　　　　　c. 他住在了饭店
　　　d. *我睡着在上铺　　　　　　　d. *他住着在饭店

(17) a. 他在床上躺着　　　　　(18) a. 他在水泥地上跪着
　　　b.？他在床上躺了　　　　　　　b.？他在水泥地上跪了
　　　c. 他躺在了床上　　　　　　　　c. 他跪在了水泥地上
　　　d. *他躺着在床上　　　　　　　d. *他跪着在水泥地上

(19) a. 他在沙滩上站/立着　　(20) a. 他在路上等待/等着
　　　b.？他在沙滩上站/立了　　　　b.？他在路上等待/等了
　　　c. 他站/立了在沙滩上　　　　　c. 他等待/等在了路上
　　　d. *他站/立着在沙滩上　　　　d. *他等待/等着在路上

(21) a.他在家里待着　　　　　(22) a. 狗在脚下倒/卧着

---

① 这里有三点需要说明:一是对于能否带"着"、"了",我们要去除掉一些动词本身制其出现的情况,例如"死"不论在什么情况下都不太可能带有"着";二是在 A+V+在 L 结构中如果有"了"出现,那么它的位置是在"V 在"的后面,而不是在 V 的后面,"着"的位置则比较固定,一般在 V 的后面,而不太可能在"V 在"的后面;三是要注意由于 V 在 A+在 L+V 结构中的特殊位置——处于末尾,而且常常也是在句子的末尾——所以有些看上去可以带有"了"的情况,应该视为句尾"了",即常说的"了2",而不是"了1"。

b. ? 他在家里待了　　　　　　b. ? 狗在脚下倒/卧了
c. 他待在了家里　　　　　　　c. 狗倒/卧了在脚下
d. * 他待着在家里　　　　　　d. * 狗倒/卧着在脚下

以上的第一点对比显示出了两个不可变换的 A+在 L+V 结构和 A+V+在 L 结构中的动词的显著差别：在 L+V 结构的 V 要求由具有[+持续]性质的动词来充当；而 V+在 L 结构中的动词 V 则具有[-持续]的性质。第二点对比显示的是可以变换的 A+在 L+V 结构和 A+V+在 L 结构中的动词与时态助词结合的差别，动词与"着"、"了"的不同组合实际上是凸显了一个客观动作、行为的不同方面：动词和"着"组合凸显了动作的持续性，动作与"了"的组合则凸显的是动态性与完整性（戴耀晶，1997）。综合以上两点，我们可以发现，动词的持续性和与"着"的组合是与 A+在 L+V 结构表达行为图式的图式意义相吻合的，即某人或某物于某处做某事。那么动词的负持续性和与"了"的组合显示了什么呢？我们认为这是与 A+V+在 L 结构表示移动图式的图式意义相吻合的。因为移动图式应具有两点特性：动态性、完整性。移动的行为由于在动作发生前后有处所或状态的显著变化，整个事件具有异质性，因此整个图式具有动态性。所谓完整性是指将动作与参与者处所、状态的变化视为一个整体；动作 V 的开始与"在 L"是密不可分的——只有"在 L"之后才能开始动作 V；或强调了进入某个状态——位于 L——是由于动作 V。因此我们认为这种句式表达的是一种移动图式，而不是行为图式。

（四）P+V+在(了)L

这个格式中的 V 为及物动词，图式涉及了行为链，但是只有受事被给予了较高的显著度，并且这个受事也产生了位移：

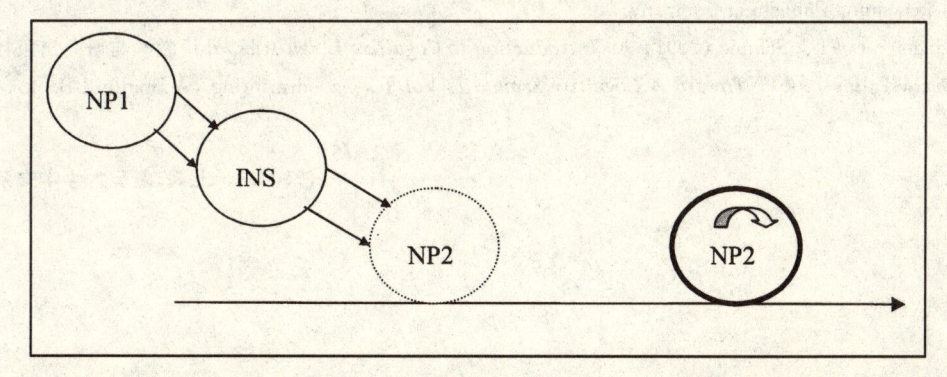

图 5

因此整个图式表达的是一个事物的位移,是一种移动图式。

五　结　语

我们可以将以上的讨论结果总结如下:

句式 1:A+在 L+V(着)　　行为图式
句式 2:P+在 L+V 着　　　判断图式
句式 3:A+V+在(了)L　　　移动图式
句式 4:P+V+在(了)L　　　移动图式

意象图式是认知语言学比较重要的研究课题。本文主要研究的是"N+在 L+V"与"N+V+在 L"结构的意象图式差异。但是仍有许多相关问题还没有讨论:比如动词 V 带有宾语的情况和动词性质对于意象图式的影响等等,这些问题都有待更进一步的研究。

参考文献

崔希亮(1996)《"在"字结构解析——从动词的语义、配价及论元之关系考察》,《世界汉语教学》第 3 期。
戴耀晶(1997)《现代汉语时体系统研究》,浙江教育出版社。
石毓智(2001)《语法的形式和理据》,江西教育出版社。
俞咏梅(1999)《论"在+处所"的语义功能和语序制约原则》,《中国语文》第 1 期。
朱德熙(1987)《"在黑板上写字"及其相关句式》(第二次修订稿),《语法丛稿》,上海教育出版社。
James H-Y Tai(1985)Temporal sequence and Chinese word order, *Iconicity in Syntax*, John Benjamins B. V.
René Dirven & Marjolijn Verspoor (1998) *Cognitive Exploration of Language and Linguistics*, John Benjamins Publishing Company.
F. Ungerer & H. J. Schmid (2001) *An Introduction to Cognitive Linguistics*,外语教学与研究出版社。
Leonard Talmy (2001) *Toward A Cognitive Semantics Vol I*, second printing, A Bradford Book.

(200433　上海,复旦大学中文系)

趋向动词教学的前提工程：
趋向动词"上"的语义特征考察

辛 承 姬

摘　要：本文通过对趋向动词"上"在系统内部各成员之间语义、句法特征等方面的比较，找出各自所具有的核心语义，并进一步以此确立判断趋向动词的五个检测条件。并通过"上"在古汉语、普通话和方言中的语义演变，区分出不同层次的趋向动词系统。

关键词：趋向动词；上；语义特征

一　序言

1.1　问题的提出

一般语法著作以及中国语言学词典里提到所谓趋向动词是指"表示趋向的动词"。[①]若采取这条定义，我们可以得到趋向动词"上"的三种义项：第一是"由低处到高处"；第二是"由一处到另一处（到某个地方）"；第三是"向前进"[②]。这三种义项可以说都是趋向动词"上"的语义特征。这三种义项确有"运动趋向"的语义特征，不过它们所表达的"运动趋向"之间没有直接联系。这点与其他的趋向动词，如"下、进、出、回"不同。以"下"为例。"下"是在趋向动词系统中语法和语义特征与"上"相对应的趋向动词。趋向动词"下"也有三种义项，能够满足趋向动词的一般定义。其义项具体如下：第一是"从高处到低处"；第二是"[雨、雪]降落"；第三是"进入[处所]"[③]。这三种义项之间有内在的语义联系。它们都具有"从上到下"的趋向性。因此，我们可以把趋向动词

[①]　参看胡裕树主编的《现代汉语》(上海教育出版社，1993。p.326)、邢福义主编的。《现代汉语》全一册(高等教育出版社，1994。p.271)、吕叔湘的《现代汉语语法要点》(《吕叔湘文集 3》，商务印书馆，1992。p.477)和高更生等主编的《现代汉语知识大词典》(山东教育出版社，1990。p.700)等等。

[②]　这三种义项采用的是《动词用法词典》(孟琮等编，上海辞书出版社，1987)中的分类。

[③]　这三种义项采用的也是《动词用法词典》(孟琮等编，上海辞书出版社，1987)中的分类。

"下"定为表示"从高处到低处"的运动趋向的动词。那么我们可以提出一个问题。我们该怎样给趋向动词"上"下定义呢？所谓的趋向动词"上"具有的语义特征是什么？如果那三种义项都是"上"的语义特征的话，它们之间有什么样的关系呢？本文试图回答这些问题。

1.2 研究思路和方法

要准确地揭示趋向动词"上"的语义特征，必须在鉴定整个趋向动词语义特征的基础上进行。要准确地鉴定整个趋向动词的语义特征，需要从它的语法特征得到验证。在形式和意义相互验证的研究方法上所取得的结果最为可信。事实上，对某个语言单位进行定性分析的时候，不但要看它们与其他类别成员之间的区别，而且还要看系统内部成员在语义、语法特征方面有无同一性。所以本文想在趋向动词系统内部的形式和意义相结合的基础上确定趋向动词"上"的语义特征。然后从方言和古代、近代汉语里找出印证的材料。研究现代汉语普通话语法，为了作出更为可信的解释，必要时可以以"普"为立足点，以"方言"和"古代、近代汉语"为支撑。总之，本文的总体思路和方法是"两个三角"。①

二 趋向动词系统中的"上"

语言学界对汉语趋向动词虽有许多研究，但多局限在个别趋向动词及动趋式的研究上，汉语趋向动词系统究竟是个什么样子，应该如何认定，至今还没有明确的结论。笔者在博士论文《汉语趋向动词系统及系统中某些问题的考察》里面，针对这个问题作了比较全面、细致、深入的考察。论文从语义和句法两个角度归纳出趋向动词的五个检测条件，然后一一检测汉语中具有趋向义的动词②，确定趋向动词的范围，勾画其整体面貌，建立起分层级的汉语趋向动词系统。

根据五个检测条件③，包含趋向义的单音节动词可以划分为三个类型：典型趋向动词，准趋向动词，趋向义非趋向动词。我们要谈的"上"字就属于典型趋向动词。"典型

---

① 参看邢福义的《现代汉语语法问题的两个"三角"的研究》(邢福义，《语法问题思索集》，北京语言学院出版社，pp.13—29)和华萍的《现代汉语语法问题的两个"三角"的研究》(《语言教学与研究》，1991年第3期)。

② 虽然根据语义特征并不能完全准确地来判定趋向动词，但在语义上动词是否具有位移趋向性特征仍然是辨别趋向动词的基本条件。一个动词，如果它具有位移趋向性，它就有可能是趋向动词；相反，如果它根本没有位移趋向性，它就根本不可能是趋向动词。因此检测范围限制于表示"趋向义"的动词。

③ 趋向动词各方面的五大语法特征，规定了趋向动词的五个检测条件，可以归纳为五点。具体内容将列在表格下面的[注]里。

趋向动词"是完全符合五个检测条件的。除了"上"以外,"来、去、下、进、出、回、过"是它的成员。这八个动词都符合上述五个条件,不过根据语法功能的不同①,我们可以将其分为两类,即"来、去"一类和"上、下、进、出、回、过"一类。"上"在不同于"来、去"类的另一类趋向动词中占有代表性的地位。通过句子里面所体现出来的"上"的功能,我们可以类推其他成员的特征。

值得注意的是:在语义上这些典型的趋向动词每个都表示它的核心语义。比如"上"在表示它的核心意义"由低处到高处"的时候,就全部符合以上五个条件。但除此之外,有"到[某个地方]"或者"向前进"语义的"上"即使表示的似趋向义项,但是不完全符合这五个条件。请看下面的表解:

	条件 1	条件 2	条件 3	条件 4	条件 5
上(到:去 [某个地方])	+? 送上(门)	—	+ 上北京	+ 找上门	+? 送上前线去
上(向前进)	+ 追上/跟上来	+ 上来/上去	—	—	+? 跟上来一辆轿车
下([雨、雪]降落)	—	—	+ 下地里	—	—
下(进入[处所])	—	+ 下来/下去	+ 下车间	—	—
进(向前移动)	—	—	—	—	—
出(往外拿)	—	—	—	—	—
回(掉转)	—? 把头转回去	—	—	—	—

条件 1:能不能用在 V 的后面,作表示趋向的补语,即 Vq1、Vq2、Vq2q1。②
条件 2:能不能构成复合趋向动词,即 q2q1。
条件 3:能不能带方所宾语,即 q+F。
条件 4:Vq1/Vq2 能不能带方所宾语,即 V+F+q1、Vq2+F。
条件 5:Vq2q1 能不能带宾语,并且带宾语的时候,它的语序只有三种情况,即 Vq2q1+O、Vq2+O+q1、V+O+q2q1。

虽然"下、进、出、回"都有类似的情况,但是在实际语言运用上,表示非核心语义的"下、进、出、回",它们的使用频率不太高,而且,它们的核心语义和非核心语义表示的位

---

① "来、去"类有三个特点:第一,生成能力很强。总跟表示趋向的动词组合成为复合趋向动词。第二,既可以作 V 的补语,也可以作其他趋向动词的补语。第三,Vq1 不能直接带 F。
② V 代表动词,q1 是"来、去",q2 是"上、下、进、出"等等表示非向背趋向的动词,F 是方所宾语,O 代表名词或名词性成分。

移运动趋向基本上是一致的。所以我们不妨将趋向动词"下、进、出、回"的核心语义看做是这些动词的代表性语义特征。

不过,趋向动词"上"的情况却与它们不同。第一,它的三种义项所表示的运动趋向互不相同。第二,在实际语言运用上这三种义项的表现也不一样。根据我们所考察的实际语料①,在趋向动词"上"单用的例子里,表示[从低处到高处]的"上"占53%②,表示[到某处]的"上"的使用频率也同样很高,占47%③。但是找不到表示[向前进]的"上"单独用作主要谓语的例子。第三,表示[向前进]意义的"上"满足条件的情况跟准趋向动词"开、起"相同。准趋向动词指的是那些表示趋向且符合基本条件④,即条件1和条件2,但不符合某些次要条件的动词,而且它们的句法特征也类似。具有"到[某个地方]"义项的"上"满足条件3和条件4,勉强满足条件1和条件5。这种结果正好跟"趋向义非趋向动词"的"到、往"一致。而且这样"上"在语义句法结构里表现出来的特征也确实跟"趋向义非趋向动词(到、往)"相似。即"上"倾向于用在"上+方所宾语"和"V上+方所宾语"这两种结构。特别是"上+方所宾语"结构里的"上"可以替换为"到",表达的意义不变,例如"上派出所报告去?"完全可以说成"到派出所报告去?"。

根据上面的考察,我们需要重新考虑将"上"的三种义项混为一谈的处理方法。由此,我们该如何正确分析趋向动词"上"呢?我认为在"形式和意义相互验证"理论的支持下,把趋向动词"上"分成三类比较合理,即典型趋向动词"上"[从低处到高处]、准趋向动词的"上"[向前进]、趋向义非趋向动词的"上"[到某处]。那么,我们能不能从方言里得到验证这种处理方法的线索呢?下面看一下汉语方言里的"上"字。

三 汉语方言里的"上"

现在我们要看趋向动词"上"在方言里有什么样的表现。根据《中国语言地图集》所归纳的结果,现代汉语方言可以分为十区:官话区,晋语区,吴语区,徽语区,赣语区,湘语区,闽语区,粤语区,平话区,客家话区。其中徽语是最近才分出来的,因此对它的研

---

① 本文所收集语料的文学作品如下:邓友梅《那五》、王蒙《坚硬的稀粥》、王朔《顽主》、方方《白雾》、张爱玲《倾城之恋》、张抗抗《白罂粟》、池莉《你是一条河》、礼平《小站的黄昏》、不光《闯西南》、王小波《白银时代》等。我们从这些语料中得到601与趋向动词"上"相关的例子。
② 趋向动词"上"单用的例子总共106个,其中表示[从低处到高处]的"上"有56个。
③ 表示[到某处]的"上"有50个例子。
④ 条件1和条件2是判断趋向动词的基本条件,条件3、条件4和条件5是次要条件。因为趋向动词能带方所宾语,不过能带方所宾语的不一定都是趋向动词。而且条件4和条件5是在条件1成立的情况下才可以考虑的条件。

究极少。本文想针对九个方言区里所选的重要方言点考察一下趋向动词"上"及其与它相关的词语情况。①

各个方言点里趋向动词"上"的存在情况如下。

		上1	上2	上3
官话区	哈尔滨	−	−	−
	济 南	＋	？	−
	银 川	＋	−	−
	武 汉	＋	−	−
非官话区	太 原	＋	＋	＋
	上 海	？	−	−
	南 昌	−	−	−
	长 沙	−	−	−
	厦 门	＋	＋	＋
	广 州	＋	＋	＋
	南 宁	−	−	−
	梅 县	＋	＋	−

注：上1：表示"由低处到高处"意思的"上"，上2：表示"到、去［某个地方］"意思的"上"，上3：表示"向前进"意思的"上"。

根据我们的调查，趋向动词"上"的三个义项都出现的方言区只有太原方言和广州方言。广州方言里"上2"后面所带的地名，多指向北，如"上北京"。"上北京"是"到北京"、"去北京"的意思，而这里的"上"原本是"上1"，表示由南方到北方的运动。地理上的高低因素支配着表示运动义动词的选择。再加上心理上的因素。北京是首都，在人们的心目中它总占在"高"、"上"的位置。不过，广州经济发达，它的社会地位越来越高，这种义素就越弱了。现在广州方言里"上北京"的"上"只是较弱地隐含着"从下到上"的趋向。太原方言和广州方言里"上3"的用例极少。在语言交际活动中，用的数量少，就意味着它的地位不太高。

由此可见，太原方言和广州方言里虽然"上"的三个义项都存在，但它们之间的主次地位却不一样。上1还是趋向动词"上"的基本义，它占主导地位。其次是上2，最后是上3。

---

① 九个方言区里所选定的方言点具体如下：(1)官话区（又可以分为八区，这里只选了其中四区）：哈尔滨方言（东北官话）、济南方言（中原官话）、银川方言（兰银官话）、武汉方言（西南官话）；(2)晋语区：太原方言；(3)吴语区：上海方言；(4)赣语区：南昌方言；(5)湘语区：长沙方言；(6)闽语区：厦门方言；(7)粤语区：广州方言；(8)平话区：南宁平话；(9)客家话区：梅县方言。

总体来看,表示[向前进]的上3的用例很少见。厦门方言和梅县方言只有上1和上2,没有上3。有些方言里,不管是上1,上2,还是上3,都没有,即根本没有趋向动词"上",如哈尔滨方言、上海方言、南昌方言、长沙方言和南宁方言等等。但是,值得注意的是有些方言里的确没有趋向动词"上",但却有由趋向动词"上"构成的词语。例如,南昌方言里没有用作光杆动词的趋向动词"上",但却有由上1构成的"上山、上岸、上船"等词语,还有由上2构成的"上餐馆"等词语。"上山、上岸、上船"里的"上"实际上表示的是"从低处到高处"的意思。南昌方言和长沙方言里"上餐馆"是同一个意思,都表示"到饭馆去吃饭"。还有上海方言里有与上1表达的意思相似的义项"上",即表示"向上面"的"上",如"上升"。

现在我们看一下官话区的情况。在汉语各大方言中,官话区的方言有突出的地位和影响,是汉语各方言区的人共同使用的交际语言。官话方言是普通话赖以发展的基础方言。因此,我们需要把注意力放在官话方言里的有关趋向动词"上"的一些情况上面。除了哈尔滨方言以外,济南方言、银川方言、武汉方言都有趋向动词"上"的用法。值得注意的是它们只有表示"由低处到高处"的上1。济南方言里有类似上2的用法,不过它是作为介词表示"到、往"意义的"上"。例如"上哪儿去?"的"上"不是趋向动词"上2",而是介词"上",相当于介词"到、往"。官话方言里的实际情况进一步证实了表示"由低处到高处"的上1是趋向动词"上"的核心、基本并具有代表性的义项。

我们从趋向补语的例子里也可以得到旁证。用在动词后面,作它的补语,表示动作行为的运动趋向,这样的"上"出现在银川方言、太原方言、厦门方言和梅县方言里。"上"作为补语所表示的运动趋向都是表示"从低处到高处"的运动趋向,就是上1表示的运动趋向。

四 趋向动词"上"的历史发展

现在我们要考察趋向动词"上"在古代和近代汉语里表现出什么样的特征。

"上"字(时掌切)的本义是东汉许慎《说文解字》所写的"高也。"宋《广韵》才将"上"字注为"登也,升也。"不过,实际上西周已经有表示"由低处到高处"这种趋向意义的动词"上"的用法,如西周《易·需》:"云上於天。"陆德明解释此文时,引用干宝说"上,升也。"表示上升的运动,这是"上"作为运动义动词最基本的用法。这种"上"的用法从西周到现在一直存在,而且相当有分量。参看下面的具体例子。

(1) 东周《庄子·逍遥游》:"搏扶摇而上者九万里。"
(2) 西汉《史记·外戚世家》:"子夫上车,平阳主拊其背曰:'行矣,强饭,勉之!

即贵，无相忘。'"

　　　西汉《史记·廉颇蔺相如列传》："〔廉颇〕被甲上马，以示尚可用。"

(3) 东汉《汉书·哀帝纪》："〔建平四年春〕或夜持火上屋，击鼓号呼相惊恐。"

　　　东汉《汉书·萧何传》："上曰善，於是乃令何第一，赐带剑履上殿，入朝不趋。"

　　　东汉 枚乘《上书谏吴王》："必若所欲为，危於累卵，难於上天。"

　　　东汉《汉书·王商传》："令吏民上长安城以避水。"

(4) 三国魏 曹丕《善哉行》："上山采薇，薄暮苦饥。"

(5) 西晋《三国志·蜀书·诸葛亮传》："〔刘琦〕每欲与亮谋自安之术，亮辄拒塞，未与处置。琦乃将亮游观后园，共上高楼。饮宴之间，令人去梯，因谓亮曰'今日上不至天，下不至地，言出子口，入於吾耳，可以言未？'"

(6) 北魏 郦道元《水经注·江水一》："峡中有瞿塘、黄龙二滩……商旅上水，恐触石有声，乃以布裹篙足。"

(7) 南朝宋《后汉书·冯异传》："乘赤龙上天。"

　　　南朝宋颜延之《秋胡行》："上堂拜嘉庆，入室问何之。"

(8) 北齐《魏书·崔浩传》："劲躁之人，不顾后患，今若塞其西路，裕必上岸北侵，如此则姚无事，而我受敌。"

　　　北齐颜之推《颜氏家训·勉学》："江南闾里闲，士大夫或不学问，羞为鄙朴，道听涂说，强事饰辞……上荆州必称陕西，下扬都言去海郡。"

(9) 唐 王之涣《登鹳鹊楼》："欲穷千里目，更上一层楼。"

　　　唐 王维《辋川闲居赠裴秀才迪》诗："渡头馀落日，墟里上孤烟。"

　　　唐 韩愈《酬蓝田崔丞立之咏雪见寄》诗："出门愁落道，上马恐平鞯。"

　　　唐 杜甫《饮中八仙歌》："天子呼来不上船，自称臣是酒中仙。"

　　　唐 白居易《初到忠州登东楼寄万州杨八使君》诗："背春有去雁，上水无来船。"

(10) 宋 杨万里《峡中得风挂帆》诗："楼船上水不寸步，两山惨惨愁将暮。"

　　　宋 朱熹《十六日下山各赋一篇仍迭和韵》："游子上堂慈母笑，岂知行李尚天涯。"

(11) 清《红楼梦》第七十回："韶华休笑本无根，好风频借力，送我上青云。"

　　　清《儒林外史》第二十五回："〔鲍文卿〕走到鼓楼坡上，他才上坡，遇着一个人下坡。"

如上的例子中"上"都表示"登；升；从低处到高处移动"的意思。到了汉朝，已经有较多的"上+宾语"格式,如例(2)和例(3)。这种格式里的"上"基本上都表示"由低处到高处移动"的意思。趋向动词"上"表示的"到[某个地方]"和"向前进"这两个趋向义项,其出现时间较晚,这些"上"带宾的格式,它的出现更晚。因此,例(3)"令吏民上长安城以避水。"的"上长安城"不是表示"到长安城去",而是表示"上到长安城去"的意思。吏民肯定在长安城以南,要往北走。例(8)"江南闾里闲,士大夫或不学问,羞为鄙朴,道听涂说,强事饰辞……上荆州必称陕西,下扬都言去海郡。"的"上荆州"也表示由河流的下游到上游的运动。在跟"下扬都"对比的情况下,这点显得更为清楚。"上(从低处到高处)+宾语"格式中的宾语大部分是由方所性词语来充当,如"堂、车、马、屋、殿、船"等等。有些带施事宾语,如例(9)的"渡头馀落日,墟里上孤烟。"特别是"上车、上马、上山、上楼、上岸、上船、上炕、上坡"等一直用到现在,其中的"上"所表达的意思跟上古"上"字的情况一样,用以表示"上到某处"。但其中有些词语产生了新义项。例如,到了明代,"上马"有"起程、出发"的意思,如"上马鸡始鸣,入寺钟未歇。"

那么,除了趋向动词"上"的基本义以外,其他的趋向义到底什么时候出现呢?表示"向前进"的"上"在西汉《战国策·秦策二》里可以找到例子,如"甘茂攻宜阳,三鼓之而卒不上。"表示"到[某个地方]"的"上"最早可在东汉《汉书·宣帝纪》里找到实例,如"数上下诸陵,周遍三辅。"它的注释"师古曰,帝每周游往来诸陵县,去则上,来则下,故言上下诸陵。"告诉我们这里的"上"是表示"往;去"意思的动词。表示"向前进"意思的"上"用例极少。相对来说,表示"往;去"意思的例子较多一些。例如:

(12) 宋辛弃疾《山间竟传诸将有下棘寺者》:"去年骑鹤上扬州。"

(13) 元王实甫《西厢记》第五本第三折:"我明日自上门去,见俺姑娘,只做不知。"

(14) 明《西游记》第十回:"龙王甚怒,急提了剑,就要上长安城,诛灭这卖卦的。"

明嘉靖间《清平山堂话本·简贴和尚》:"当时,皇甫殿直官差去押衣袄上边,回来是年节第二节。"

(15) 清《红楼梦》第六回:"论起亲戚来,原该不等上门就有照应才是。"

清末《文明小史》第五七回:"冲天炮在外洋,无所不为,上馆子、逛窑子,犹其小焉者也。"

到了宋朝,"上"可带由地名充当的处所词,就表达"到[某个地方]"的意思,如例(12)的"上扬州"。其中有一些后来就产生带这种"上"的词语用例,如"上京"。一般它是古代对京都的通称,早在东汉班固《幽通赋》里就可以找到例句,如"皇十纪而鸿渐兮,有羽仪于上京"。不过,清朝《京本通俗小说·错斩崔宁》:"收拾行囊,上京应取。"里的"上京"

表示"到京城去"的意思。这里的"上"里面隐含着人们对京城的仰慕、尊敬,还保留着"从下到上"的抽象趋向。不过,宋朝以后,如果"上"后面所带的宾语是表示地域的专有名词,例如"北京、杭州、南京"等等,这里"上"大部分表示"到某处去"的意思。① 例(13)的"上门"表示"到别人家里去"。例(14)的"上边"是"到边远的地方去"的意思。例(15)的"上馆子"是"去酒楼、饭店吃喝"的意思。

五 结 语

具备不同层次的趋向动词系统面貌是改变前人单靠语义判定的办法,采用"形式和意义相互验证"理论所得出来的可信结果。我们借以判断趋向动词的五个检测条件,不仅可以建立起分层次的汉语趋向动词系统,而且可以进行确认、鉴定各趋向动词的语义特征。虽然对趋向动词的语义特征做了一个初步的分类,即"向背位移趋向"和"非向背位移趋向"②,但是在"形式和意义相互验证"理论的支配下,我们可以把各层级里面的成员的语义特征更加细致地加以分类。例如,单靠"位移趋向"意义来判定的话,"上"是属"非向背位移趋向"类别的,而且它的三种义项都概括在一起。但是,根据五个检测条件来判定的话,趋向动词"上"可以分三个类别:第一类是典型趋向动词"上",表示"从低处到高处"的意义;第二类是准趋向动词的"上",表示"向前进";第三类是趋向义非趋向动词的"上",表示"到[某个地方]"。这三个语义类别是根据它们在具体语言结构里所体现的不同的语法功能和语义特征进行验证后得到的结果。而且,我们在方言和古代近代汉语里找到了一些印证材料。大多数的方言里表示"从低处到高处"的"上"是趋向动词"上"的基本义,它占主导地位。这样的情况也同样出现在趋向动词"上"的历史发展线上。官话区方言里的一些情况值得注意。官话区的方言里只有表示"从低处到高处"的"上"。虽有类似于表示"到[某个地方]"的"上",不过它是作为介词表示"到、往"意义的"上",不是趋向动词"上"。这点是我们把表示"到[某个地方]"的"上"归纳为"趋向义非趋向动词"的有力证据。总之,所谓趋向动词"上"的核心、基本义是"由低处到高

---

① 如果"上"后面所带的宾语是表示地域的专有名词当中的"山名",如"太行山、衡山、黄山"等等,那么这里的"上"是表示"从低处到高处"的。

② 为了研究的方便,本人把趋向动词所具有的"位移趋向"分成两类:"向背位移趋向"和"非向背位移趋向"。"向背位移趋向"是以说话人为参照点的向背趋向。典型的例子是"来"和"去"两个。"来"是朝向着说话人的位置位移的动作趋向;"去"是背离说话人位移的动作趋向。"非向背位移趋向"是以甲乙两位置为参照点的位移趋向。典型的是"上"和"下"。趋向的向背位移和非向背位移,有客观事实上的可验证性,即以"说话人"为参照点。然而,从语法上说,不能按向背位移和非向背位移的语义理解来确认趋向动词的范围。因为,所谓向背位移和非向背位移,特别是非向背位移,理解上存在开放性。这就需要用语法特征来控制,或者说,需要依据语法条件来判别(参看辛承姬博士论文《汉语趋向动词系统及系统中某些问题的考察》的第一章第一节)。

处"。表示"向前进"和"到[某个地方]"的义项是从基本义演变、派生出来的意义。由于使用频率很低、符合趋向动词的基本条件,我们可以把表示"向前进"的"上"附在典型趋向动词"上"后面一起探讨。不过,表示"到[某个地方]"的"上"需要与典型趋向动词"上"分开,独立成为另一个类别。这样的分类也有助于进行趋向动词"上"的意义及用法教学。

参考文献

胡裕树主编(1993)《现代汉语》,上海教育出版社。
李冠华(1985)《处宾动趋结构初探》,《安徽师大学报》第4期。
李　荣主编(1988)《长沙方言词典》,江苏教育出版社。
李　荣主编(1994)《南昌方言词典》,江苏教育出版社。
李　荣主编(1995)《武汉方言词典》,江苏教育出版社。
李　荣主编(1996)《银川方言词典》,江苏教育出版社。
李　荣主编(1997)《哈尔滨方言词典》,江苏教育出版社。
李　荣主编(1997)《济南方言词典》,江苏教育出版社。
李　荣主编(1997)《上海方言词典》,江苏教育出版社。
李　荣主编(1998)《广州方言词典》,江苏教育出版社。
李　荣主编(1998)《梅县方言词典》,江苏教育出版社。
李　荣主编(1998)《南宁平话词典》,江苏教育出版社。
李　荣主编(1998)《太原方言词典》,江苏教育出版社。
李　荣主编(1998)《厦门方言词典》,江苏教育出版社。
刘　坚、江蓝生主编(1997)《宋语言词典》,上海教育出版社。
刘　坚、江蓝生主编(1997)《唐五代语言词典》,上海教育出版社。
刘　坚、江蓝生主编(1997)《元语言词典》,上海教育出版社。
刘月华主编(1998)《趋向补语通释》,北京语言文化大学出版社。
孟　琮等编(1987)《动词用法词典》,上海辞书出版社。
邢福义(1980)《现代汉语语法知识》,湖北教育出版社。
邢福义主编(1994)《现代汉语》(全一册),高等教育出版社。
许少峰主编(1997)《近代汉语词典》,团结出版社。
朱德熙(1984)《语法讲义》,商务印书馆。

(韩国　梨花女子大学教育研究生院)

HSK 考生群体分布一致性研究*

田 清 源

摘 要：测量的实质就是比较。作为心理测量，考试是一种特殊的测量，它必须依赖于一系列前提假设，才能够使得它的比较具有意义。通过分析现有的考试理论和它们的前提假设，本文提出了考生群体分布一致性假设，使用 HSK 实际考试的数据，对于该假设进行了统计检验。基于对于这个假设的验证，本文设计了考生分层抽样的方法，获取了分布形态保持高度一致的考生样本。考生群体分布一致性假设的验证，可以验证和补充现有考试理论的一些假设，分布形态高度一致考生样本的获得，实际上就是一个稳定参照标准的获得，与之进行比较就能够获得有意义的测量结果。

关键词：考试；心理测量；考生群体；分布一致性

一 引 言

1.1 考试理论及其前提假设

考试（test）是一种心理测量（psychometric）的工具和方法，它被用以甄别考生是否具有某种心理结构，或者说某种知识和能力。

Suen(1990)将现代考试理论分为两类：随机抽样理论（random sampling theory）和项目反应理论（item response theory, Bejar, 1983）。随机抽样理论又具有两种实现：经典理论方法（classical theoretical approach, Gulliksen, 1950）和概化方法（generalizability approach, Cronbach et al, 1972），经典理论方法可以视为概化方法的一个特例。人们常常又将前者称为经典理论，将后者称为概化理论。

经典理论构筑于两个基本假设之上：不相关假设（assumption of independence）和平行考试假设（parallel tests assumptions, Lord and Novick, 1968）。不相关假设的内容是：假设考试的测量误差与所要测量的真分数之间不相关。平行考试假设是一组假设，

---

* 本文得到北京语言大学校级项目资助(05YB01)。

它要求两个测量同一心理结构的考试满足下列3个条件:1.两个考试具有相同的标准差；2.两个考试与任意一组真分数之间具有一致的相关；3.所有不能解释为真分数的方差,都被视为随机误差。经典理论平行考试假设的第3条与不相关假设具有一定的重合,它们只有在被测量的心理结构具有确定性,测量的误差全部来源于随机误差的时候才能够成立。经典理论平行假设的第1条和第2条,实际上是要求考试中的项目(items)是所要测量的内容全域(content domain)的平行抽样,这些假设无法通过项目本身得到验证,必须通过同一组考生(他们具有一致的真分数)在两个考试中的反应进行验证。

项目反应理论构筑于局部独立假设(assuption of local independence)和单维性假设(assumption of unidimentionality)之上。局部独立假设的内容是:同一个考生对于考试中不同项目的反应不具有相关性。单维性假设的内容是:考试只测量单一维度的心理特征。项目反应理论单维性假设不仅要求被测量的心理结构具有确定性,而且要求它结构单纯。局部独立假设则要求考试各个项目之间不存在相互提示。当满足两个假设时,项目的参数不依赖于考生,根据考生的反应,可以估算出项目参数和考生能力,在后续的考试中可以直接使用参数估算出考生的能力。

1.2 测量的实质与考试的特殊性

以实验为基础的自然科学之中,测量(measurement)是必不可少的工具。在自然科学中,测量有三个要素:一是被测量的特性必须有稳定清晰的结构,它或为单纯特性,或为若干单纯特性的复合;二是测量的标准性,即测量具有标准参照;三是测量的可重复性,测量可以稳定地再现。三个要素是相互依存,互为前提,在一定条件下可以相互转化。被测量的特性具有清晰的结构,才能具有标准的参照；具有了标准的参照,测量才能够稳定地再现。

考察测量的实质,测量就是比较(comparing)。在自然科学实验中,以具有稳定特性的参照物作为参考标准,比较被测量物体的特性,就获取了测量的结果。

以空间的测量来举例说明测量的特性和实质。人们在实践中抽象出空间位置关系这一特性,它的测量标准单位"米"最初定义于1790年5月,法国科学家组成的特别委员会建议以通过巴黎的地球子午线全长的四千万分之一作为长度单位"米",1791年获法国国会批准；1799年,以铂杆制成米的参考标准,称为"档案米"；1872年,又将铂依合金制造的"米原器"规定为米的参考标准；1960年第十一届国际计量大会对米的定义作了如下更改:"米的长度等于氪—86原子的$2P_{10}$和$5d_1$能级之间跃迁的辐射在真空中波长的1650763.73倍"；1983年第十七届国际计量大会上又通过了米的新定义:"米是1/299792458秒的时间间隔内光在真空中行程的长度"。因此,在不同的时代,对于空间位置关系的测量实质上就是对于上述参考标准的直接或者间接比较,假设我们目前测量到一个人的身高是 1.70 米,我们是经过比较后得知这个人的身高是"1.70/299792458 秒的时间间隔内光在真空中行程的长度";假设这个测量是在 19 世纪进行的,那是经过比较后得知这个人的身高是"通过巴黎的地球子午线全长的四千万分之一点七〇",也就是"档案米或者米原器长度的 1.70 倍"。

作为心理测量,考试与自然科学之中的测量有所不同。就测量的三个要素进行考察,考试具有自己的特殊性。首先,考试这种特殊测量所要比较的是考生的某种心理结构(psychological structure)。心理结构是心理学家构筑在字面上的结构,用以表示某一心理研究对象不可直接观察的特征和倾向。心理结构虽然能够对于人们的行为进行一定的解释和预测,但是它不能被清晰地表达为若干可直接观察的单纯特性的复合,从这个意义上来说,心理结构具有不确定性,有一些心理学家认为心理结构是否真实存在尚无定论(Nunnally, 1978)。其次,心理结构的不确定性,决定了其比较标准的不稳定性。考试的参照有两种,一种称为常模参照,它的比较标准是整个考生群体中的位置。考试的另一种参照称为标准参照,理论上它的比较标准是内容全域,它所测量的是考生占有内容全域的比例,然而,内容全域的无限规模和不可穷举的特性决定了这个比例无法直接测量。实践中,这种测量一般转化为与抽象出来的"标杆考生"进行比较,"标杆考生"拥有典型的心理结构,在内容全域中占有典型的比例,它也对应于考生群体的某个典型位置。美国心理测量行业协会的标准也认为,常模参照和标准参照在一定条件下可以相互转换(AERA, APA, and NCME, 1999)。对于常模参照,如果考生群体发生了变化,相同考生所处的位置就有可能发生变化,它是不稳定的。在标准参照中,一旦"标杆考生"的位置不再具有意义,所建立的参照标准也就失去了意义,因此,它也缺乏稳定性。第三,前面所述的两个特性直接决定了考试的不稳定性,它的结果难以稳定再现。

各种考试理论的前提假设,目的就是为了克服考试因其特殊性而遭遇的各种问题,让考试套用自然科学中的测量学方法,然而,考试固有的特殊性使得它不能完全满足考试理论的前提假设,有时候还会有很大的偏离。基于对现有考试理论的分析,以及对于考试具体实施数据的研究,本文推测在考试的具体实施中实际隐含了一个假设,那就是考生群体分布一致性假设,它的内容是:对于同一种考试的多次实施,各次考生群体之间应该存在一定的分布一致性,因此,设计恰当的抽样方法,就能够使得各次考生群体的抽样样本具有一致的分布。该假设如果得到证实,它具有四个方面的意义:1.对于经典考试理论,具有相同分布的样本可以直接验证平行考试假设;2.对于项目反应理论,样本的稳定性可以弥补其前提假设得不到满足时造成的偏差;3.稳定的样本可以直接作为测量比较的参考标准,考生与之相比较就可以直接获取考试的结果;4.用以甄选试卷等值的设计和方法,获取更准确的等值结果。

通过分析考试作为测量的特殊性,本文在引言部分提出考生群体分布一致性假设及其对于考试的重要意义。在本文的第二部分,将以中国汉语水平测试(HSK)为例介绍考生群体分布一致性假设的具体内容。在本文的第三部分,为了检验 HSK 考生群体分布一致性假设,设计相应的实验方案。本文第四部分,给出 HSK 考生群体分布一致性实验研究的数据和分析。最后,给出本文的结论。

二 HSK 考生群体分布一致性假设

中国汉语水平考试(HSK)是为测试母语非汉语者的汉语水平而设立的国家级标准化考试。中国汉语水平考试由北京语言大学汉语水平考试中心设计研制,包括基础汉语水平考试,初、中等汉语水平考试和高等汉语水平考试。对于考生来说,HSK 是对他们的外语水平和能力进行测量的考试,考试的结果反映他们外语学习的成果。

外语的习得同时受到外语学习者内因和外因的影响。在内因中,最重要的是外语学习的母语背景和他们的学习动机,在外因中,最重要的是外语学习的环境。基于常识对于参加 HSK 的考生首先做 3 个假设:

(1) 考生的国籍与他们的母语高度相关;

(2) 不同月份参加考试的考生可能具有不同的考试动机,考试动机与学习动机高度相关,因此,不同月份参加考试的考生可能具有不同的学习动机;

(3) 考生就近选择考点,因此,考生参加考试的考点与他们的学习环境相关。

基于这 3 个基本假设,HSK 考生群体分布一致性假设如下:

(1) 将考生群体按照国籍、考点和考试月份划分为子群体,无论来自哪一次具体的考试,国籍、考点和考试月份相同的子群体因为具有相同的汉语学习内因和外因,应该在统计上表现出一致的真分数(或者能力值)分布;

(2) 在上述假设成立的前提下,如果进行分层抽样,固定来自各个子群体的样本组成比例,就能够获得真分数(能力值)的分布保持稳定一致的样本。

三 HSK 考生群体分布一致性的实验设计

3.1 检验对象的选择

考生群体分布一致性假设是对考生真分数(或者能力值)的分布进行的假设。然而，真分数（或者能力值）是无法直接观测的。经典理论下，使用原始分数（raw score）来估计真分数，在项目反应理论下，通过反应向量（response vector）来估计能力值。无论基于哪一种理论而实施的考试，都有大量的前提假设。如果使用基于这些假设的理论方法估算得到的真分数（或者能力值）对于考生群体分布一致性假设进行检验，存在着两个危险：1.如果检验得不到证实，无法说明是考试理论的其他前提假设得不到满足，还是考生群体分布一致性假设得不到证实。2.如果检验得到了证实，无法排除在验证过程中的真分数估算中是否隐含了要验证的分布一致性假设，因此不能排除这个验证过程不是一个无效的循环论证过程。所以，直接检验真分数分布的方法是不宜采用的。

如果多次考试中采用了相同试卷，相应各次考生群体的真分数就与原始分数具有一致的相关性，这种情况下，原始分数的分布就可以完全代表真分数的分布。因此，实验设计中，可以用相同试卷原始分数的分布检验替代真分数的分布检验。证书考试是重复实施的，对于考试实施后不解密的试卷，在保证安全性的前提下可以有条件地重复使用。全球各大考试都有这样的做法，HSK 考试也不例外。考察 HSK 的历次初中等考试，有一份试卷具有一定时间间隔地使用过三次，这使得本文使用相同试卷的原始分数分布检验替代了真分数分布检验的构想成为现实的可能。本文将基于这三次考试的原始分数进行 HSK 考生群体分布一致性检验。这种实验方法的选取，使得检验中只有一个待检验的假设，排除了其他考试理论前提假设的串入和干扰。

3.2 实验的内容

所选使用相同试卷（后文称试卷 F）的考试分别实施于 A 年 12 月、B 年 7 月和 C 年 12 月，其中 B＝A＋2，C＝A＋4。A 年 12 月的考试中，只有北语以外考点使用了试卷 F，因此，对于北语以外考点的数据，有 3 次考试两两配对进行检验，对于北语考点的数据，只有 2 次考试实施进行一次配对实验。实验中将考生国籍分为 4 类：韩国、日本、亚洲除韩国和日本以外的其他国家（后文简称亚洲其他）以及亚洲以外的国家（后文简称亚洲以外）；将考点分为 2 类：北语考点和北语以外考点（后文分别简称为北语和北语以外）。依据这种分类，每次考试的考生群体可以划分为 8 个子群体。实验的具体内容如下：

(1) 考查 HSK 考生群体国籍的组成变化；
(2) 分析原始分数分布的特征，确定统计检验的方法；
(3) 检验不同子群体的分布一致性；
(4) 依据前面三项实验，设计分层抽样方法，并对抽样结果进行统计检验。

四 HSK 考生群体分布一致性实验数据和分析

4.1 考生国籍的组成变化

对于 A、B、C 三个年度 7、12 两个月份 HSK 初中等考试的实考人数进行统计,结果如表1和表2。

分析两个表格中的数据,对于 HSK 初中等考试考生群体的组成可以做出如下结论:

(1) 同一年度中,不同时间考试的考生人数明显不同,一定程度上反映了不同月份的考试动机具有一定的差别;

(2) 各个国家的考生人数都在稳步增长;

(3) 各个国家考生人数的增长幅度各不相同,因而引起各个考生子群体的百分比组成不断变化。

表1. 考生人数按照国籍分类统计表

考试时间 国籍	A年 7月	A年 12月	B年 7月	B年 12月	C年 7月	C年 12月
合计	1815	4193	3907	7027	7748	14257
韩国	805	1491	2064	4029	5470	10114
日本	902	2292	1419	2367	1618	3080
亚洲其他	62	257	212	421	373	650
亚洲以外	46	148	209	187	282	371
少数民族	0	5	3	23	5	42

表2. 考生人数按照国籍分类的百分比组成(%)

考试时间 国籍	A年 7月	A年 12月	B年 7月	B年 12月	C年 7月	C年 12月
合计	100	100	100	100	100	100
韩国	44.4	35.6	52.8	57.3	70.6	70.9
日本	49.7	54.7	36.3	33.7	20.9	21.6
亚洲其他	3.4	6.1	5.4	6	4.8	4.6
亚洲以外	2.5	3.5	5.3	2.7	3.6	2.6
少数民族	0	0.1	0.1	0.3	0.1	0.3

上述 HSK 常规考试中,少数民族考生人数很少,不足以参与统计检验。此外,少数民族考生的母语背景、汉语学习环境以及汉语考试和学习动机与外国考生有极大的差别,因此,本文的研究工作中少数民族考生暂不参加统计检验。

4.2 考生原始分数分布形态的检验

确定考生原始分数分布形态是进一步确立一致性检验统计方法的依据。对于 C 年 12 月份 HSK 初中等考试全体考生的原始分数进行初步统计,数据如表 3。

表 3. 考试 1 全体考生的初步统计值

	Min.	Max.	Mean	Std. Dev.	Sk.	Ku.
听力	.00	50.00	30.6745	9.47272	-.303	-.648
语法	.00	30.00	18.2547	6.09355	-.284	-.747
阅读	.00	50.00	32.6185	10.06586	-.440	-.720
综合	.00	40.00	23.3993	8.48195	-.233	-.860

从偏度和峰度来看,四个部分原始分数的分布都不是正态分布。为了更加直观地把握考生原始分数的分布,使用统计软件画出原始分数分布图。图 1 为听力部分原始分数的分布图。从分布图可以看出两点:1.分布偏离正态分布的形态;2.几乎没有考生获得 0 分到 6 分之间的低分,本文将这种现象称为低分空缺。考试其他几个部分的原始分数分布也存在类似的特点,限于篇幅,不一一画出。

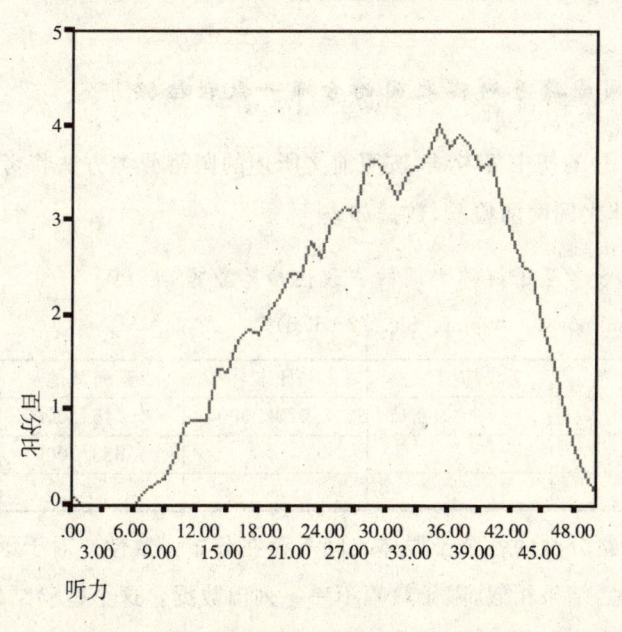

图 1:考试 1 全体考生听力原始分数分布图

对比使用其他试卷进行的考试，以及相同试卷进行的不同次考试，考生群体原始分数的分布形态存在如下规律：

（1）原始分数分布形态明显偏离正态分布，进一步使用卡方检验和 Kolmogorov–Smirnov 正态检验，证实了考试各部分原始分数分布皆非正态分布；

（2）原始分数分布形态与试卷密切相关，相同试卷不同次考试之间具有近似的分布，而不同试卷的考试之间分布明显不同；

（3）低分空缺普遍存在。

原始分数分布不是正态分布，考生群体分布一致性的检验就不能采用基于正态假设的一系列检验方法。本文选用 Kolmogorov–Smirnov Z 检验方法，它是一种不依赖于分布形态的一致性检验。

低分空缺来源于猜测效应：当考生不能确定正确答案时，一般会猜测答案。根据随机猜测模型，猜测所得原始分数为(n/m)，其中 n 是选择题数量，m 是选择题的备选数。极端低能的考生对于群体的统计检验是一种干扰，考虑考生不能确定正确答案时也有可能不进行猜测，结合对原始分数分布形态的分析，适当修正随机猜测模型，将其分母修订为$(m+1)$，考试各个部分中任何一个部分原始分数低于$(n/(m+1))$的考生都被剔除，不参与统计检验。

4.3 不同子群体的分布一致性检验

4.3.1 不同国籍子群体之间的分布一致性检验

对于 C 年 12 月的初中等考试，按照前文所述的国籍分类方法将考生分为子群体，不同国籍的子群体之间两两检验，数据如表 4。

表 4. 听力分数考生子群体之间的一致性检验数据

(Kolmogorov-Smirnov Z / Asymp. Sig. (2-tailed))

	韩国	日本	亚洲其他	亚洲以外
韩国	-	3.020/.000	4.746/.000	1.759/.004
日本	-	-	5.883/.000	2.556/.000
亚洲其他	-	-	-	2.551/.000

显然，按照国籍分类的各个子群体之间不存在分布一致性。对于语法、阅读和综合部分做相同的检验，结果相似，限于篇幅不一一列出数据。这个检验结果说明了考生母语背景对于考生外语学习成果所具有的决定性作用：母语不同的各个考生子群体之间，分数分布形态各不相同。

4.3.2 不同考点子群体的分布一致性检验

将同一次考试中相同国籍的考生子群体再按照考点进一步细分为两个考点子群体,它们之间进行分布一致性检验,表5是相关的检验数据。

表 5. 听力分数北语与北语以外考点之间考生子群体一致性检验

(Kolmogorov-Smirnov Z / Asymp. Sig. (2-tailed))

	韩国	日本	亚洲其他	亚洲以外
B年7月	1.910/.001	2.435/.000	2.087/.000	.715/.686
C年12月	2.647/.000	1.045/.225	.949/.328	.464/.982

上表中的数据是对于听力分数进行的检验,对于其他部分进行检验的结果与之相似,限于篇幅不一一列出。观察检验数据,相同国籍的考生在北语考点与北语以外考点之间虽然有时表现出一定的分布一致性,但有时又表现为不具有分布一致性。分析其原因如下:

(1) 考生在不同的外语学习环境下可能获得不同的外语学习成果;
(2) 选择不同学习环境的考生也可能具有不同的考试动机,其报考水平也可能存在差异。

4.3.3 不同月份考试考生子群体的分布一致性检验

B年7月和C年12月,各个考点都使用了试卷F。将两次考试的考生群体按照考点和国籍分别划分为8个子群体,两次考试对应的子群体配对进行分布一致性检验。检验数据参见表6。

表 6. B年7月和C年12月之间考生子群体的一致性检验

(Kolmogorov-Smirnov Z / Asymp. Sig. (2-tailed))

国籍(考点)	听力	语法	阅读	综合
韩国(北语以外)	1.201/.112	1.340/.055	.510/.957	.927/.356
韩国(北语)	1.057/.214	1.310/.064	1.577/.014	1.120/.162
日本(北语以外)	1.180/.124	1.436/.032	1.180/.124	1.231/.096
日本(北语)	.821/.511	1.231/.096	.616/.843	1.334/.057
亚洲其他(北语以外)	2.185/.000	1.847/.002	1.982/.001	1.646/.009
亚洲其他(北语)	.973/.300	.610/.851	.648/.795	.765/.601
亚洲以外(北语以外)	1.328/.059	1.144/.146	1.512/.021	1.329/.058
亚洲以外(北语)	1.020/.249	1.172/.128	.634/.816	.916/.371

分析上面的数据,可以发现如下特点:将考生群体按照国籍和考点细分为子群体之

后,即便是两次考试的月份不同,在两次考试之间各个对应考生子群体基本具有分布一致性。

4.3.4 不同年度相同月份考试考生子群体的分布一致性检验

A年12月与C年12月的两次考试,北语以外考点使用的都是试卷F。对于北语以外考点的考生按照国籍划分子群体,两次考试之间对应的子群体配对进行分布一致性检验,数据如表7。表中还摘引了表6中的相关数据,以比较月份相同和月份不同的考试之间的区别。

表7. 北语以外考点3次考试之间的考生群体分布一致性检验
(Kolmogorov-Smirnov Z / Asymp. Sig. (2-tailed))

国籍(对比的考试时间)	听力	语法	阅读	综合
韩国(B年7月&C年12月)	1.201/.112	1.340/.055	.510/.957	.927/.356
韩国(A年12月&C年12月)	1.107/.173	.749/.629	1.130/.156	1.275/.078
日本(B年7月&C年12月)	1.436/.032	1.180/.124	1.231/.096	1.180/.124
日本(A年12月&C年12月)	.539/.933	.635/.814	.744/.637	.876/.426
亚洲其他(B年7月&C年12月)	2.185/.000	1.847/.002	1.982/.001	1.646/.009
亚洲其他(A年12月&C年12月)	1.181/.123	1.072/.201	1.474/.026	1.281/.075
亚洲以外(B年7月&C年12月)	1.328/.059	1.144/.146	1.512/.021	1.329/.058
亚洲以外(A年12月&C年12月)	.414/.995	.722/.674	.525/.946	.748/.630

分析表中的数据,可以发现如下规律:
(1)对于各个考生子群体,各次考试之间基本上存在统计一致性;
(2)不同年度相同月份考试的分布一致性普遍高于月份不同的考试。

4.4 考生群体的分层抽样

4.4.1 抽样设计的依据

总结前文所做的统计分析和检验,对于考生群体的统计特性,可以提炼如下几条主要规律:
(1)考生群体的国籍组成比例是变化的;
(2)不同国籍的考生子群体之间不具有分布一致性;
(3)不同考点的考生子群体之间不能确保具有分布一致性;
(4)相同考点、相同国籍的考生子群体在不同次考试中表现出分布一致性。其中,相同月份考试的一致性高于月份不同的考试。

根据这些规律,可以做出如下推断:

(1) 如果对于考生的全体进行比较,不同次考试的考生群体之间不能确保具有分布一致性;

(2) 如果使用分层抽样的办法,确保从每次考试中抽取国籍和考点组成比例恒定的样本,它们应该具有分布一致性;

(3) 在上述样本之中,月份相同的样本分布一致性更高。

基于这些推断,设计抽样方法并进行实验验证。

4.4.2 抽样设计

依据历年考试的考生组成情况,确定一个固定的国籍组成比例。本文的工作中,将组成比例设置为:韩国、日本各 40%,亚洲其他国家、亚洲以外国家各 10%。

抽样中,必须确保各个子样本充分代表其来源子群体的统计特征。为了实现对于子样本选取的控制,本文构造了样本偏差指数 E1、E2 和 E3。假设分数均值为 MN,标准差为 SD,偏度为 SK,峰度为 KU。下标用 o 表示考生子群体,用 S 表示子群体的随机抽样,考试共 n 部分,用 i 表示考试的第 i 部分。构造 3 个偏差指数分别如下:

$$E1 = \frac{\sum_{i=1}^{n} \frac{|MN_{oi} - MN_{si}|}{\min(MN_{oi}, MN_{si})} \cdot \frac{\max(SD_{oi}, SD_{si})}{\min(SD_{oi}, SD_{si})} + \max_{i=1}^{n} \frac{|MN_{oi} - MN_{si}|}{\min(MN_{oi}, MN_{si})} \cdot \frac{\max(SD_{oi}, SD_{si})}{\min(SD_{oi}, SD_{si})}}{n+1}$$

$$E2 = \frac{\sum_{i=1}^{n} |SK_{oi} - SK_{si}| + \max_{i=1}^{n} |(SK_{oi} - SK_{si})|}{n+1}$$

$$E3 = \frac{\sum_{i=1}^{n} |KU_{oi} - KU_{si}| + \max_{i=1}^{n} |(KU_{oi} - KU_{si})|}{n+1}$$

本文中,设置抽样控制参数为 E1≤2%,并且 E2≤0.1,并且 E3≤0.2。

4.4.3 抽样结果分析

依照上述抽样设计,对于同样使用试卷 F 的 A 年 12 月、B 年 7 月和 C 年 12 月三次考试的考生分别进行分层抽样,分别获得 A 年 12 月北语以外考点、B 年 7 月北语考点、B 年 7 月北语以外考点、C 年 12 月北语考点和 C 年 12 月北语以外考点共五个样本(A 年 12 月份考试北语考点不是使用试卷 F)。检验 B 年 7 月和 C 年 12 月样本之间的分布一致性,数据见表 8。对于北语以外考点的 3 个抽样进行分布一致性检验,数据参见表 9。

表8. B年7月与C年12月考试之间分层抽样一致性检验

(Kolmogorov-Smirnov Z / Asymp. Sig. (2-tailed))

样本		听力	语法	阅读	综合
北语以外	全体考生	3.457/.000	1.984/.001	.730/.660	1.296/.070
	分层抽样	1.245/.090	1.280/.076	.830/.496	.968/.305
北语	全体考生	2.302/.000	1.348/.053	2.693/.000	1.848/.002
	分层抽样	1.107/.173	1.556/.016	.623/.833	1.003/.267

表9. 北语以外考点3次考试分层抽样一致性检验

(Kolmogorov-Smirnov Z / Asymp. Sig. (2-tailed))

样本		听力	语法	阅读	综合
A年12月 & B年7月	全体考生	2.734/.000	2.781/.000	3.562/.000	3.734/.000
	分层抽样	1.729/.005	1.211/.107	.934/.348	1.141/.148
B年7月 & C年12月	全体考生	3.457/.000	1.984/.001	*.730/.660*	1.296/.070
	分层抽样	1.245/.090	1.280/.076	.830/.496	.968/.305
A年12月 & C年12月	全体考生	*.460/.984*	1.863/.002	4.418/.000	3.976/.000
	分层抽样	.726/.667	.761/.609	.553/.919	.450/.988

表9中,有两个全体考生的数据高于分层抽样的数据(表格中用斜体标出)。考虑到它们同一行数据中其他三个部分的数据极低,可以判断这两个全体考生数据的偏高是属于个别巧合,可称之为畸高(因为HSK考试的设计结构以及有关的数据分析都证实考试的四部分之间都具有较高的相关性)。经过分层抽样后,虽然两个畸高的数据略有下降,但其他部分都显著提高,并且四个部分都达到了很高的置信度。所以,实验数据可以证实抽样设计的合理性,在保证样本的国籍和考点组成一致的前提下,分层抽样能够获得分布形态基本一致的样本,如果进一步确保月份相同,分层抽样样本的分布形态高度一致。

五 结 论

测量的实质就是比较。作为心理测量,考试是一种特殊的测量,它必须依赖于一系列前提假设,才能够使得它的比较具有意义。通过分析现有的考试理论和它们的前提假设,本文提出了考生群体分布一致性假设,使用HSK实际考试的数据,该假设得到了统计验证。考生群体分布一致性假设的验证,可以用来验证现有考试理论的一些假设,也可以对于某些考试理论假设得不到满足时造成的系统误差进行弥补。

基于考生群体分布一致性假设,本文设计了考生分层抽样方法,获取了分布形态保持高度一致的考生样本。分布形态高度一致考生样本的获得,实际上是一个稳定参照标准的获得,将具体考生与之进行比较,就能够获得有意义的测量结果。

参考文献

AERA, APA, and NCME(1999) Standards for Educational and Psychological Testing.

Bejar, I. I. (1983) Achievement testing: Recent advances. In J. L. Sullivan and R. G. Niemi (Eds.), *Quantitative Applications in the Social Sciences*. Beverly Hills, CA: Sage.

Cronbach, L. J. et al. (1972) The dependability of behavioral measurements: Theory of generalizability for scores and profiles, New York: John Wiley and Sons.

Dorans, Neil J. and Holland, Paul W. (2000) Population Invariance and the Equatability of Test: Basic Theory and The Linear Case, *Journal of Educational Measurement* Vol. 37 Issue 4, p. 281—307.

Fisher, W. P. Jr. (2001) Invariant Thinking vs. Invariant Measurement, *Rasch Measurement Transactions*, p. 778—781.

Gulliksen, H. (1950) *Theory of Mental Tests*, New York: Wiley.

Kolen, M. J. and Brennan R. L. (1995) *Test Equating*. New York: Springer-Verlag.

Lord, F. M. and Novick, M. R. (1968) *Statistical Theories of Mental Test Scores*, Reading, MA: Addison-wesley.

Nunnally, J. C. (1978) *Psychometric Theory*, New York: McGraw-Hill.

Suen, H. K. (1990) *Principles of Test Theories*, New Jersey: LEA.

(100083　北京,北京语言大学汉语水平考试中心)

《语言自迩集》的编刊与流传

王澧华

摘 要:《语言自迩集》是近代对外汉语教学史上的通用教材。本文在文献学的意义上考察了它在 36 年间的三次修订出版。论文第一部分是对主要作者和协作者及各自承担的工作的考述。论文第二部分是对 1867 年初版、1886 年修订版和 1903 年删节版的文本比勘,借以考订全书的结构体例、作者编写意图和教学安排以及读者的需求反馈。论文第三部分论述了它的刊印("London Trubner & Co."和上海"别发洋行")、流传与影响。

关键词:威妥玛;语言自迩集;编刊;流传

一 作者、协作者及各自承担的工作

1867 年,英国驻华使馆的中文秘书威妥玛(Thomas Francis Wade)出版《语言自迩集》第一版,用以培训使领馆翻译学员,同年,禧在明(Walter Caine Hillier)被英国使馆录用为翻译学员。20 年后出版的第二版,已是这对师生的合作成果,前者是驻华公使卸任回国,后者是使馆在任中文秘书。再过 17 年,作为威妥玛遗嘱执行人的禧在明授权出版删节本的时候,他的老师已经去世(1895)8 年了。

在第一版序言(1867 年 5 月 16 日,上海)中,对于此书的编写目的,威妥玛这样写道:

> 笔者的一项职责,就是指导英国驻中国领事馆招募人员学习汉语……它的基本功能是帮助领事馆的学员打好基础,用最少的时间学会这个国家的官话口语,并且还要学会这种官话的书面语。[①]

因此,他在《语言自迩集》的中文书名下,特意标注"designed to assist the student"(意为"为辅导学生而设计")。事实上,在 1867 年出版"这一初级课程"之前数年,威妥玛已

---

* 本研究得到上海市重点学科建设项目资助,项目编号:T0405。
① 《语言自迩集》,张卫东译,北京大学出版社 2000 版。本文所引皆采用张卫东先生译文。

经在他辅导的"领事馆学员"中开始使用"这些练习的手稿","经过四次修订,余下的练习就是大家现在看到的"。他还特别声明,"领事馆学员采用这些练习的手稿所取得的进步,为这一基础课程的效用提供了很好的证明"(皆见第一版序)。

在第二版序言(1886年7月4日,伦敦)中,威妥玛多次介绍了禧在明对本版的贡献:

> 汉英练习及其答案……主意是我的,工作也是我开始做的;可是,1882年回到英国时,我的体力和精力已不能适应这样的工作……我有好运气拥有一些可贵的英国助手。沃尔特·希利尔先生(即禧在明),当时的助理汉文秘书,现已荣升汉文秘书,1883年他带回来了全套的新课文,有的完成了,有的尚未完成。"英汉练习"完全是他编写的。还有不少小型短句,打算用于新词汇表的举例说明,更短的章节替代了那些令学生烦恼的旧"四十练习"长栏目。所有这些应该做的,希利尔先生都代劳了。他之精通汉语有如一位代言人,他在这方面的能力,据我所知,没有一个英国人超过他。消除语言过失方面的指责也许应该主要归功于他。
>
> ……希利尔先生,是北京话声调方面的高级权威,他已经细心地校正了新版前七章里每个词的声调符号。
>
> 第四章即"问答章",一段关于语言的句法结构的对话删除了……我的全权委托人希利尔先生认为,压缩篇幅对问答篇十章有利。他已经用自己写的一段对话取代了它。
>
> 第五章即"谈论章"……希利尔先生已经给注释中解释的词加了声调符号。
>
> 第六章"秀才求婚"……有一些在公使馆实习了两年的学生,为了向他们指明某些细节,需要提供解释。那些能够满足这种需要的大量注释,个个都出自希利尔先生之手。
>
> 还有第七章和第八章,在先前的"声调练习"里,我不时地看到希利尔先生修订的痕迹。希利尔先生为之命名的"词类章",保留了这些修订,几乎原封未动。我也未做修改。在我看来,就其本身而言,正确性是不用怀疑的。

由此看来,禧在明是以其"精通汉语""这方面的能力"和作为"北京话声调方面的高级权威",主要在翻译练习、阅读练习、对话练习和声调练习方面,为第二版做了相当一部分的例句增补与修订,声调的标注与校正,以及"秀才求婚"等课文的字词注释。由此,他得以与威妥玛联合署名,并且成为威妥玛的"全权委托人"(as my plenipotentiary)。

第三版只有出版商执笔的出版前言(1903年3月,上海),这一版是上海别发洋行在得到禧在明授权(approve)后的删节简编(an abridged form)。

除了威妥玛与禧在明这两位主要作者,《语言自迩集》还有数位协作者,其中有四人在威妥玛的序言中被提及。

第一位叫应龙田。在第一版序言中,在介绍附录中的音节表的编制过程时,威妥玛说:

> 1855年……我的老师应龙田(Ying Lung T'ien)已经主动为我编制了一份词汇引得,我把它简化为按字母顺序排列的一个音节表,最终以北京话音节表的名义附于《寻津录》。其基础是一部旧版《五方元音》……收有大约一万个通用汉字,这是书面词汇,按五个调类排列,每个调类里的词再依12声母和20韵母的特定顺序归类。凡他认为对于学习口语并非必不可少的词语,全部删除,将剩余的部分重新归类,保留原来的声母和韵母,作为检索音节的类目,但是,对于大量词语的语音做了订正,有些是改变了发音或者声调,有些则是二者都改了,并且彻底清除了第五声即所谓入声。我发现,他对声韵和声调两方面的判断,在整个七年中经受住了考验,被认为大体正确。对于一个人说话所需词语数量,他的限制比较严格,这是很了不起的……他死于1861年。为了弥补他所提供的字表之不足,从一个比他分析过的大得多的音节表里进行独立的选择,从那时起,已由另一些本地助手为我做起来了。当时对原来的音节表加工修订的成果,是一份新的版本及其附录。
>
> ……18节(The Eigteen Sections)……所包含的短语,是几年前应龙田所做的大规模采集结果的一部分。我把它作为"汉文课文"印了出来,增益了1860年我自己做的一小部分……现在作为第三章的续编出版。该章的内容用汉语成为"散语",即独立的短语……第五部分是"续散语",即那些短语的补遗……"谈论篇"(The Hundred Lessonse)……是大约两个世纪前为满洲人学汉语、汉族人学满语而编的本地课本的几乎全部……它的各种术语,都太书生气了,不过已经被应龙田彻底修订过了,我把它加以删节印成《续散语》。

在第二版序言中,威妥玛再一次表彰了应龙田:

> 正如我在《寻津录》或称"试验手册"中——我的字母表1859年第一次在那里发表——解释的,在北京话的口语中,这个声调已不复存在。而第一次唤起我注意的是应龙田,一位受过良好教育的北京人,一位令人钦佩的发音人,他已为我自行重新整理了一份词汇表,其中的调类是实际使用的。他的表中,所有的地图五声都并入第二声,而一年之后我住进北京的时候,我发现应龙田是对的。我听过一位非常有资格的鉴定专家表态说,他的声调分类"无懈可击"。

第二位的名字叫做于子彬。他出现在第二版的序言中:

> 第六章即"秀才求婚",是原第五章重新分配的一份材料,做了许多修正和增加。它本身还有一段故事。我曾用汉语写了一个简短的前言放在该章课文的前

边,可是我发现,转递给我的校样里不见了它的踪影。我把我的译文誊录于此,谨以表示对中国学者的敬意,重新整理这篇汉文课文的主要荣誉应归于他。

……于子彬(Yu Tzu-pin)一位满族学者,主动拿来《西厢记》,或曰"西厢房的故事",作为一个框架,填上本课程第三章和第四章的短语,并顺序地串连在一起——真正方便了未来的学生。

……初始的概念,毫无疑义地应该完全归功于学者于子彬。一项改进的功劳,跟一项发明的功劳不可同日而语。

第三位是璧斯玛,第一版序言在谈到应龙田去世后由"另一些本地助手"修订而成的音节表时说:"在普鲁士公使馆中文秘书查理斯·毕斯马克先生的监督下,精心地准备好了……新的附录完全是他经手完成的。"

第四位是施本思,在第二版序言中,威妥玛称:"我还要感谢唐纳德·斯宾士先生的帮助,他在归航途中使这些短句(笔者:指第三章"四十练习")趋于完善,而我准备的只有四分之一多一点儿。可是,从时间和地点的细节来看,他的贡献不如希利尔先生。"

至于另外一些有意不予出名的协作者,威妥玛在第一版序中这样写道:

问答章(The Ten Dialogue)由我口述给一位口语非常好的本地老师,对我所说的话,他当然是先行纠正再予记录。

……于是,我就同上面提到的那位有能力的教师一起研究词源学,"口试"式地将范文译给他听,并尽我所能解释这些例子意欲展示的规则和定义……那位教师在我们继续读下去时便灌输、建议做些各色各样的扩大与缩小。课文最后提交给另一位有学问的中国人并获得通过,他建议把它定名为"言语例略(Yen Yu Li Luo)",或曰"言语条例概览"。

第二版序言在谈到于子彬借助《西厢记》串连短语时,还引出了另外几名协作者:"这个主意最好,而作者从未想过自己独立承担,于是请来几位中国朋友帮忙,删节和修改故事的主要情节作为骨架,然后充实其他……向参加修订工作并为之付出大量心血的那几位中国人士表示感谢。"

这些未曾留名的"中国人士",包括已经具名的"Ying Lung T'ien"与"Yu Tzu-pin",目前皆未能考订其生平行事。反倒是璧斯玛与施本思,尚能寻知一二。

璧斯玛(Charles Bismarck),1864 年随德国首任驻华公使的翻译来到北京,1874 年任驻天津领事,1877 年改任驻厦门领事,不久离任回国。在威妥玛眼里,"无论是讲发音还是做翻译,他都是一位非常有希望的学者"(第二版序)。

施本思(Donald Spence),1869 年来华,进入公使馆,中间一度担任《泰晤士报》驻华记者、怡和洋行驻天津代表,1880 年任宜昌领事,1881 年调任驻上海领事。

下面简要回顾威妥玛与禧在明的汉语学习、汉语研究与汉语教学。

威妥玛(1818.8.25—1895.7.31),在他去世的当年,他的老朋友、法国著名汉学家考狄(Henri Cordier)立即撰写了一个在当时已经不算简略的传记,发表在自己主编的《通报》1895年10月号上。那时,考狄还只能推测他的出生年份,他的准确的生卒日期来自于《大英百科全书》的条目介绍。此外,还有 Charles Aylmer(艾超世)的 *Sir Thomas Wade and the Centenary of Chinese Studies at Cambridge*, 1888—1988①。根据这些材料,我们得知,1837年(考狄作1838),威妥玛作为一名英国军官(上校)的长子,在毕业于剑桥大学三一学院(考狄说是 Harrow,贵族中学)之后入伍。第一次鸦片战争爆发后,他于1841年随参战部队来华,成为最早学习汉语并在不久担任中文翻译者之一。1847年6月,他以陆军中尉的军衔退役,被任命为驻华使团的助理翻译。也就是在这个时候,威妥玛开始了对汉语表音系统的研究。

1859年,他的第一本汉语研究专著《寻津录》在香港出版。在这本著作的扉页背面,威妥玛醒目地题上了这么一行字:"献给托马斯·米道斯先生"(中文通称密迪乐)。在《语言自迩集》的第一版序言中,他再次向密迪乐致谢:"我很感激米道斯先生,不仅是他从一开始就把我引上正途,后来又给我许多及时的援助与支持,而且是在我所能接触的人中间谁也无法提供的。"

《寻津录》的英文标题是"Book of Experiment",目的是"being the first of a series of contributions to the study of Chinese",它的出版,使得威妥玛成为公使馆首屈一指的汉语权威,也大约就在此后不久,威妥玛开始负责对使馆翻译学员的汉语培训。培训当然需要系统的教材,于是,他在1865年开始系统地整理编写口语与公文教材。1867年第一版序言说:"整个《口语系列》在过去的两年里或者编写或者改写,而在过去的几个月里在上海跟《文件系列》一同付印了。"当然,表音法的精髓显然来自于《寻津录》,"几乎相同的内容,已然包含在1859年我出版的初级读物《寻津录》一书中"(第一版序),只不过,音节数量由397个增加到了420个。

1882年威妥玛解除驻华公使的职务回到英国。1886年,他将多年来搜集的千余种中文书籍赠送给了自己的母校剑桥大学,就在这一年,他被剑桥大学授予荣誉文学博士学位。两年之后,威妥玛被剑桥大学聘为首任汉语教授。

禧在明(1849—1927),伦敦会来华传教士麦都思的外孙,英国驻暹罗领事奚礼尔的长子。奚礼尔来华经商,渐习汉语,于1842年成为港英当局官员,1856年派驻暹罗,同年死于任内。曾与麦都思先后编辑《遐迩贯珍》。禧在明兄弟三人都在中国长期工作生

---

① 《汉学研究》7:2(1989年12月),第405—422页。

活,其弟义理迩(Hillier Herry Mason)在中国海关官至上海、镇江税务司,熙礼尔(Hillier Edward Guy)在汇丰银行升至北京分行经理。禧在明于1867年被英国领事馆录用为翻译学员,1879年后历任中文助理秘书、秘书、驻朝鲜总领事。1904年,禧在明被伦敦大学皇家学院聘为汉语教授,任期四年。除了协助威妥玛修订《语言自迩集》,他自己还编写了 The Chinese Language and How to Learn It。清朝驻英公使汪大燮为之命名《华英文义津逮》,1907年初版。这是一本中等水平的汉语课本,并且多次重版,就我目前所见,便有1910年第2版、1916年第4版、1924年第7版、1929年第8版。

二　结构体例及其修改变动

威妥玛的"自迩集"丛书分为"口语"与"文件"两个系列,即《语言自迩集》与《文件自迩集》。后者也有1867年初版(16卷)和1905年再版(7卷),各自配有答案,即英文注释。口语与书面语的教学齐头并进,这大概可以反映威妥玛的总体构想。

初版《语言自迩集》由四个单行本组成:课文八章、参考练习、音节表与汉字习写法。"课文八章"包括发音、部首、短语对话、声调练习和词类分析。"参考练习"是对课文八章的后六章的英文翻译(第三章重复了第一部分的中文课文,以便对照)和注释。而参考练习、音节表与写字练习,最终却是各自装订成册,于1867年同时出版。"音节表"是对420个汉语音节表(table of sounds)及其四声字对应表(Peking syllabry),外带一个按英文字序排列的汉字简表。"汉字习写法",用楷体书写汉字1912个,即"课文八章"中出现的部首与生词及其练习。

相对于20年前的第一版,第二版在结构体例上作了如下的修订。

一、将四册单行改为三卷并列,统一冠以《语言自迩集》的书名。

第一卷基本保持"课文八章"的结构,第二卷是除第一章发音、第二章部首之外其余六章的英汉对照的练习答案和英文注释,第三卷为附录四种:附录一是根据英文字母排列英文单词,注明章节出处,让读者回溯查对;附录二是根据中文部首排列汉字,同样注明章节出处。这也是对第一版的一个改进,便于读者检索学习;附录三、附录四即第一版的音节表和汉字习写法,但只保留其英文名称"the Peking syllabary"和"writing exercises"。

二、新增一篇《秀才求婚》,替换初版的第五章"续散语",即"The Eighteen Sections"。

威妥玛说:"第六章'秀才求婚'是原第五章重新分配的一份材料,做了许多修正和增加。"(第二版序)为什么要这样呢?"口语系列中给出的句子,它们之间的全部关系查询起来令人烦恼,而要排除经常面临的这种困难,就必须找到一种连接形式以便一总儿解决……学生将会看到,要学习像在北京讲的那样的汉语口语,现在这篇作品,是一种扎扎实实的帮助"。这一变更,确实达到了变短语为长句、变单句为段落、变零散为连贯、变单调为趣味的多重效果。联想到"年长的学者宣称许多例子的语言不自然,称书中采集的短语讥讽为'公使馆汉语'",以及其他读者也感到的短语例句"它们之间的全部关系查询起来令人烦恼",那么,我们可以推断,用故事性的"秀才求婚"(唐朝的时候儿,有位退归林下的大人,姓崔,名珏,曾在蒲州盖了一座庙,名叫普救寺……),替换散语式的"十八节"("他砍我。""我猜是这们着"。"这个是了。""你必定要作死。"……)这种修改增订,已经带有了"完善"与"升级"的意义。

而且,这种修订也确实是在方便使用的过程中不断充实完善的。从第二版序言得知,当威妥玛自称完成了对"秀才求婚"的翻译之后,那些"在公使馆实习了两年的学生"便开始使用这篇课文,"为了向他们指明某些细节,需要提供解释"。于是禧在明承担了"那些能够满足这种需要的大量注释"。其结果是"这比呆板的杜撰要好一些,当它紧扣章节解释的时候,由于带出了相当多的彼此关联的短语,孤立学习它们时的疲劳为之顿消"。兴利除弊,方便实用,这就是第二版的价值所在。

三、删除首栏的生字表,将一次性出现短语改为多次出现的短句,将通栏连排改为多行接排,从而达到强化记忆、减少压力和稀释生词量的效果。如"四十练习"之二:

我们。俩人。咱们这,俩大,那么小。那么甚人,甚么东。东西。那个人是谁?那个人是个好人。他是个买卖人。卖甚么的?卖好些个东西。

四、借助新式排版技术,在一页之内将课文例题双语对照,双栏对应:

十六。十九。二十。三十四。五十七。六十八。　Sixteen. Nineteen. Twenty. Thirty-four. Fifty-seven. Sixty-eight.

五、在原有中文课本英译的基础上,新增英译汉的例句练习,并全部配上答案。

1903 年的第三版,书名下已注明"abridged",它是对第一版、第二版的"删节"、"压缩"而成的简本。

这个简本共上下两卷,篇幅只有旧版的四分之一。它只保留了前四章,而整体删除了后四章。如此"腰斩",出版商的解释是"读者的选择"。当然,这也应该是得到了禧在明的许可的。

三　刊印、流传与影响

《语言自迩集》的印刷出版,涉及两家著名的出版商,即"Trubner"和"Kelly & Walsh"。第一版的版权标注,皆作"London Trubner & Co.",事实上它在上海印刷,威妥玛的序言已经指明了这一点:"整个《口语系列》……在过去的几个月里,在上海,跟《文件系列》一同付印了。五部印刷机同时用来印刷现已出版的这些多卷秩的书籍。"而"Trubner & Co."乃是19世纪享有盛誉的出版品牌[1],考狄书目中著录的《Trubner氏世界主要语言及方言字典和语法著作目录》和《Trubner氏东方词典及语法著作目录》,至今令人肃然起敬[2]。由此我们便不难理解,《语言自迩集》这本编印于中国,而且主要面对在华英人的汉语教材,为什么要挂名"London Trubner"了。

第二版同样在上海印刷,威妥玛在序言中说:"承蒙罗伯特·哈特先生(即清朝海关总税务司赫德)同意,新版已在上海的海关印刷厂印刷,而且不要我一分钱。他的专员得鲁先生,作为海关统计署负责人,监督印刷。他和他的下属帕雷蒙坦先生、布赖特先生,尽心竭力,在最后的两年里,由于有他们的精心呵护,新版才得以问世。"由此我们又看出另外两个问题:一是印刷周期长,二是出版与发行的分离。本版的出版标注是:"Shanghai:Published at the Statistical Department of the Inspectorate General of Customs, and Sold by Kelly & Walsh, Limited, Shanghai, Yokohama, and Hongkong. London: W. H. Allen Co., Waterloo Place"也就是说,第二版实际由上海海关编辑印刷,而"Kelly & Walsh Ltd."只是承担了经销发行。

至于第三版,"Kelly & Walsh Ltd."似乎包办了整编、印刷与发行。

"Kelly & Walsh Ltd.",中文通用名"别发洋行",1870年成立于新加坡,香港、上海、横滨等地皆设有分行,以出版发行为主,与"Trubner & Co."近似,它也是以东方语言及其字典为特色,在中国近代出版史上也作出过一定的贡献。1950年后歇业。

《语言自迩集》的流传与影响,最初主要是英国领事馆的翻译学员,威妥玛的两次序

---

[1] http//www. Trubner & Co.:Trubner & Company was established in 1851 in London by Nicholas Trubner, a distinguished bookseller and oriental scholar from Central Europe. ... The firm became particularly associated with language books, colloquials, grammars, major dictionaries, translations of foreign language classics, accounts of travels and voyages, comparative religion, anthropology, sociology and works on art and artefacts. In 1898 the firm joined forces with the equally distinguished publishing house of Kegan Paul and continued to publish using both the Kegan Paul and Trubner names.

[2] 《西方人早期汉语学习史调查》,张西平等编著,中国大百科全书出版社,2003。

言中一再证实了这一点。后来推广到各地的海关职员①。当时，像禧在明这样由翻译学员升任秘书、参赞与领事者，当时不下数十人。如翟理思、务顺谨、朱迩典、金璋……皆是。

此外，它在当时还得到了其他国家翻译学员的欢迎。在东方国家，以日本为最。他们起初是传抄，继而是翻刻、改编。如《亚细亚言语集》(1879)、《清语阶梯语言自迩集》(1880)、《总译亚细亚言语集》(1880)、《(新校)语言自迩集》(1880)等。"从那以后，日本的近代中国语教学开始起步。"②

19世纪的对外汉语教学，始于马礼逊、麦都思、卫三畏等传教士的初级探索，但都比较浅显，而且是南方方言。1846年，才有"唯一一位讲北京官话的有名望的汉学家罗伯聃"(第二版序)，节取中国的《正音撮要》，在宁波领事馆编印了一本 *The Chinese Speaker*，其目的是"compiled for the use of students"，应该说，这是为"学生们"准备的比较专门的学习课本了。而威妥玛却因为职责在身，为了"帮助领事馆的学员""用最少的时间学会这个国家的官话口语"，他必须要选择一种更有效的教学方式。作为剑桥大学的毕业生，威妥玛在本书中体现了相当的学术品位。他在第一版序言中即声明："本书的教导原则，在很大程度上是安(Ahn)和奥林多夫(Ollendoff)在欧洲已经推广的方法……这种教学法的所有样本，我都仔细审查过。"安和奥伦多夫的教学法是19世纪语言尤其是外语教学卓有成效的代表，注重语料的积累和训练，重视句型的完型练习，双栏排版的双语对照等等，可能都对《语言自迩集》产生了一定的影响。

作为对外汉语教学史上最早的北京口语教材之一，《语言自迩集》以创新、系统和实用而著称。在表音法上，它完善了《寻津录》创始的"威妥玛式拼音"，并且在全书中全面使用这套表音系统；对于汉语特有的四声声调，它采用1、2、3、4数字标注(创意来自密迪乐，运用于实践教学却始于《语言自迩集》)；对于这四个声调，它配比出了420组音节③；对于汉语的214个部首，它按笔顺、示例与检测练习指导学生由浅入深④；课文八章，从发音特征、拼写规律、字词组合到语句串连⑤，直至语法认知⑥，尽可能做到了循序渐进，加上它的对应练习、对应注释，以及兼顾到学生的阅读兴趣所选编的例句与短文，

---

① 考狄的《威妥玛传》末称《语言自迩集》"this book has been universally used at the British Legation and in the Custom Service"。赫德最初即以领事馆学员的身份来到中国，掌管中国海关后，便一直向海外招考学生来华，起初在北京学习汉语，为期一年。后来制度放宽，但也需在职补习。他1874年2月24日《致金登干》曾说："裴式楷(赫德内弟)已做完四十个习题的一大半"，即《语言自迩集》的第三章"四十练习"。
② 六角恒广《日本中国语教学书志》，王顺洪译，北京语言文化大学出版社，2000年版，第6页。
③ 详见附录第39至54条对话。
④ 详见附录第11至22条对话。
⑤ 详见附录第24至37条对话。
⑥ 详见附录第67至74条对话。

加上原汁原味的语料采集,简明实用的语法分析,加上学有专攻的中外助手的协作,汉英语种、语法和语汇教学的开创性的示例,这一切,使得它成为当时首屈一指的教辅读物而通行于世。

2000年,北京大学出版了张卫东先生的中文译本,在此前后,张先生还发表了一系列的研究论文。笔者对《语言自迩集》的初始认识和兴趣,即完全得之于张先生的译书和论文。

附录:

这是在第二版被禧在明替换了的一段中文对话。张卫东译本据第二版译出,故无此一节。在我看来,它反映了本书编纂用意和方式,借此可以探讨本书的成书过程。今仔细抄出,供大家参考。

第一版,问答十章之十;第74—81页

1. (侍者)昨儿来的那苏先生来了。

2. (威妥玛)请进来。阿,先生来了。

3. (苏先生)是。咱们昨儿定规的,今儿见。

4. (威)不错,是昨儿定规的。我的敝友请先生教话,您想出甚(怎)么教的头绪来没有?

5. (苏)我们人学满洲话,有一样儿话条子,不知道贵国有这宗样儿入手的书没有?

6. (威)话条子是有阿,但是竟有英文的,学生们那儿可以知道缙什么汉话呢?若说到汉文,他们不认得字,怎么能解那个意思?

7. (苏)那是不错的,总得要英汉合璧的字典,察(查)一察。

8. (威)察一察是必得的,还是先明白部首,是不是?

9. (苏)我们人向来没有专学部首的理。

10. (威)那是贵国的人念书的时候儿,都认得的是整字,不用分其原归那一个部首,细算笔画儿,这么个累赘。

11. (苏)阁下说得就是。我们人有不认得的字,也得按着部首察。虽然没有专学的,那却不大很难,部首的字,通共也不过二百多个,不用很大费事,就可以熟习。

12. (威)所以是。我昨儿提的有个学话的法子,是这么着,我早已把部首的字,分作三层。头一层,是比方"人"、"口"、"牛"、"马"这宗字,有一百三十六,都是话里常用的,那归一项;第二层是比方"曰日"、"犬"、"白"、"邑"这宗字,有三十个,是书上有,话里所不说的,另归一项;其余四十八个字,专作部首的,书上也不见,话里也不说,这算第三层。分这三层的道理,先生懂得不懂得?

13.（苏）那都懂得。

14.（威）就是。定过这三层之后，就把那话里头可用的部首，作成一章字眼儿，教学生学习，是一面学几句话，一面认得那些部首。先生想，好不好？

15.（苏）好是很好，一举两得。但是二三两层，还有什么好法儿，阁下可以提一提。

16.（威）我正在要说。这二三两层，通共七十八个部首，既是话里用不着，怎么能做成话里的字眼儿呢？只好选择这些部首里所属的字，有话里常用的，又做成一章字眼儿，也有一面学话、一面学部首的益处。不知道先生明白这个立意不明白？

17.（苏）我虽明白，却不十分了然。阁下手底下有这两章，可以给我看一看。

18.（威）就是这两章，您请看。

19.（苏）阿，是这么着。头一章是专用头一层部首的字，连成字眼儿，这二章里头，头一层部首的字还有，那不是部首的字，就是择其归为二三层部首的做个榜样，这个主意很妙。

20.（威）那儿的话呢。可是这两章是叫人学习了，还有一章，是把所有的部首，按义分类，是为学生学得快熟的时候儿，随时看了，可以提补他们的意思。

21.（苏）阿，阁下这宗教导，实在周密得很。贵国的人得这个开手的门路，算计着得多少天，可以记得部首？

22.（威）也看人的记性，若是聪明人半个月就可以会了。就是笨的，有一个月的工夫，也没有不行的。

23.（苏）半个月能记得，怕少罢？就是这个部首熟了之后，请问还怎么样呢？

24.（威）部首熟了之后，有先生帮我作的四十张（章）散话儿。

25.（苏）这是我都听说过得（的），是按着类分出字来，是不是？

26.（威）那说按着来的理，还有一点儿，也不能全是按着类。

27.（苏）怎么呢？

28.（威）我当初的主意，是把数目、你我、房屋、家伙、动作等类的字，各归一张（章），试了一试，不行。

29.（苏）有甚么不行呢？

30.（威）那些类里头，竟用本类的字，不能成话。总得把外字凑上才行。

31.（苏）这些散话章，阁下可以给我看一看。

32.（威）可以，这儿有这头一章，请细细儿的看一看。头一行是题目，凡是数目的字，都在这儿。

33.那可不毂罢。"一"、"二"、"八"、"十"，这些字在那儿呢？

34.（威）那都是部首的字，学生已经看熟了。这四十章的题目里头，不用再提。

35.（苏）我这就明白了。连部首（都）算足了。

36.（威）可自然的。就瞧底下那些"几"、"数"、"零"、"来"各等字，那都是望数目字连络的，才成小句儿。做成小句儿之后，您看，就连着小句儿编成话条子。先生瞧明白了没有？

37.（苏）这我都明白了。就是有一件事，学生不认得汉字，那（哪）儿可以知道是甚么音、怎么讲呢？

38.（威）等我们印出书来，半篇是汉话，半篇是英话，凡是那个题目字，应该甚么音的，都相对着记出来。其余的解法，都按着分段的次序，繙译明白。

39.（苏）用贵国的字记我们的口音，是按着我们的反切的理么？

40.（威）我们那反切的理，有不大相同的地方儿，比贵国那反切的理细些儿。中国反切，不过上下两音凑到一块儿，也不能很合。我们那二十多个音母，不算是字。单写出来，并没实义，不过是用他定音。有四五个音母成中国一个字音的。虽然不能个个恰对，还比贵国反切，较近一点儿。那京话字音的定数儿，先生知道不知道？

41.（苏）这一件事，我们的人没有算过的，因为没有甚么用处。

42.（威）那是不错的，贵国人算那个，实在没有甚么益处。我却都算过，共总有四百一十多（个）音。

43.（苏）那是连声带音都算上阿？

44.（威）声可不在里头，竟单说音。若是分声，有那三倍多呢。

45.（苏）不是阁下算过，我估摸着竟音没有那么些个。

46.（威）算得数儿不错，您看这一篇字，是音全在上头。

47.（苏）这里头似乎有几个是重些儿的。

48.（威）那可不能免的，是有三两个音却是一个字的。比方那"略"字，不是仅有一个念法。

49.（苏）那不错的，有"谋略"、有"大略"，其"略"字的音不同。

50.（威）所以呢，就是定那音目，不能不重复的。

51.（苏）看这音目里，都是常用的字。

52.（威）不错，都是话里常用的字，弄成那些散话章，把这些京音都罗织在题目字里。

53.（苏）阁下很讲究这音目，是何所取义？

54.（威）那是彼此两国的口音，有好些不同的。我把这京音编在散话里头，为得（的）是学生看过这个，就可以练习口音。不论甚么音，没有没有阅历过的。

55.（苏）阁下才说的这散话章，有四十章阿。

56. (威)不错,整是四十章。

57. (苏)说的不是先学部首,后念这四十章么?

58. (威)那都不拘。也可以一面学部首,一面看这四十章。

59. (苏)学生看熟了这四十章,还有甚么进益的书,可以看呢?

60. (威)还有两样儿,一本是办妥的,一本是正在办着。

61. (苏)办妥了的叫甚么呢?

62. (威)那《清文指要》,先生看过没有?

63. (苏)仿佛是看见过,那是清汉合璧的几卷话条子那部书,是不是?

64. (威)是那部书。

65. (苏)那一部书却老些儿,汉文里有好些个不顺当的。

66. (威)先生说得是,因为这个,我早已请过先生,从新删改了,斟酌了不止一次,都按着现时的说法儿改好的,改名叫《谈论篇》。

67. (苏)这就很好了。才刚说不是还有一本,正在办着,那也是本着我们这儿的成书作的么?

68. (威)不是那么着,是我和我的先生,这几个月零碎做的。

69. (苏)还是《谈论篇》的样子,是散话章的样子?

70. (威)两样儿都不是,这一本书,不是专为我们的学生可以学贵国话,就与(是)中国人要学我们的,也有点儿益处。

71. (苏)是字汇、字典的样子么?

72. (威)也不然。贵国除了《清文启蒙》之外,怕没有这样儿的书,就是《清文启蒙》,那个相似的地方儿,也有些个得细细儿分的。

73. (苏)依您这么说,这一部分所论的,想来是我们这儿说话的神气、层次、句法呀!

74. (威)有些微点儿那么着,别的不别的,先把这些书做成了,底下还可以有别的要续上也不定,总是望着学生念了,有一步一步的长进,那工夫不间断,自然一个月比一个月的见强。

75. (苏)那是必然的,仿佛檐溜还可以穿石呢。

76. (威)不错,是因为这个,我所以把这些个浅近的给先生看,也不怕贻笑大方。

77. (苏)那儿的话呢。登高自卑,行远自迩,彼此两国的人,互相受教,无非是由浅以及深的这个理阿。

参考文献

威妥玛、禧在明(2000)《语言自迩集》(张卫东译),北京大学出版社。
威妥玛(1867)《语言自迩集》(初版),伦敦特鲁布吕出版公司(London Trubner & Co.)。
威妥玛、禧在明(1886)《语言自迩集》(修订版),大清海关总署编印上海别发洋行发行。
威妥玛(1903)《语言自迩集》(删节版),上海别发洋行。
六角恒广(2000)《日本中国语教学书志》(王顺洪译),北京语言文化大学出版社。

(200234 上海,上海师范大学对外汉语学院)

汉语中介语研究述评*

张 建 强

摘 要：汉语中介语研究在引进、消化国外中介语理论的基础上，致力于外国人汉语学习过程中的偏误分析、习得过程和习得心理以及相关理论的研究，取得了长足的进步。本文从汉语中介语的本体研究、发展研究及研究方法论三个方面对汉语中介语研究予以述评，并提出汉语中介语研究应拓宽研究的领域。

关键词：中介语；汉语中介语；偏误分析；方法论

一 引 言

"中介语"(interlanguage)这一术语是美国学者赛林格(L. Selinker)于1972年提出来的。我国学术界对这一术语虽有多种译法，除"中介语"外，还有如"中间语"、"过渡语"等，但其内涵不变，即指第二语言学习者特有的语言系统，这种语言系统既不同于学习者的母语，又不同于目的语，而是一种随着学习的进展向目的语的正确形式逐渐靠拢的动态的语言系统(吕必松，1993)。

国内最早运用中介语理论来研究外国人学汉语的中介语现象的学者是鲁健骥，他在1984年发表的《中介语理论与外国人学习汉语的语音偏误分析》标志着汉语中介语研究的开端。此后，中介语的研究引起了对外汉语教学界的重视，至今，汉语中介语的研究已走过了20年的历程。20年来，汉语中介语研究在引进、消化国外理论的基础上，致力于外国人汉语学习过程中的偏误分析、习得过程和习得心理以及相关理论的研究，取得了长足的进步，对我国的对外汉语教学和学科理论建设做出了巨大贡献。本文拟从汉语中介语系统本体研究、发展研究以及研究方法论三方面对汉语中介语研究予以述评，并提出自己的一些思考和展望。

---

* 本文写作得到北京语言大学鲁健骥教授的指导，在此深表感谢。

二 汉语中介语的本体研究

　　国内对汉语中介语的研究是从描写中介语系统开始的,可称作是对汉语中介语的本体研究。这类研究可分为静态描写研究和动态描写研究,它们都从偏误分析的角度对汉语中介语系统,即外国人学习汉语的语言整体包括语言要素及其他非语言要素进行了描写,并在此基础上提出了相应的教学对策和学习策略。

　　1.静态研究。包括对汉语中介语中的语音、词汇、语法、文字等语言要素的习得偏误的类型进行了描写和归纳,并分析偏误外在的成因,提出了相应的教学对策和学习策略。鲁健骥(1984)首先运用中介语理论分析了外国人(主要是以英语为母语的人)学习汉语时的语音偏误,并指出了产生中介语的几个主要根源,强调了中介语语音系统的顽固性。此后,不同的学者对母语背景不同的学习者的中介语语音系统分别进行了描写和分析,例如孟柱亿(1990)描写了朝鲜人说汉语的中介语语音系统,李红印(1995)对泰国学生汉语语音偏误进行了系统的描写和分析,王秀珍(1996)则对韩国人学汉语语音难点和偏误进行了分析。特别指出的是朱川(1996)通过一系列的测字实验,试图找出不同母语留学生的中介音特征,划分其中介音类型,以便可以针对不同类型设计对策,促使中介音更快地向目的音转化。这是一种对汉语中介语语音偏误的总体的概括,有利于对不同母语背景的学习者语音发生偏误普遍规律的掌握。

　　词汇研究涉及到了词汇系统中各种词,如动词、副词、代词、关联词等,甚至熟语(成语)的单项研究,以及针对整个词汇系统的整体研究。鲁健骥(1987)指出在汉语中介语系统中,词语的偏误是大量的,而且随着词汇量的增加,词语偏误也越来越多。他从总体上考察了外国人学汉语的词语偏误,并重点分析了本族语、本族文化在词语教学中的干扰和教学上的失误。戴国华(2000)、李晓琪(1995)、张永芬(1999)等人则分别对动词、副词和成语的偏误进行了描写分析。

　　语法研究的成果较为丰富。鲁健骥(1994)把以英语为母语的初学汉语的学生的偏误归纳为遗漏、误加、误代、错序四大类,指出这四类偏误在词语使用和句法两大语法项目中都会出现。肖奚强(2000)着重分析了韩国学生汉语语法偏误,李大忠(1996)、柳英绿(2000)、方绪军(2001)等人分别对"使"字兼语句、被动句、动词句的配价偏误进行了分析。李大忠的《外国人学汉语语法偏误分析》一书则对语法偏误进行了系统和详尽的分析。

　　文字研究有对形符书写偏误(施正宇,1994)、字形书写偏误(施正宇,2000)、规则字偏误(高立群,2001)、汉字偏误(肖奚强,2002)等的分析。他们的分析表明学生对汉字的把握多数还处于从非理性向理性过渡的中介状态,并深入地探讨了产生错误的原因。

2. 动态研究。对中介语系统在语音、词汇、语法、文字诸层次所作的描写是静态研究，而对语用、语篇、社会文化和语体风格层次的研究则是一种动态的研究。

语用方面的研究有吕文华、鲁健骥的《外国人学汉语的语用失误》一文。该文通过对外国人在语用失误上的考察，认为语用失误可分为语言语用失误和社交语用失误两大类型，并指出二者都是由于语言的不得体造成的，但造成不得体的具体原因不一样，并提出了防止语用失误的办法。潘辉、马叔骏(1998)从语用学的角度分析了汉语中介语生成的语用机制，概括了语用机制所包含的几个原则：中心词原则、借用原则、通用原则、简化原则。语用的研究对中介语产生的根源进行了补充，让我们看到中介语的产生原因不仅限于传统所言的语际迁移、语内迁移、学习语境、交际策略、文化迁移，还有语用的原因。

语篇分析研究有彭丽贞(1996)、杨翼(1996)、鲁健骥(1999)等人的文章。他们分别对外国人学汉语出现的篇章偏误进行了分析，从不同的角度归纳了语篇偏误的类型，肯定了中介语语篇层次的研究，给中介语研究的其他层次作必要的补充，开拓了中介语研究的新领域。

中介语中文化层次的研究，有屈延平的《文化对比语篇分析》(1991)，被认为是第一部系统研究学习者中介文化行为的专著。王建勤《跨文化研究的新维度——学习者的中介文化行为系统》(1995)一文对描写和分析中介文化行为系统，提出了一个基本框架。

语体风格的研究几乎没有。总之，对语用、语篇、文化、语体风格的研究较为薄弱，仍需后人对之进行深入研究。

在汉语中介语研究中，偏误分析运用较广，研究试图通过偏误分析从语言学方面揭示中介语的性质和特点，进而逐步对汉语中介语系统做出具体描写，归纳中介语系统模式。但中介语是一个复杂的、不断变化发展的动态系统，缺乏纵向描写与比较的偏误分析，尚不能完全做到这一点。因此，出现了对汉语中介语的形成过程、发展规律进行纵向的研究。

三　汉语中介语的发展研究

前面谈到，中介语系统是一种不断发展变化的动态系统，这种动态系统的发展，包括语音、词汇、语法、语用的发展等等，必然有自己的规律。吕必松(1993)认为揭示汉语中介语发展的规律至少包括汉语学习的阶段性、汉语学习的条件（主客观条件）、汉语中介语发展的群体特征三个方面的内容。汉语中介语的发展研究主要集中在个体习得过程、习得顺序和习得心理的研究上。习得顺序与习得过程研究曾一度是国外第二语言习得研究的重点，相对而言，汉语习得顺序和习得过程的研究略显薄弱。

孙德坤(1993)首次采用个案的纵向观察法分析了两个调查对象五个月内即兴谈话中使用"了"的过程,该研究显示了个案研究方法的作用与特色。文章还指出,习得顺序与习得过程是第二语言习得研究的核心问题。此后,赵立江(1996)采用个案研究与规模研究相结合的方法对汉语"了"的习得过程也进行了分析研究,该研究扩大了调查范围,弥补了个案研究在调查对象规模上的不足。王建勤(1996)基于"汉语中介语语料库系统"对"不"和"没"否定结构的习得过程进行了多侧面的描写和分析,研究指出,"不"和"没"否定结构的习得过程是有序的和具有阶段性特征的,学习的扩散过程揭示了学习者学习新规则所经历的、隐蔽的内在过程,结论对汉语否定结构的教学对策的制定是具有启发意义的。王珊(1996)基于假设母语迁移,目的语规则净化和学习策略这三种最基本的中介语形成因素分别为三条相互交叉的线的思路,建立了一个二维的中介语动态模型,并依据这个动态模型把汉语中介语的阶段划分为三个阶段。这种对中介语分阶段的研究视角较为独特,能归纳出中介语发展的一些普遍规律,符合中介语动态系统的本质特点。施家炜(1998)对外国留学生22类汉语句式的习得顺序进行了大规模的统计分析,在此基础上提出自然习得顺序变体的理论假说。王魁京(1992)、李大忠(1999)、徐子亮(2001)三人则从认知心理学的角度对习得过程中学习者大脑里发生的思维过程和心理过程进行了推测、分析,通过对中介语产生的认知心理原因的分析探究了中介语的成因和发展规律。

我们认为,汉语中介语研究从重视描写分析的本体研究走向重视解释的发展研究,这是一个新的突破。但目前对汉语中介语的发展研究得不够,尤其是对学习者习得心理、认知加工方面的实验研究还不多见,多数研究方法是经验型的,结果是定性的然而也是不够深入的,甚至往往带有较大的片面性。

四 汉语中介语研究的方法论

中介语研究是一项系统工程,而且是一项长期的任务,没有科学有效的研究方法和研究策略即方法论的指导是无法完成的。一些学者在汉语中介语如何研究的问题上提出了许多建设性的意见,另外,储诚志、陈小荷主持的"汉语中介语语料库系统"和王韫佳"汉语中介语语音语料库"的建立,为中介语的研究提供了充分可靠的语料基础,标志着我国在中介语研究领域进入了一个新的阶段。

吕必松(1993)曾对汉语中介语研究作了具体设想:"发现汉语中介语系统并进行系统描写;揭示汉语中介语的发展规律;提出作为第二语言的汉语学习和汉语教学中需要优化的因素及优化的办法。"回顾我国20年的汉语中介语研究,也确实是沿着这个思路展开的。他还对中介语研究的意义、目标、方法和策略做了全面的论述。他提出中介语研究的基本方法是观察和实验,对观察和实验的结果进行比较、分析和描写。研究策略应当是个案研究和规模研究相结合,阶段性研究和全过程研究相结合。

鲁健骥(1993)也提及,在对中介语进行描写时,很重要的一个任务是给中介语划分阶段。但他同时又认为,划分中介语的阶段非常困难,应该从实际出发,扎扎实实地做些基础工作,包括大量的资料搜集、整理,用中介语理论进行尽可能的分析,并在此基础上利用社会语言学的统计学方法做些实验,逐步归纳出外国人学汉语的中介语系统模式。还要紧密地结合教学,并把研究的成果不断地运用到教学中去,使教学和中介语的研究互相促进,互相推动。

鲁健骥(1994)还认为母语者的话语是多种因素形成的集合体,其中既包含了语言要素的因素,也包含了语用、语篇,以至社会文化、语体、风格等多方面的因素,中介语的研究领域应扩展到上述各个层面;同时,把中介语理论运用到标准语、方言和目的语文化的学习上,是拓宽中介语研究领域的另一个方向。

孙得坤(1993)提出要在客观、准确地描写学习者的中介语的基础上进行比较研究,比较不同母语、不同年龄、不同学习环境、不同教学方式下习得某一特定目标语的中介语系统,以及这种中介语同儿童把该目标语作为第一语言(母语)习得的中介语的差异。王建勤(2000)集中探讨了中介语研究中的理论与方法的关系,强调了研究方法的理论定位的重要性,提出了中介语研究的具体方法,强调中介语的研究不能简单地套用语言学理论和方法,必须采用与其相适应的科学的理论和方法。

也许由于中介语研究起步较晚,所以在方法论方面相对简单,致使研究基本上还处于理论借搬和凭几条基本假设进行纯理论推演思辨的状态,缺乏定量分析的实证研究,特别是汉语中介语分阶段描写性的研究和注重教学对策的分析研究,尚属阙如。

五 思考与展望

汉语中介语的研究已走过了 20 年,20 年来,对中介语的研究的确取得了一些引人注目的成果,但跟外语中介语研究相比,在研究领域、研究方法等方面存在着一定的差距。要缩短这一差距,有必要在研究中注意以下一些方面:

1. 拓宽研究领域,加强对少数民族学习汉语的中介语、方言地区的人学习普通话的中介语研究。少数民族学生在学习汉语的过程中,不可避免地会产生偏误,形成中介语。遗憾的是,对少数民族学习汉语的中介语研究凤毛麟角,仅有少量几篇对维吾尔族、哈萨克族等民族学生学习汉语的中介语研究文章,此项研究尚处于起步阶段。相信随着中介语理论的推广,这方面的研究将会不断深入,同时也一定会推动、促进少数民族汉语教学的发展。

　　至于方言地区的人学习普通话的中介语,不同的学者有不同的说法。鲁健骥称之为"中介方言"。陈亚川(1991)认为应称作"地方普通话",并且认为"地方普通话"的研究应属于第二语言习得研究。于根元(2003)也称之为"地方普通话"或"过渡方言"。不管名称如何,学者们都认可"地方普通话"是方言地区的人学习普通话过程中出现的一种中介语,只是在方言区的人学习普通话属于第一语言学习还是第二语言学习的问题上有分歧。笔者更倾向于把方言区的人学习普通话看成是一种母语标准语学习,因为方言是汉语在历史发展过程中的地方变体,普通话是现代汉民族的共同语。它既是方言区的人的母语标准语,又是学习的目的语,因此,把方言区的人学习普通话视作母语标准语学习更为妥当。这种母语标准语习得与母语习得、第二语言习得有相同之处,也有不同之处。因此,完全可以借鉴第一语言习得和第二语言习得的理论,运用中介语理论去研究母语标准语习得中出现的中介语(地方普通话)。况且,地方普通话的研究有助于普通话教学和学习,有助于推普。另外,我国在1994年开展的普通话水平测试实际上所测试的就是这种中介语(地方普通话),普通话水平测试的等级划分的理论依据就是中介语理论(李宇明,2002)。普通话水平测试等级标准中的"三级六等"相当于地方普通话(中介语)向标准普通话(目标语)不断靠近的几个阶段,因此,运用中介语理论研究普通话水平测试也是大有可为的。只可惜国内在这一块的研究几乎是空白,除了陈亚川(1987)、姚佑椿(1988)等几位学者的几篇文章外,其余的未见有研究。

　　2. 汉语中介语研究的真正突破将有赖于对汉语本身更深入的研究,特别是基于语言学和语言类型学的汉藏语系语言对比和汉外语言对比研究。如汉语"把"字句等的研究,至今没有形成统一的认识,这对留学生学习汉语出现的问题就难以作出令人满意的解释,也就无法深入地去研究汉语的中介语。汉语的历史和特征通过汉藏语系语言对比研究和汉外语言对比研究可以得到更深刻的认识,对汉语研究会有很大帮助。外国学生学习汉语时产生的中介语必然和其他语言的中介语大相径庭,因此,要想更深入地研究汉语中介语,希翼真正能有所突破,对汉语本身更深入的研究将是一项不可或缺的基础工作。

参考文献

陈亚川(1987)《闽南口音普通话说略》,《语言教学与研究》第4期。
陈亚川(1991)《"地方普通话"的性质及其他》,《世界汉语教学》第1期。
戴国华(2000)《日本留学生汉语动词常见偏误分析》,《汉语学习》第6期。
方绪军(2001)《中介语中动词句的配价偏误分析》,《语言教学与研究》第4期。
高立群(2001)《外国留学生规则字偏误分析——基于中介语语料库的研究》,《语言教学与研究》5期。

李大忠(1996)《"使"字兼语句偏误分析》,《世界汉语教学》第1期。
李大忠(1999)《偏误成因的思维心理分析》,《语言教学与研究》第2期。
李红印(1995)《泰国学生汉语学习的语音偏误》,《世界汉语教学》第2期。
李晓琪(1995)《中介语与汉语虚词教学》,《世界汉语教学》第4期。
李宇明(2002)《关于普通话水平测试的思考》,《普通话水平测试研究》,上海教育出版社。
柳英绿(2000)《韩汉被动句对比——韩国留学生被动句偏误分析》,《汉语学习》第6期。
鲁健骥(1987)《外国人汉语词语偏误分析》,《语言教学与研究》第4期。
鲁健骥(1994)《外国人汉语语法偏误分析》,《语言教学与研究》第1期。
鲁健骥(1994)《中介语研究十年》,《中国对外汉语教学学会成立十周年纪念论文选》,北京语言学院出版社。
鲁健骥(1999)《外国人学汉语的篇章偏误分析》,《第六届国际汉语教学讨论会论文选》,北京语言学院出版社。
吕必松(1993)《论汉语中介语的研究》,《语言文字应用》第2期。
孟柱亿(1990)《朝鲜人说汉语中的中介语》,《第三届国际汉语教学讨论会论文选》,北京语言学院出版社。
潘先军、马叔骏(1998)《论汉语中介语生成的语用机制》,《汉字文化》第2期。
彭利贞(1996)《论中介语的语篇层次》,《第五届国际汉语教学讨论会论文选》,北京语言学院出版社。
施家炜(1998)《外国留学生22类现代汉语句式的习得顺序研究》,《世界汉语教学》第4期。
施正宇(1999)《外国留学生形符书写偏误分析》,《北京大学学报》(哲社版)第4期。
孙德坤(1993)《中介语理论与汉语习得研究》,《语言文字应用》第4期。
王建勤(2000)《历史回眸:早期的中介语理论研究》,《语言教学与研究》第2期。
王建勤(2000)《关于中介语研究方法的思考》,《汉语学习》第6期。
王建勤(1997)《汉语作为第二语言的习得研究》,北京语言文化大学出版社。
王魁京(1992)《"中介语"的产生与言语行为主体的思维活动》,《北京师范大学学报》(社科版)6期。
王 珊(1996)《汉语中介语的分阶特征及教学对策》,《世界汉语教学》第1期。
王秀珍(1996)《韩国人学汉语的语音难点和偏误分析》,《世界汉语教学》第4期。
肖奚强(2000)《韩国学生汉语语法偏误分析》,《世界汉语教学》第2期。
肖奚强(2002)《外国留学生汉字偏误分析》,《世界汉语教学》第2期。
杨 翼(1996)《汉语学习者的语篇偏误分析》,《北京语言学院第七届科学报告会论文选》,北京语言学院出版社。
姚佑椿(1988)《上海口音的普通话说略》,《语言教学与研究》第4期。
于根元(2003)《应用语言学概论》,商务印书馆。
张永芳(1996)《外国留学生使用汉语成语的偏误分析》,《语言文字应用》第3期。
赵立江(1996)《外国留学生使用"了"的情况调查与分析》,《第五届国际汉语教学讨论会论文选》,北京语言学院出版社。
朱 川(1996)《对外汉语中介音类型研究》,《第五届国际汉语教学讨论会论文选》,北京语言学院出版社。

(542800　贺州,广西梧州师专中文系)

《对外汉语研究》征稿启事

《对外汉语研究》由上海师范大学对外汉语学院主办,由商务印书馆出版,向国内外发行。本刊以"促进国内外对外汉语教学与研究为目标,及时反映汉语教学与研究领域的最新成果和学术动态,全面提升对外汉语教学界的教学和科研队伍,为学术讨论、研究和理论创新提供平台"为宗旨。竭诚欢迎世界各地从事汉语研究和教学的学者、专家、教师、研究生围绕以上栏目及相关内容给《对外汉语研究》赐稿!

栏目设置:

作为第二语言的汉语本体研究;语言测试研究;语言学习理论;汉语作为第二语言的习得与认知;中外汉语教学的历史与现状;语言文化教学;对外汉语学科教学论;教材建设;对外汉语教育技术;学术评论和学术动态等。本刊特别欢迎论证充分、材料翔实、联系实际的新观点、新成果。

来稿注意事项:

1. 字数:论文以 8000 字左右为宜,重要文章可作适当调整。

2. 题目、摘要和关键词:文章的题目、摘要和关键词均要求附英文翻译。摘要一般不超过 200 字,关键词一般不超过 5 个。

3. 例句:

例句全部用五号楷体,用(1)(2)(3)……统一编号,按顺序排列,并在例句后面用小括号注明出处。

4. 注文:注文一律采用脚注,用①②③……编号。

5. 参考文献:

例如:朱德熙(1982)《语法讲义》,商务印书馆。

沈家煊(1994)《"语法化"研究综观》,《外语教学与研究》第 4 期。

马箭飞(2001)《以"交际任务"为基础的汉语短期强化教学教材设计》,《对外汉语教学与教材研究论文集》,华语教学出版社。

Wilkins, D. A. (1976) *Notional Syllabuses*, Oxford University Press.

6. 投稿要求:来稿请寄打印本和电子本各一份。打印本一律要用 A4 纸,正文用 5

号宋体字,例句用 5 号楷体。稿件也可以 WORD.DOC 格式用 E-mail 通过附件的方式发送至本刊编辑部。

7、来稿时写明:作者姓名,工作单位,通信地址(含邮政编码),联系电话,E-mail 地址和主要研究方向等内容。

8、来稿审读时间一般为 6 个月,6 个月内未接到用稿通知,可自行处理。

《对外汉语研究》编辑部
邮政编码:200234
地址:上海市桂林路 100 号上海师范大学对外汉语学院
电话:021-64328691;电子信箱:dwhyyj@shnu.edu.cn
联系人:姚占龙

图书在版编目(CIP)数据

对外汉语研究第二期/上海师范大学《对外汉语研究》编委会编. —北京:商务印书馆,2006
　ISBN 7-100-04953-9

Ⅰ. 对… Ⅱ. 上… Ⅲ. 对外汉语教学—教学研究—文集 Ⅳ. H195-53

中国版本图书馆 CIP 数据核字(2006)第 025674 号

所有权利保留。

未经许可,不得以任何方式使用。

上海市重点学科建设项目资助,
项目编号:T0405

DUÌWÀI HÀNYǓ YÁNJIŪ

对 外 汉 语 研 究
（第 二 期）
上海师范大学《对外汉语研究》编委会 编

商 务 印 书 馆 出 版
（北京王府井大街36号　邮政编码 100710）
商 务 印 书 馆 发 行
北京瑞古冠中印刷厂印刷
ISBN 7-100-04953-9/H·1214

2006 年 8 月第 1 版	开本 787×1092　1/16
2006 年 8 月北京第 1 次印刷	印张 13¼

定价:20.00 元